10
18

12, AVENUE D'ITALIE. PARIS XIIIᵉ

ANNE PERRY

ASHWORTH HALL

Traduit de l'anglais
par Anne-Marie CARRIÈRE

INÉDIT

10
18

« Grands Détectives »

dirigé par Jean-Claude Zylberstein

Sur l'auteur

Anne Perry, née en 1938, à Londres, est aujourd'hui célébrée dans de nombreux pays comme la « reine » du polar victorien grâce aux succès de deux séries : les enquêtes de Charlotte et Thomas Pitt (dont elle a publié le vingt-quatrième titre, *Long Spoon Lane*, en 2005), puis celles de William Monk, qui comptent aujourd'hui quinze titres. Anne Perry s'est depuis intéressée à d'autres périodes historiques avec notamment *À l'ombre de la guillotine*, qui a pour cadre le Paris de la Révolution française. Elle a aussi entrepris de publier une ambitieuse série de cinq titres dans laquelle elle brosse le portrait d'une famille anglaise pendant la Première Guerre mondiale. Anne Perry vit au nord d'Inverness, en Écosse.

Titre original :
Ashworth Hall

© Anne Perry, 1997
© Éditions 10/18, Département d'Univers Poche, 2005,
pour la traduction française.
ISBN 978-2-264-04016-9

À ma mère,
pour son courage et sa foi,
et à Meg MacDonald,
pour son amitié, ses bonnes idées,
son aide inlassable et ses commentaires constructifs.

CHAPITRE PREMIER

Pitt regarda le corps de l'homme allongé sur l'allée pavée. À quelques mètres de là, dans Oxford Street, attelages et fiacres filaient à toute allure sur la chaussée mouillée. Les lampes des réverbères ressemblaient à des lunes pâles, dans l'obscurité naissante du crépuscule gris d'octobre.

L'agent de police éclaira le visage du mort avec sa lanterne.

— C'est un des nôtres, Mr. Pitt, dit-il d'une voix vibrante de colère. Enfin, c'était. Je le connaissais. C'est pour ça que j'ai envoyé quelqu'un vous prévenir. Il travaillait sur une affaire particulière, je sais pas quoi. Mais c'était un brave type, ce Denbigh, je peux le jurer.

Pitt se pencha pour examiner le cadavre : un homme mince, d'une trentaine d'années, à la peau claire et aux cheveux noirs. La mort n'avait pas altéré ses traits. Il paraissait simplement surpris.

Pitt prit la lanterne et la promena sur le reste du corps. L'homme était vêtu d'un pantalon bon marché, d'une chemise de coton sans col et d'une veste mal coupée. Il aurait pu passer pour un manœuvre, un ouvrier ou un garçon de la campagne venu chercher du travail dans la capitale. Mais ses mains étaient propres et ses ongles bien taillés.

Pitt se demanda s'il avait une épouse, des enfants, des parents qui allaient pleurer sa disparition.

— De quel commissariat dépend-il?

— Battersea, monsieur. C'est là que je l'ai connu. Il a jamais fait partie de Bow Street, c'est pour ça que vous le connaissez pas. En tout cas, c'est pas un crime ordinaire : il a été tué par une arme à feu. Les vide-goussets ont pas d'armes à feu; ils se servent de couteaux ou de garrots.

Pitt fouilla délicatement les poches de la victime. Il trouva un mouchoir propre reprisé dans un coin et de la menue monnaie. Aucun papier, aucune lettre susceptible d'identifier le corps.

— Êtes-vous certain qu'il s'agit de Denbigh?

— Oui, monsieur. Je l'ai bien connu. Je me souviens de la marque qu'il a à l'oreille. Une tache pas ordinaire. J'ai de la mémoire, pour les oreilles des gens. Quand on veut passer inaperçu, on change d'apparence, mais les oreilles, on peut pas les transformer. Tout ce qu'on peut faire, c'est laisser pousser ses cheveux par-dessus. J'aimerais pouvoir vous dire que c'est pas Denbigh, mais hélas, c'est lui, j'en suis sûr.

Pitt se redressa.

— Vous avez bien fait de me prévenir. Le meurtre d'un policier, même en dehors de ses heures de service, est un crime très grave. Nous commencerons l'enquête dès que le médecin légiste sera venu chercher le corps. Je doute que vous retrouviez des témoins, mais essayez quand même. Et revenez demain, à la même heure; il se peut que des gens passent régulièrement par ici en rentrant chez eux. Interrogez les marchands ambulants, les cochers, les clients des pubs environnants, les habitants du quartier qui ont des fenêtres donnant sur la rue.

— Bien, monsieur!

— Savez-vous pour qui travaillait Denbigh?

— Non, monsieur, mais sûrement pour la police ou le gouvernement.

— Bon, je m'en occupe, dit Pitt en enfonçant ses mains dans ses poches.

À rester debout sans bouger dans cet endroit marqué par la mort, il se sentait glacé jusqu'aux os.

Le fourgon mortuaire fit halte au bout de la rue, puis tourna avec précaution dans la ruelle. Les chevaux hennissaient, inquiets, affolés par l'odeur de la mort.

— Passez la ruelle au peigne fin, recommanda Pitt. L'arme ne doit plus se trouver ici, mais sait-on jamais... La balle a-t-elle traversé le corps ?

— Oui, monsieur, on dirait.

— Dans ce cas, essayez de la retrouver. Ainsi nous saurons s'il a été tué ici même ou si on l'y a transporté après sa mort.

Le préfet de police adjoint Cornwallis était un homme de taille moyenne, mince, à la large carrure, doté d'un long nez, d'une grande bouche et d'un crâne complètement chauve. À cette minute, ses traits puissants traduisaient une grande tristesse.

— Denbigh ? fit-il d'un ton malheureux. Oui, c'était l'un des nôtres. Je ne peux vous préciser sa mission du moment, mais il s'intéressait de près aux activistes irlandais. Comme vous le savez, de nombreuses organisations combattent pour l'indépendance de l'Irlande. Les Fenians sont les plus virulents, mais ils ne sont pas les seuls. Beaucoup n'hésitent pas à employer la violence. Denbigh était irlandais. Il est parvenu à s'introduire au sein de la plus secrète de ces confréries, mais il a été assassiné avant de pouvoir nous révéler ce qu'il avait appris. Il ne s'agit pas d'un meurtre ordinaire, Pitt. Je veux savoir qui l'a tué ; c'était un homme honnête et courageux. Occupez-vous personnellement de l'enquête. Et entourez-vous de vos meilleurs hommes.

— Bien, monsieur. Comptez sur moi.

Quatre jours plus tard, alors que l'enquête piétinait, Pitt reçut à nouveau la visite de Cornwallis, cette fois accompagné d'Ainsley Greville, haut fonctionnaire du ministère de l'Intérieur.

— Voyez-vous, commissaire, annonça ce dernier, il est de la plus haute importance que cette affaire ait l'apparence d'un week-end à la campagne. Voilà pourquoi nous venons faire appel à vous.

Il sourit. Grand, avec des cheveux ondulés qui commençaient à s'éclaircir, un visage allongé aux traits réguliers, un regard plein d'intelligence, Greville possédait beaucoup de charme et de distinction.

Pitt le dévisagea sans comprendre.

Cornwallis s'avança sur son siège, soudain très grave. Il n'occupait son poste que depuis peu de temps, mais Pitt le connaissait suffisamment pour comprendre qu'il n'était pas à l'aise dans le rôle qu'on lui demandait de jouer. Cornwallis était un ancien officier de marine ; les méandres de la politique lui étaient étrangers. Tout comme Greville, il devait rendre compte au ministre de l'Intérieur et n'avait donc aucune liberté de manœuvre.

— Il existe un réel espoir de succès, affirma-t-il. Nous devons faire tout ce qui est en notre pouvoir pour que l'entreprise réussisse. Et vous êtes l'homme de la situation.

— J'enquête sur la mort de Denbigh, précisa Pitt, qui n'avait pas l'intention de la laisser à quelqu'un d'autre, quelle que fût la nature de l'affaire que l'on se proposait de lui confier.

Greville sourit.

— J'apprécierais personnellement votre aide, commissaire, pour les raisons que je vais vous exposer. Si nous parvenons à faire évoluer tant soit peu la situation dans un sens favorable, le gouvernement de Sa Majesté vous sera très reconnaissant.

Pitt se demanda si son interlocuteur n'exagérait pas la gravité de l'affaire en question.

Devinant ses pensées, Greville secoua légèrement la tête.

— Il s'agit d'une conférence qui a pour but de connaître les opinions des différentes parties sur les modifications relatives aux lois agraires en Irlande, en vue d'accorder une plus grande indépendance à cette région. Peut-être percevez-vous à présent l'importance de l'entreprise et la nécessité de la tenir secrète ?

C'était clair, en effet. La question de l'autonomie de l'Irlande empoisonnait les gouvernements qui s'étaient succédé depuis le règne d'Élisabeth Iʳᵉ. Elle avait fait tomber de nombreux Premiers ministres : même le grand William Ewart Gladstone avait échoué à faire accepter le Home Rule, quatre ans auparavant, en 1886. Mais, aux yeux de Pitt, l'arrestation du meurtrier de Denbigh semblait une priorité.

— Je vois, dit-il. Mais...

Greville lui coupa la parole.

— Vous comprenez sans doute que toute action entreprise pour résoudre notre problème national le plus difficile doit être menée avec discrétion. Nous ne voulons pas claironner notre échec à tout vent ; attendons l'issue de ces pourparlers avant de décider ce que nous annoncerons au monde.

Son visage s'assombrit. Il ne put dissimuler son inquiétude.

— Les Irlandais sont au courant de cette conférence, commissaire. Il ne servirait à rien qu'ils n'y participent pas ; je vous tiendrai informé de tout ce que nous savons sur les personnalités qui seront présentes. Nous avions infiltré l'une de ces sociétés secrètes, dans l'espoir de connaître leur source d'informations, mais notre homme a été assassiné. Je crois savoir que vous dirigez l'enquête criminelle. James Denbigh. Un honnête homme.

Pitt ne dit rien.

— J'ai moi-même reçu plusieurs menaces de mort,

poursuivit Greville, et été victime d'une tentative d'assassinat, voilà trois semaines.

Il parlait d'un ton léger et parvenait à cacher sa peur, mais ses mains agrippées aux rebords du fauteuil trahissaient sa tension.

— Je comprends, dit Pitt. Vous souhaitez une discrète présence policière sur place.

— Très discrète, en effet, acquiesça Greville. La conférence doit se tenir à Ashworth Hall. Oui, commissaire, reprit-il en voyant Pitt tressaillir. Ashworth Hall, la résidence de campagne de votre belle-sœur, Mrs. Jack Radley, qui fut autrefois la vicomtesse Ashworth. Mr. Radley, l'un de nos plus brillants parlementaires, sera un atout précieux au cours des discussions. Et Mrs. Radley... une hôtesse parfaite. En tant que membres de la famille, vous-même et votre épouse serez naturellement les bienvenus.

— Pensez-vous que les menaces dont vous avez été l'objet aient un rapport avec la tenue de cette réunion ? demanda Pitt.

— J'en suis certain. Beaucoup de gens souhaitent la voir échouer. Nous en avons pour preuve le meurtre de Denbigh.

— Êtes-vous menacé par lettre anonyme ?

Greville haussa les épaules.

— Oui, de temps à autre. En politique, il est normal de rencontrer des oppositions et de subir des pressions. La plupart du temps, elles ne portent pas à conséquence. Si je n'avais pas été victime d'une tentative d'assassinat, j'aurais considéré ces lettres comme une manière peu élégante de la part de nos adversaires de faire valoir leur point de vue. La question irlandaise, comme vous le savez, est, par sa nature même, porteuse de violence.

Il s'agissait là d'un monumental euphémisme. Comment en effet ne pas avoir en mémoire le nombre considérable de gens ayant perdu la vie au cours des batailles, des émeutes, des famines qui avaient jalonné l'histoire de l'Irlande ? Pitt se souvenait par exemple de William Mur-

14

phy, un protestant fanatique qui soulevait les populations du nord de l'Angleterre contre les catholiques irlandais venus y chercher du travail après la Grande Famine de 1847. Murphy avait sillonné le pays, déclenchant des émeutes au cours desquelles des rues entières habitées par des catholiques avaient été détruites, pillées ou incendiées.

— Faites appel à un homme de confiance, lui recommanda Cornwallis. Nous disposerons aux alentours du manoir et dans le village des policiers déguisés en gardes-chasse ou en paysans. Mais vous aurez besoin de quelqu'un sur place pour vous seconder.

— Invité, lui aussi ? s'étonna Pitt.

— Non, déguisé en valet. Il est courant d'emmener des domestiques lorsque l'on est invité quelques jours à la campagne. Choisissons l'un de nos meilleurs éléments. Pourquoi pas Tellman ? Je sais que vous ne l'aimez guère, mais il est intelligent, observateur, et ne manque pas de courage physique, qualité utile si les choses tournaient mal. Plaise à Dieu que tout se passe bien !

Pitt aurait préféré ne pas être chargé d'assurer la sécurité de cette conférence mais, étant donné ses liens familiaux avec les Radley, il était en effet le mieux placé, aux yeux de ses supérieurs. Il aurait souhaité, pour le moins, laisser à Tellman, son meilleur inspecteur, le soin de diriger l'enquête sur la mort de Denbigh. Tellman, qui n'avait jamais caché sa désapprobation devant sa promotion, éprouvait encore du ressentiment envers lui ; à ses yeux, le poste de commissaire, précédemment occupé par Micah Drummond, aurait dû être attribué à un gentleman, non à un simple inspecteur sorti des rangs.

— Je l'imagine mal accepter de me servir de valet, dit Pitt. Même pour une semaine ! Puis-je l'informer que nous sommes dessaisis de l'affaire Denbigh ?

— Non, pas encore. Je suis sûr que, quand Mr. Greville lui expliquera l'importance de cette mission, il sera heureux de nous rendre ce service. Évidemment, il vous faudra être patient avec lui. Ce n'est pas un valet expérimenté.

Pitt s'abstint de tout commentaire.

— Quels seront les invités ?

Greville se carra dans son fauteuil et croisa les jambes.

— Tout d'abord, afin de faire croire, en ce qui me concerne, à un simple séjour à la campagne, j'ai demandé à mon épouse de m'accompagner. Par ailleurs, comme vous devez le savoir, les différends politiques en Irlande ne se limitent pas à un affrontement entre catholiques et protestants. Il y a aussi de fortes dissensions entre ceux qui possèdent la terre et ceux qui en sont privés.

Il eut un léger geste de regret.

— Durant des dizaines d'années, les catholiques n'ont pas eu accès à la propriété de la terre ; ils ne pouvaient que la louer et certains grands propriétaires exerçaient leur pouvoir de manière abusive. D'autres, en revanche, se sont mis au bord de la faillite pour venir en aide aux paysans pendant la Grande Famine. Mais la mémoire collective des Irlandais catholiques a oublié ces derniers pour ne se souvenir que des exactions des premiers. Et la propagande des nationalistes n'arrange rien. Sachez également que dans les deux camps se côtoient modérés et radicaux, qui peuvent parfois se détester encore plus qu'ils ne détestent l'ennemi commun. Les familles qui descendent de l'élite protestante anglo-irlandaise depuis des générations sont persuadées qu'il s'agit là d'une volonté divine ; il sera extrêmement difficile de les faire changer d'opinion, croyez-moi. Elles seraient plutôt prêtes à affronter la fosse aux lions ou le bûcher.

L'exaspération contenue dans sa voix traduisait un sentiment de frustration sans doute lié au fait qu'il jouait sans succès ce rôle d'artisan de la paix depuis des années.

— Il y aura quatre négociateurs principaux, poursuivit Greville, deux catholiques et deux protestants. Un catholique très modéré, Padraig Doyle, qui se bat pour l'émancipation des catholiques irlandais et la réforme agraire.

16

Une personnalité respectée, qui, à notre connaissance, n'a jamais été associée à aucune forme de violence. J'ajoute que c'est le frère de mon épouse, mais je préférerais que les autres participants l'ignorent, du moins au début. Ils pourraient considérer que je suis totalement acquis à ses opinions, ce qui n'est pas le cas.

Cornwallis l'écoutait avec grande attention, bien qu'il fût certainement déjà au fait de tous ces détails.

— Doyle viendra seul, reprit Greville. L'autre représentant catholique, beaucoup plus jeune, s'appelle Lorcan McGinley. Il peut être charmant, quand l'envie lui en prend, mais le plus souvent, il se montre d'humeur agressive. Il a perdu des membres de sa famille pendant la Grande Famine et leurs terres sont allées à l'élite protestante. Il admire ouvertement des gens comme Wolfe Tone[1] et Daniel O'Connell[2]. Il est partisan d'une Irlande libre et indépendante, sous contrôle catholique. Dieu sait ce qui arriverait aux protestants, si ses vœux se réalisaient.

Il haussa les épaules.

— J'ignore quels sont ses liens avec Rome. Le danger d'une persécution des protestants existe, même s'il est davantage présent dans les discours que dans les faits. Ce sera l'un des éléments que nous devrons mettre au jour lors de cette conférence. Nous craignons par-dessus tout la guerre civile et je vous assure, commissaire, que nous n'en sommes pas loin.

Des souvenirs d'école revinrent à la mémoire de Pitt : la guerre civile en Angleterre, avec son cortège de morts et d'amertume dont le pays avait mis plusieurs générations à se guérir.

— McGinley sera accompagné de son épouse, reprit Greville. Une poétesse romantique nationaliste. Elle est de

1. Avocat protestant du xviiie siècle favorable au rapprochement entre les deux communautés. (*N.d.T.*)
2. Célèbre député catholique radical irlandais, surnommé le Libérateur (1775-1847). (*N.d.T.*)

ces gens dangereux qui inventent des histoires pleines de passion et de trahison, de batailles héroïques et de morts splendides qui n'ont jamais eu lieu ; mais ils savent si bien tourner leurs vers que leurs poèmes deviennent des légendes et les gens finissent par y croire.

Une expression de colère et de dégoût passa sur son visage.

— J'ai vu des assemblées d'hommes adultes pleurant sur la mort d'un homme qui n'a jamais existé et quittant la salle en jurant de le venger et d'exterminer ses assassins. Essayez de leur expliquer qu'il ne s'agit que d'une œuvre de fiction et vous vous faites lyncher. On vous accuse de blasphémer et de nier l'histoire de l'Irlande ! conclut Greville d'un ton amer.

— Si je comprends bien, Mrs. McGinley est une femme dangereuse, remarqua Pitt.

— Elle écrit sous son nom de jeune fille, Iona O'Leary, précisa Greville. La passion politique de son époux a pour source ses écrits ; je me demande s'ils savent faire la part entre la fiction et la réalité.

— McGinley est donc favorable à la violence ? interrogea Cornwallis.

— En effet. Il redoute cependant qu'elle ne mène à l'échec. Il souhaite vivre et mourir pour ses principes, pour autant qu'ils débouchent sur l'émancipation des catholiques. J'ignore s'il sait comment le pays sortira de ces affrontements. Je doute même qu'il y ait réfléchi.

— Et qui sont les représentants des protestants ? demanda Pitt.

— Fergal Moynihan, tout aussi extrémiste que McGinley. Son père était un pasteur fanatique. Fergal a hérité de ses convictions : le catholicisme est l'œuvre du diable, les prêtres sont tous des corrupteurs et des suceurs de sang, voire des cannibales.

— Un autre William Murphy, soupira Pitt.

— De la même engeance, oui, convint Greville. Un peu

plus raffiné, du moins en apparence, mais animé de la même haine et d'une conviction inébranlable.

- – Vient-il seul?

— Non, sa sœur l'accompagne. Miss Kezia Moynihan.

— Partage-t-elle ses opinions extrémistes?

— Tout à fait. Je ne l'ai jamais rencontrée, mais des gens de confiance m'ont dit que c'est une femme d'une intelligence remarquable, très férue de politique. Serait-elle un homme, elle aurait pu servir son peuple. Il est dommage qu'elle ne soit pas mariée, car elle aurait pu efficacement seconder un homme politique. Mais elle est très proche de son frère; il se peut qu'elle ait de l'influence sur lui.

— C'est fort possible, commenta Cornwallis, songeur.

— Le dernier participant se nomme Carson O'Day, enchaîna Greville. Issu d'une riche famille protestante, grand propriétaire terrien. C'est certainement le plus libéral et le plus raisonnable des quatre délégués. Je pense qu'il pourrait arriver à un compromis avec Padraig Doyle, ou au moins convaincre les deux autres de l'écouter.

— Donc, quatre hommes et deux femmes, vous-même et votre épouse, ainsi que Mr. et Mrs. Radley, conclut Pitt, pensif.

— Et vous et votre épouse, ajouta Greville. Sans compter la domesticité. Chacun sera accompagné d'au moins un domestique, un cocher et un valet de pied.

— Mais c'est une véritable armée! s'inquiéta Pitt, qui voyait sa tâche prendre des proportions cauchemardesques. Non, c'est impossible. Veillez è ce qu'ils viennent par le train, accompagnés d'un valet et d'une femme de chambre. L'attelage de Mr. Radley les attendra à la gare.

Greville hésita, puis finit par se ranger à son opinion.

— Très bien, je m'en occupe. Je peux donc compter sur vous, commissaire, ainsi que sur votre « valet »?

Pitt n'avait pas le choix.

— Oui, Mr. Greville. Mais je vous demande de suivre exactement mes conseils en ce qui concerne votre sécurité.

Greville eut un sourire contraint.

— Bien entendu, s'ils n'entravent pas l'exercice de ma mission, Mr. Pitt. Vous savez, je pourrais rester chez moi à ne rien faire, avec un policier en faction devant ma porte. Rassurez-vous, je pèserai tous les risques et j'agirai en conséquence.

— Vous m'avez dit avoir été victime d'une tentative d'assassinat, monsieur, reprit Pitt, voyant Greville prêt à se lever. Que s'est-il passé?

— Je me rendais de mon domicile à la gare, commença ce dernier d'un ton neutre, soulignant le peu d'importance qu'il accordait à l'événement. La route traverse tout d'abord un paysage ouvert, puis une forêt, et enfin des champs cultivés. Alors que nous traversions la forêt, un gros attelage a surgi d'un chemin et nous a rattrapés au grand galop. J'ai crié au cocher de s'écarter pour le laisser passer, mais très vite nous avons compris que le conducteur de l'attelage n'avait nulle intention de ralentir ni de rester derrière nous.

Greville s'était crispé sur son siège et, en dépit de ses efforts pour rester calme, ses épaules s'étaient raidies et il serrait les poings.

— Mon cocher s'est déporté sur le côté gauche, poursuivit-il, non sans prendre de risques, car la route était considérablement défoncée, à la suite d'un violent orage. Il est parvenu à mettre les chevaux au petit trot. Arrivé à notre hauteur, notre poursuivant, au lieu de chercher à nous éviter, a au contraire précipité son véhicule contre le nôtre, manquant de nous renverser. Nous avons eu une roue cassée et un cheval blessé, heureusement sans gravité. Quelques minutes plus tard, un voisin qui passait par là m'a conduit au village, pendant que le cocher s'occupait du cheval. Je lui ai fait envoyer des secours.

Il déglutit avec difficulté.

— L'attelage de notre agresseur n'a pas ralenti; il a repris de la vitesse et a rapidement disparu de notre vue.

— Avez-vous une idée de son identité? demanda Pitt.

— Aucune, fit Greville en fronçant les sourcils. J'ai fait mener une enquête, mais personne ne l'avait remarqué. L'attelage n'a pas atteint le village. Il a dû prendre un chemin de traverse dans les bois. Mais j'ai vu le visage du conducteur, lorsqu'il nous a dépassés. Il contrôlait parfaitement les rênes de l'attelage. Il avait vraiment l'intention de nous faire quitter la route. Je n'oublierai jamais son regard.

— Personne n'a jamais remarqué cette voiture? demanda Pitt, pour montrer à son interlocuteur qu'il prenait l'affaire au sérieux. Elle a pu être louée dans une écurie des environs ou volée dans une maison avoisinante.

— Nous n'avons rien trouvé, répondit Greville. Pour les marchands ambulants et les rétameurs qui parcourent ces routes, tous les blasons des attelages se ressemblent.

— Mais il s'agissait bien d'un attelage fermé, avec un cocher assis sur le siège extérieur?

— Oui.

— Avez-vous vu quelqu'un à l'intérieur?

— Non.

— Les chevaux vous ont-ils semblé frais et dispos?

— Tout à fait. Je vois ce que vous voulez dire; ils n'avaient pas parcouru une longue distance. Nous aurions dû faire des recherches pour retrouver leur propriétaire ou leur écurie d'origine. Il est trop tard, à présent. Mais s'il devait arriver quelque chose, dorénavant, l'affaire serait entre vos mains, commissaire.

Greville se leva.

— Merci, Mr. Cornwallis. Je vous suis reconnaissant d'avoir organisé cette rencontre.

Pitt et Cornwallis se levèrent également et suivirent Greville des yeux jusqu'à ce qu'il ait franchi la porte. Cornwallis se tourna alors vers Pitt.

— Désolé, dit-il. On ne m'a mis au courant de cette

conférence que ce matin. Cela m'ennuie beaucoup de devoir vous dessaisir de l'affaire Denbigh, mais nous n'y pouvons rien. Vous êtes manifestement la personne désignée pour vous occuper de la sécurité à Ashworth Hall.

— Je pourrais confier l'enquête à Tellman, remarqua Pitt, et prendre un autre homme pour me servir de valet. Tellman en valet, vous imaginez la catastrophe !

Cornwallis sourit.

— Il sera furieux, en effet, mais je suis sûr qu'il s'en sortira très bien. Vous avez besoin d'un homme de confiance, qui saura réagir et s'adapter dans n'importe quelle circonstance, par exemple si l'on cherche une fois encore à attenter à la vie de Greville. Laissez l'enquête à Byrne. C'est un homme sûr.

— Mais...

— Le temps presse, le coupa Cornwallis. La situation politique en Irlande est particulièrement délicate en ce moment. Vous savez sans doute que Charles Stewart Parnell est le leader le plus puissant et le moins contesté que l'Irlande ait eu depuis des années. Il inspire le respect à tous les partis. Si une paix réelle pouvait être instaurée, il est le seul homme que tous les Irlandais accepteraient. Mais avec ce scandale...

Pitt hocha lentement la tête. Il savait à quoi Cornwallis faisait allusion. Celui-ci paraissait embarrassé. Il détestait faire référence à des problèmes moraux. C'était un être secret, peu à l'aise avec les femmes, après toutes ces années passées en mer. Il traitait le sexe faible avec respect, le jugeant plus noble et plus innocent qu'il ne l'était réellement. Il pensait, comme beaucoup d'hommes de son âge et de sa position, qu'une femme est un être fragile, dénué des appétits dégradants qui mènent parfois les hommes à leur perte.

Pitt sourit.

— Vous parlez du procès Parnell-O'Shea, je suppose ?

— Oui, en effet, fit Cornwallis, soulagé.

Le capitaine O'Shea était un personnage des plus

déplaisants. Selon la rumeur, il avait jeté son épouse Katie dans les bras de Parnell afin d'obtenir de l'avancement. Quand Katie l'avait définitivement quitté pour vivre avec Parnell, O'Shea avait entamé une procédure de divorce. L'affaire allait être jugée devant les tribunaux dans les jours prochains. On pouvait imaginer les répercussions de ce scandale sur la carrière politique de Parnell, descendant d'une lignée de grands propriétaires terriens protestants ; il ne manquerait pas de perdre le soutien de ses partisans. Mrs. O'Shea était née et avait grandi en Angleterre, dans une famille très cultivée. Sa mère avait écrit et publié plusieurs romans. Elle aussi était protestante. Mais le capitaine O'Shea, qui pouvait passer facilement pour un Anglais, était d'ascendance irlandaise catholique. Tous les éléments propices à la fabrication d'une nouvelle légende faite de passion, de trahison et de vengeance étaient en place.

— Pensez-vous que le jugement de l'affaire O'Shea pèsera sur la conférence d'Ashworth Hall ? demanda Pitt.

— Bien évidemment. Si Parnell est diffamé et que les détails de sa liaison avec Mrs. O'Shea sont livrés en pâture au public, il apparaîtra sous un jour moins séduisant : un homme qui a trahi l'hospitalité de son hôte, plutôt qu'un héros tombant amoureux d'une femme malheureuse en mariage. La direction du seul parti politique irlandais qui soit à peu près crédible serait ouverte à d'autres. D'après Greville, Moynihan et O'Day ne verraient aucun inconvénient à en prendre la tête. O'Day est encore fidèle à Parnell. Moynihan est beaucoup plus intransigeant.

— Et les nationalistes catholiques ? s'enquit Pitt, perplexe. Parnell n'est-il pas nationaliste ?

— Si, bien sûr, aucun homme ne peut diriger une majorité d'Irlandais s'il n'est pas nationaliste. Mais Parnell est protestant. Les catholiques sont proches de Rome. Tout le problème est là : dépendance vis-à-vis de Rome, liberté religieuse, anciennes inimitiés remontant à Guillaume d'Orange et à la bataille de la Boyne[1], lois agraires iniques, la Grande Famine et l'émigration massive qui s'ensuivit. Toujours selon Greville, une autre pomme de discorde est l'exigence des catholiques d'un système d'enseignement spécifique pour leurs enfants, financé par l'État. J'avoue ne pas comprendre cette exigence. Mais je sais qu'il y a réelle menace de violences. L'Irlande en est coutumière, hélas, depuis des siècles.

Pitt se disait qu'il aurait de beaucoup préféré rester à Londres pour démasquer les assassins de Denbigh, plutôt que d'aller assurer la sécurité de ces politiciens.

— Il se peut qu'il ne se passe rien à Ashworth Hall, remarqua Cornwallis, devinant ses pensées. Les participants à la conférence, Greville, par exemple, seront peut-être plus vulnérables avant leur arrivée, ou après leur départ. Nous aurons au moins une douzaine d'hommes au village et à l'intérieur de la propriété. Mais je suis tenu de protéger Greville, s'il se sent menacé. Si l'un des représentants irlandais était assassiné à Ashworth Hall parce que nous n'avons pas pris l'affaire suffisamment au sérieux, je vous laisse deviner les conséquences... La paix en Irlande pourrait bien être retardée d'une cinquantaine d'années !

— Je comprends.

Cornwallis sourit.

— Bien. Il ne vous reste plus qu'à aller informer Tellman de la prise de ses nouvelles fonctions. La conférence débute à la fin de la semaine.

— À... à la fin de la semaine ? bégaya Pitt, abasourdi.

— Oui. Vous m'en voyez navré. Le délai est très court. Mais je suis certain que vous vous débrouillerez très bien.

---

1. Célèbre bataille qui s'est déroulée non loin de l'estuaire de la Boyne, à l'est de l'Irlande, le 1er juillet 1690, à la suite de laquelle Jacques II, roi catholique d'Angleterre, défait par Guillaume d'Orange, a été contraint de s'exiler en France. (*N.d.T.*)

L'inspecteur Tellman était un homme austère, travailleur infatigable, issu d'un milieu très pauvre et s'attendant toujours à de mauvais coups du sort. Dès qu'il vit entrer Pitt dans la pièce où l'on interrogeait les prévenus, il leva vers lui un regard suspicieux.

— Oui, Mr. Pitt ?

Il n'utilisait jamais le mot « Monsieur », s'il pouvait l'éviter. Le terme avait pour lui un petit goût d'obséquiosité.

— Bonjour, Tellman.

Dans un coin de la pièce, le sergent de garde était occupé à consigner un rapport sur un grand cahier.

— Mr. Cornwallis sort de mon bureau. Il y a du travail pour vous. On requiert votre présence à la fin de cette semaine, à la campagne.

Tellman haussa un sourcil. En dépit de son visage triste, aux joues creuses et au long nez, il ne manquait pas de distinction.

— De quoi s'agit-il ? fit-il, dubitatif.

Il connaissait suffisamment Pitt pour ne pas se laisser duper par une formule courtoise.

— Nous devons assurer la sécurité d'un homme politique pendant la durée d'une conférence qui doit se tenir à la campagne.

— Ah, vraiment ? fit Tellman, sur la défensive.

Il s'imaginait déjà entouré d'hommes et de femmes vivant grassement dans l'oisiveté, servis par une armée de domestiques.

— Est-il personnellement visé ?

— Oui, il a reçu des menaces de mort et a été victime d'une tentative d'assassinat.

Tellman ne parut guère impressionné.

— Le pauvre Denbigh a eu moins de chance, grogna-t-il. L'aurait-on déjà oublié ?

La pièce était tellement silencieuse que l'on entendait la plume du sergent griffer le papier. Il faisait froid dehors et les fenêtres étaient fermées. Dans le couloir, deux hommes discutaient à voix basse; leurs paroles étaient inaudibles. On entendait seulement le murmure de leur voix derrière la lourde porte.

— En fait, il s'agit de la même affaire, mais prise par l'autre bout, expliqua Pitt. L'homme politique en question s'occupe du problème irlandais. Ces pourparlers pourraient aboutir à un commencement de solution. Il est de la plus grande importance qu'il n'y ait pas de violences.

Il sourit devant le regard de défi de son subordonné.

— Quoi que vous puissiez penser de lui, s'il peut faire avancer le processus de paix en Irlande, cela vaut la peine de le garder en vie...

Un léger sourire effleura les lèvres de Tellman.

— Si vous le dites... Mais pourquoi fait-on appel à nous et non à la police locale? Connaissant la région et ses habitants, elle est mieux à même de repérer un suspect que nous. Moi, mon métier, c'est d'arrêter les assassins et je veux retrouver le salopard qui a descendu Denbigh. Je ne connais rien aux techniques de prévention des meurtres dans une réunion politique. Et, sauf votre respect, Mr. Pitt, vous non plus!

Dans sa voix, il n'y avait pas la moindre trace de respect. La question qui suivit trahit sa pensée.

— Je suppose que vous avez accepté la mission? Ce n'est pas vous qui l'avez réclamée, j'espère?

— Mais non, voyons! Je n'ai pas eu le choix. J'obéis aux ordres de mes supérieurs, Tellman. Tout comme vous, d'ailleurs. Vous m'accompagnez, et c'est un ordre.

Cette fois, Tellman ne put cacher son amusement.

— Bon, si je comprends bien, on laisse tomber Denbigh pour aller se promener dans une belle propriété, en gardant à l'œil les vendeurs ambulants, les voleurs de grand chemin, et les inconnus rôdant dans les plates-bandes. C'est un peu déchoir pour un commissaire de police, vous ne trouvez pas... monsieur?

— Sachez que cette réunion se tiendra dans la résidence de campagne de ma belle-sœur, à Ashworth Hall. Voilà pourquoi l'on m'a choisi. J'y vais à titre d'invité.

Tellman détailla lentement, de haut en bas, la silhouette maigre et dégingandée de son supérieur : les poches de sa veste, de bonne coupe. étaient déformées par toutes sortes d'objets hétéroclites. Sa cravate était légèrement de travers, et ses cheveux, trop longs, bouclaient dans son cou.

— Et vous, vous serez mon valet, Tellman.

— Pardon ?

Dans le coin de la pièce, le sergent lâcha sa plume, éclaboussant la page du registre.

— Vous serez mon valet, répéta Pitt d'une voix égale.

Un instant, Tellman crut qu'il se moquait de lui.

— Vous ne pensez pas que j'ai besoin d'un valet ? demanda Pitt, amusé.

— Regardez-vous, ce n'est pas un valet dont vous avez besoin, riposta Tellman, qui venait de lire dans le regard de Pitt qu'il ne plaisantait pas, mais d'un magicien !

Pitt releva le menton, redressa les épaules et tira sur les pans de sa veste pour les remettre en place.

— Je devrai, hélas, me contenter de vos services, ce qui ne manquera pas de me désavantager dans une telle société, mais sait-on jamais, vous pourriez sauver la vie de cet homme, à défaut d'autre chose !...

Tellman lui jeta un regard furieux.

Pitt eut un large sourire.

— Je vous attends à mon domicile jeudi matin à sept heures. Costume sombre de rigueur. Et des bottes neuves, si possible. Prévoyez du linge de rechange pour six jours.

— Est-ce un ordre ?

Pitt leva les yeux au ciel.

— Bon sang, Tellman, croyez-vous que je vous emmènerais avec moi, si on ne me l'avait pas ordonné ?

— Quoi ? s'exclama Charlotte, quand Pitt lui eut expliqué la situation. Répétez-moi ça !

Ils se trouvaient dans le salon de leur maison de Keppel

Street, à Bloomsbury, où ils avaient emménagé après la promotion de Pitt au grade de commissaire de police.

— Vous avez bien entendu : à la fin de la semaine.

— Mais c'est impossible, voyons !

Cette nouvelle stupéfiante venait bouleverser le cours d'une journée jusqu'alors ordinaire. Pitt se rendait-il compte de la somme de travail qu'imposait la préparation d'un tel événement ? La réponse était claire : non, Pitt ne s'en rendait pas compte. Savait-il combien de toilettes il fallait prévoir ? Une dame de la bonne société pouvait porter quatre à cinq robes différentes dans la même journée ; il était hors de question d'apparaître deux fois dans la même tenue au dîner.

— Qui sont les invitées ? demanda-t-elle avec une expression consternée.

— L'épouse d'Ainsley Greville, celle de McGinley, et la sœur de Moynihan. Mais Emily s'occupera de tout, ne vous faites pas de souci. Vous m'accompagnez parce que vous êtes sa sœur et qu'il paraîtra normal que nous soyons là.

Charlotte poussa un cri exaspéré.

— Thomas ! Mais que vais-je porter ? En tout et pour tout, je dois avoir une demi-douzaine de robes mettables en cette saison ! À qui vais-je pouvoir en emprunter dix autres d'ici à jeudi ? Sans compter les bijoux, les chaussures, les bottines, le sac de soirée, le châle, une capeline, toutes choses dont l'absence me désignerait aussitôt comme une parente pauvre de la famille et non comme une invitée de marque. Le plan conçu par Cornwallis tomberait à l'eau avant même que la conférence n'ait commencé !

Elle remarqua l'expression soucieuse de Pitt et regretta d'avoir parlé trop vite et de lui avoir fait sentir à quel point leurs moyens ne lui permettaient pas de s'offrir les toilettes dont elle rêvait parfois.

— Thomas... Ne vous inquiétez pas, le rassura-t-elle. Je m'arrangerai avec tante Vespasia. Et Emily pourra me prêter une ou deux robes. Demain, j'irai voir maman. Combien de temps allons-nous nous absenter ? Gracie doit-elle nous accompagner, ou rester ici pour s'occuper des enfants ? Nous n'emmenons pas Daniel et Jemima avec nous, n'est-ce pas ? Pensez-vous qu'il y ait du danger ?

— Gracie viendra avec nous. Votre mère est-elle chez elle, en ce moment ?

Caroline Ellison, la mère de Charlotte, s'était récemment remariée avec un comédien de dix-sept ans son cadet. Bien qu'elle eût perdu la plupart de ses anciennes relations de la bonne société, elle était extrêmement heureuse. Elle avait fait de nouvelles connaissances et voyageait beaucoup, accompagnant Joshua dans ses tournées.

— Oh, certainement, fit Charlotte, avant de s'apercevoir qu'elle n'avait pas de nouvelles de sa mère depuis plus de quinze jours. Enfin, je le crois...

— Honnêtement, je ne pense pas qu'il y ait du danger, mais on ne sait jamais. Nous n'emmènerons pas Daniel et Jemima. Si votre mère ne peut pas s'en occuper, nous les laisserons en compagnie des enfants d'Emily, à son domicile londonien. Mais vous pouvez appeler tante Vespasia.

Lady Vespasia Cumming-Gould, la tante du premier mari d'Emily, le regretté Lord Ashworth, s'était, au fil des années, liée d'amitié avec les deux sœurs ainsi qu'avec Pitt, lui offrant une aide précieuse, chaque fois qu'il était amené à enquêter dans la haute société. Elle avait été l'une des grandes beautés de son époque et aujourd'hui encore, à plus de quatre-vingts ans, elle conservait une élégance intemporelle et un maintien qui faisaient toujours d'elle l'une des grandes dames d'Angleterre. Elle avait aussi une langue acérée et un humour ravageur, qu'elle exerçait aux dépens d'autrui, se moquant bien du qu'en-dira-t-on.

— Je l'appelle tout de suite, dit Charlotte. Combien de jours doit durer cette conférence, dites-vous ?

— Prévoyez des toilettes pour cinq ou six jours.

Elle sortit précipitamment du salon, préoccupée par les détails pratiques qu'elle aurait à régler avant son départ.

Trois minutes plus tard, elle obtenait la communication avec le domicile de Lady Vespasia.

— Bonsoir, Charlotte, fit la voix de celle-ci à l'autre bout de la ligne. Comment allez-vous?

— Très bien, tante Vespasia. Et vous-même?

— Fort bien, je vous remercie. Je suis curieuse d'entendre ce que vous avez à me dire, répondit la vieille dame d'un ton amusé.

— Eh bien, voilà... Thomas est chargé d'une affaire qui nécessite notre présence à tous deux durant plusieurs jours, dans un manoir, à la campagne...

Elle ne spécifia pas l'endroit, craignant que l'opératrice ne surprenne leur conversation.

— Je vois... Mon petit doigt me dit que vous avez un léger problème de garde-robe. Je me trompe?

— Oui, tante Vespasia. J'ai un énorme problème!

— Eh bien, ma chère, je vais réfléchir à la question. Venez donc chez moi demain matin à onze heures. Vous savez, en ce moment, je m'ennuie un peu. Il ne se passe rien d'intéressant dans mon entourage. Toujours les mêmes potins mondains. Votre visite me changera les idées.

Charlotte la remercia chaleureusement, puis appela sa mère, qui parut ravie à l'idée de garder ses petits-enfants pendant quelques jours. Elle monta dans sa chambre pour commencer à rassembler jupons, bas et corsages et faire le point sur ce que Pitt allait emporter. Il était important qu'il soit bien habillé, lui aussi.

Arrivée sur le palier, elle songea qu'elle devait prévenir Gracie, la petite bonne, afin qu'elle prépare sa valise. Elles auraient beaucoup à faire avant le départ; il fallait s'occuper des vêtements des enfants et ranger toute la maison.

— Gracie!

— Oui, Madame?

Gracie sortit de la pièce où jouaient les enfants, qu'elle rangeait dès que Daniel et Jemima étaient couchés. Gracie avait vingt ans, mais ressemblait encore à la gamine de treize ans qu'elle était lorsqu'elle avait commencé à travailler à leur service. Sa petite taille obligeait Charlotte à raccourcir toutes ses robes. Mais comme elle s'était transformée en quelques années ! Charlotte lui avait appris à lire et à écrire et, à plusieurs reprises, Gracie s'était révélée une aide précieuse lors d'affaires criminelles délicates.

— Gracie, nous partons à la campagne jeudi, et vous venez avec nous. Daniel et Jemima iront passer quelques jours chez ma mère à Cater Street. Mrs. Standish s'occupera de nourrir les chats. Nous serons reçus dans un manoir, et je vous ferai passer pour ma camériste.

Gracie ouvrit de grands yeux effarés. Camériste, elle qui n'était qu'une petite bonne à tout faire !

— Rassurez-vous, je vous expliquerai exactement ce que vous devrez faire. Il s'agit d'une enquête de Monsieur, ajouta-t-elle en baissant la voix.

Gracie resta figée sur place.

— Oh, je vois, dit-elle enfin en relevant le menton. On a pas le choix, c'est ça ? Bon, ben, y a plus qu'à tout préparer, alors.

CHAPITRE II

L'attelage, également prêté par Lady Vespasia pour l'occasion, arriva à Ashworth Hall le jeudi en fin de matinée. Charlotte et Pitt s'étaient assis dans le sens de la marche, Gracie et Tellman face à eux.

Gracie n'avait jamais voyagé en aussi bel équipage; elle ne se déplaçait qu'en omnibus, et encore, fort rarement. Et jamais elle n'avait roulé à une telle vitesse, sauf une fois, lorsque, à sa grande terreur, elle avait pris le métropolitain, une expérience qui, si on lui demandait son avis, ne se renouvellerait pas! Foncer sous terre, dans le noir, sans voir où vous allez, quelle horreur! En revanche, quel plaisir d'être confortablement installée sur une banquette moelleuse tapissée de brocart dans une voiture tirée par quatre chevaux trottant à l'unisson sur une route de campagne!

Elle ne regardait pas Tellman, mais sentait sa présence rigide à ses côtés. Tout dans son attitude traduisait sa désapprobation. Elle n'avait jamais vu quelqu'un arborant une expression aussi revêche. On aurait dit qu'il se trouvait dans un endroit nauséabond. Il n'avait pas desserré les dents durant tout le trajet.

L'attelage emprunta une longue courbe bordée d'ormes et fit halte devant le grand perron flanqué de portiques.

Le valet de pied sauta à terre et vint leur ouvrir la portière, secondé par un domestique du manoir, qui aida Gracie à descendre du marchepied. Dieu, que le sol était bas !

— Merci, le remercia-t-elle, un peu guindée, en lissant les plis de sa robe.

À partir de cette minute, elle était camériste et traitée comme telle. Elle devait donc considérer ces marques de courtoisie comme lui étant dues... pour quelques jours.

Tellman descendit de la voiture en grognant, observant la livrée du valet avec un dégoût non dissimulé. Puis il leva les yeux vers la façade de pierre de taille avec ses magnifiques fenêtres de style georgien encadrées de vigne vierge aux chaudes couleurs de l'automne ; Gracie vit passer dans son regard une lueur d'admiration.

Tellman s'apprêtait à suivre Pitt à l'intérieur, quand Gracie chuchota :

— Les domestiques entrent par la porte de service, Mr. Tellman.

Celui-ci se raidit et devint écarlate. Gracie pensa d'abord qu'il éprouvait de la gêne puis se rendit compte, en voyant ses poings serrés, qu'il était furieux.

— Ne faites pas honte au maître en allant là où vous avez pas le droit d'aller, dit-elle entre ses dents.

— Pitt n'est pas mon maître ! riposta Tellman. Pour moi, c'est un policier comme un autre.

Mais il tourna les talons et suivit Gracie qui marchait derrière le valet de pied ; celui-ci contourna l'aile du manoir pour les faire entrer par la porte de service. Il les précéda dans un large couloir qui menait à une seconde porte. Il frappa ; une voix de femme dit d'entrer.

— Tellman et Phipps, valet et camériste de Mr. et Mrs. Pitt, Mrs. Hunnaker, annonça-t-il avant de se retirer.

Gracie et Tellman se retrouvèrent dans un salon agréablement meublé, avec un joli tapis et des fauteuils bien rembourrés dont les dossiers étaient protégés par des têtières brodées. Des tableaux ornaient les murs et des échantillons de tapisseries étaient accrochés au-dessus de la cheminée au linteau et aux jambages décorés de faïences peintes à la main. Un bon feu brûlait sur la grille de l'âtre.

Mrs. Hunnaker, la gouvernante, était une femme d'une cinquantaine d'années, non dénuée de charme, avec un nez droit et de beaux cheveux gris.

— Je vous souhaite la bienvenue. Au début, vous serez un peu dépaysés, leur dit-elle, mais nous essayerons de rendre votre séjour agréable. On va vous montrer vos chambres. Pour y accéder, les valets empruntent l'escalier de service, les femmes de chambre, le grand escalier. Ne l'oubliez pas, ajouta-t-elle à l'adresse de Tellman. Les heures des repas sont les suivantes : petit déjeuner à huit heures, à l'office. Pain grillé et porridge. Déjeuner entre midi et une heure et souper avant celui des invités. Si votre maître ou votre maîtresse vous demandent à ces heures-là, la cuisinière vous gardera des plats au chaud. Mais ne vous servez jamais sans lui en demander la permission. De même, si vos maîtres désirent une tasse de thé ou un en-cas, demandez-lui l'autorisation de les préparer. Si tous les domestiques entraient et sortaient de la cuisine comme dans un moulin, nous n'arriverions jamais à préparer un repas correct. Les lavandières s'occuperont de votre linge, mais c'est vous qui repasserez celui de votre maîtresse, ajouta-t-elle en regardant cette fois Gracie.

— Bien, madame, fit celle-ci, docile.

— J'imagine que vous avez pensé à apporter votre nécessaire de couture et d'entretien. Si vous avez besoin de quoi que ce soit au cellier ou dans le garde-manger, voyez avec Mr. Dilkes, le majordome. Ne sortez pas du manoir, sauf si on vous le demande. Quant aux autres invités, répondez-leur poliment s'ils s'adressent à vous, mais ils n'ont pas à vous donner d'ordres. Si vous ne trouvez pas ce que vous cherchez, n'hésitez pas à poser des questions. Le manoir est immense et il est facile de s'y perdre. J'espère que vous vous y sentirez à l'aise.

— Merci, madame, fit Gracie avec une petite révérence.

Tellman ne dit rien. Voyant cela, Gracie lui donna un discret coup de coude.

— Merci, dit-il d'un ton brusque.

Mrs. Hunnaker actionna la sonnette et une petite bonne apparut aussitôt.

— Jenny, voici les domestiques de Mr. et Mrs. Pitt. Montrez-leur la lingerie, la réserve, le garde-manger de Mr. Dilkes et l'office. Ensuite menez Phipps à sa chambre et demandez à un valet de conduire Tellman dans la sienne.

— Bien, madame, fit Jenny avec une petite révérence

C'était la première fois que Gracie s'entendait nommer par son nom de famille ; elle se dit que ce devait être la coutume dans les grandes maisons. Charlotte l'avait prévenue que valets et femmes de chambre des invités étaient parfois appelés par le nom de leur maître. Si elle entendait le majordome ou la gouvernante crier « Pitt ! », cela voudrait dire que sa présence ou celle de Tellman était requise. Gracie songea qu'elle aurait du mal à s'habituer à cette façon de faire. Mais c'était une expérience nouvelle, et elle adorait cela !

Tellman, quant à lui, avait l'air d'avoir mordu dans un citron vert.

La chambre de Gracie se révéla très plaisante, bien qu'un peu plus petite et moins douillette que celle de Kappel Street. Elle ne devait pas être souvent occupée, guère plus d'une ou deux semaines d'affilée.

Elle posa ses bagages, ouvrit un sac, puis se souvint qu'elle devait d'abord descendre pour défaire les valises de Charlotte, suspendre ses toilettes et vérifier que ces dernières n'avaient pas souffert pendant le voyage. C'était là le premier devoir d'une camériste. Elle se demanda si Tellman se souvenait qu'il devait s'occuper de la garde-robe de Pitt. Comment le lui rappeler ? Elle ignorait où était sa chambre.

Après avoir interrogé l'une des filles du service d'étage, elle trouva l'appartement de Pitt et Charlotte dans l'aile principale du manoir. Elle frappa et entra. Il y avait un grand lit, un joli tapis de haute laine vieux rose; de hautes fenêtres encadrées de tentures aux motifs fleuris et aux embrasses cramoisies donnaient sur la pelouse; Gracie regarda au-dehors, admirant les grands sapins bleus et, sur la gauche, la cime aplatie d'un magnifique cèdre au port étalé, dont les branches chargées d'aiguilles d'un vert foncé presque noir se balançaient au vent.

— Mince alors, c'que c'est beau! s'exclama-t-elle, avant de porter sa main à sa bouche, toute confuse, en entendant du bruit dans le dressing.

Elle fit le tour de table, où trônait un vase de chrysanthèmes, et marcha sur la pointe des pieds vers la porte entrebâillée du dressing. Elle s'apprêtait à frapper quand elle vit Tellman debout, regardant Pitt sortir ses vêtements de sa valise et les accrocher dans la penderie. Bien sûr, Tellman n'avait jamais vu d'aussi près des habits de soirée et ne savait certainement pas comment s'en occuper. Néanmoins, elle trouva choquant que Pitt dût faire cela lui-même.

— Je vais vous aider, Monsieur, dit-elle vivement. Vous devriez descendre retrouver les invités...

Elle lança à Tellman un regard qui en disait long. Il ne fallait pas qu'il s'imaginât que lui aussi pouvait descendre! Pitt se retourna, hésitant.

— Vous avez raison. Merci, Gracie, dit-il avec un petit sourire amusé.

Il salua Tellman et quitta la pièce.

Gracie ouvrit la première malle de Charlotte. Sur le dessus était pliée une magnifique robe du soir en satin d'un blanc laiteux, rebrodée de petites perles et agrémentée de mousseline de soie. Un bref coup d'œil aux coutures du corsage lui permit de deviner qu'il avait été habilement élargi dans le dos. Sans aucun doute, la robe appartenait à Lady Cumming-Gould. Gracie connaissait celles de Charlotte : elle n'en avait pas beaucoup. Elle la souleva délicatement, la plaça sur un cintre et la suspendit dans la penderie.

Tellman l'observait, fasciné.

— Qu'est-ce que vous avez à me regarder comme ça? lui lança-t-elle sèchement. Vous avez jamais vu une toilette de dame? Occupez-vous des habits de Monsieur et après, essayez de trouver où sont les fers à repasser et l'endroit où on peut faire le thé à l'étage. Je suppose que vous savez pas préparer un bain?

Elle renifla.

— Vous devez pas avoir de baignoire, chez vous. Ah, il faudra trouver de l'eau chaude pour le matin, et cirer les chaussures de Monsieur tous les soirs. Vous plaignez pas, vous aurez moins de travail que moi! Les gentlemen se changent qu'une ou deux fois par jour. Les dames, elles, changent jusqu'à cinq fois de toilette. Mais le plus important pour vous, c'est de vérifier que les chemises sont propres. Vous aurez de mes nouvelles si vous laissez Monsieur descendre avec une chemise qui est pas impeccable.

— Monsieur, comme vous dites, n'est pas mon maître, grinça Tellman entre ses dents. Et moi, je ne suis pas sa bonne!

— Alors vous servez à rien ici! riposta-t-elle. Et on a pas le droit de se disputer, Mr. Tellman. Ça se fait pas, vous m'entendez?

Il ne bougea pas, se contentant de la fusiller du regard.

— Si vous êtes trop fier pour faire votre travail correctement, c'est que vous êtes stupide, dit-elle en sortant de la malle une robe de taffetas doré. Passez-moi donc un cintre.

Il le lui tendit en grommelant.

Elle plaça la robe sur le cintre, la donna à Tellman pour qu'il l'accroche dans l'armoire et prit la troisième toilette, une robe de jour en gabardine bleu foncé. Dans la deuxième malle, il y avait encore trois robes du soir, plusieurs robes de jour, des chemisiers, des blouses et des jupons. Mais elle ne les sortirait pas de la malle tant que Tellman serait dans la pièce. Il n'avait pas à savoir ce qu'une dame porte sous ses robes !

— Écoutez, Mr. Tellman, vous et moi, on est ici pour aider Monsieur à protéger quelqu'un qui serait en danger. Pour que ça marche, faut qu'on ait l'air de savoir ce qu'on a à faire et qu'on montre qu'on vient souvent ici. Vous vous croyez peut-être trop intelligent pour jouer les domestiques...

— Je n'accepte pas qu'un homme soit le serviteur d'un autre, la coupa-t-il. Ne voyez pas là une insulte à votre égard ; ce n'est pas notre faute si nous sommes nés pauvres. Mais vous n'avez pas à accepter cela comme une fatalité, ni à considérer ces gens comme meilleurs que vous simplement parce qu'ils ont de l'argent. Toutes ces courbettes et ces chichis me rendent malade. Je suis surpris de voir que vous trouvez cela naturel.

— Et moi je pense que vous vous prenez un peu trop au sérieux, répondit-elle avec philosophie. Vous êtes plus piquant qu'un hérisson. Pour moi, y a que deux solutions : être un bon domestique et faire son travail correctement, ou être mauvais et le faire mal. Moi, j'essaie de le faire du mieux que je peux. Voilà.

Elle retourna à la deuxième malle et commença à sortir les robes qu'elle étala sur le lit.

Tellman réfléchit à la tirade, parut l'apprécier et décida de s'occuper des vêtements de Pitt. Il sortit ensuite brosse à habits, boutons de manchettes, boutons de col, savon à raser, brosse à cheveux, rasoir et cuir de repassage.

— Je vais faire le tour de la maison, déclara-t-il quand il eut terminé. Il faut que je fasse mon travail, moi aussi. Après tout, c'est pour cela que Mr. Cornwallis m'a envoyé ici.

Il la toisa de toute sa hauteur, ce qui n'était pas difficile, étant donné qu'il la dominait de plus d'une tête. À trente-quatre ans, il n'allait pas laisser une gamine de vingt ans le mener par le bout du nez, sous prétexte qu'elle savait défaire une malle!

— Bonne idée, rétorqua-t-elle. On a plus besoin de vous ici. Y a des choses que vous avez pas besoin de voir. Mais quand vous remonterez, vous pourrez toujours ranger les malles dans le débarras attenant. Et prenez pas de grands airs, lui conseilla-t-elle au moment où il quittait la pièce. Faut pas qu'on vous prenne pour autre chose qu'un valet de chambre. Mais attention, allez pas vous mélanger avec les valets de pied et les cireurs de chaussures.

— Et comment savez-vous tout ça, mademoiselle je-sais-tout, alors que vous venez juste d'arriver?

— Ça fait des années que je suis employée de maison, moi!

Il n'avait pas à savoir qu'elle n'avait travaillé que chez les Pitt; la petite idée qu'elle avait du service dans une grande maison venait simplement de ce qu'elle avait entendu par ouï-dire ou observé lors de certaines visites.

Elle soutint son regard sans ciller.

— Vous comptez rester comme ça longtemps, les bras ballants, raide comme un manche à balai?

— Ah! les domestiques, soupira-t-il en sortant de la pièce d'un pas martial.

— Y a pas de honte à être domestique! cria-t-elle derrière son dos. J'ai une chambre à moi, chauffée et confortable, et je mange tous les jours à ma faim! Tout le monde peut pas en dire autant! Et je suis en compagnie de gens honnêtes, pas comme vous, qui côtoyez des voyous toute la sainte journée!

Tellman ne prit pas la peine de répondre.

Gracie finit de sortir les affaires de Charlotte des malles, admirant la douceur et le raffinement des robes empruntées à Lady Vespasia. Tout en les accrochant, elle lissait les plis, caressait les perles, les dentelles, la mousseline de soie transparente. Elle finissait de ranger la lingerie quand on frappa à la porte. Elle s'attendait à se trouver nez à nez avec Tellman et à lui dire à nouveau sa façon de penser s'il se montrait toujours aussi peu coopératif, mais, sur le seuil de la porte, se tenait une belle femme d'une trentaine d'années, aux cheveux noirs, vêtue d'une robe noire et d'un tablier d'employée de maison. Elle paraissait si sûre d'elle que Gracie se douta qu'il s'agissait d'une cameriste ou d'une gouvernante d'enfants.

— Bonjour, fit celle-ci, un peu sur ses gardes. Je m'appelle Gwen. Je suis la cameriste de Mrs. Radley. Bienvenue à Ashworth Hall.

— Bonjour, répondit Gracie avec un sourire timide. Merci beaucoup.

Cette femme représentait exactement ce que Gracie souhaitait devenir. Elle aurait besoin de son aide et de son exemple, si elle voulait faire honneur à Charlotte.

— Mrs. Radley m'a dit que Mrs. Pitt aimerait lui emprunter quelques toilettes. Si vous voulez bien venir avec moi, je vais vous les montrer et vous reviendrez les ranger ici.

Gwen lui montra une demi-douzaine de robes, pour le matin et l'après-midi, et une robe du soir grenat et rose qui, songea Gracie, ne s'accordait guère au teint clair et délicat de Mrs. Radley. Celle-ci l'avait peut-être achetée dans l'intention de l'offrir à sa sœur.

— Elle est très jolie, observa-t-elle.

— Oui, je suis sûre qu'elle conviendra parfaitement à Mrs. Pitt. Si vous le voulez, je vous montre les étages et je vous présente aux autres cameristes.

— Ça me ferait très plaisir, murmura Gracie, ravie de connaître la maison et tous ses occupants.

Gwen se montra très serviable. Peut-être Mrs. Radley lui avait-elle parlé de la vraie nature de cette grande réunion ? Elle aida Gracie à se familiariser avec les innombrables escaliers et couloirs du manoir, lui montra la façon la plus rapide d'accéder aux cuisines et à la lingerie, à la pièce de repassage et à la réserve. Elle lui conseilla de se tenir à l'écart des valets, des cireurs de chaussures et surtout du majordome, un homme au caractère autoritaire et versatile.

Gracie fit la connaissance de la camériste de Miss Moynihan, une jeune Française pleine d'esprit. La femme de chambre de Mrs. McGinley, plus âgée, hochait sans cesse la tête, comme si elle craignait l'arrivée d'une catastrophe imminente. Doll, une très jolie jeune femme d'environ vingt-cinq ans, était la camériste de Mrs. Greville. Grande, une silhouette élancée, elle paraissait un peu triste — à moins que son expression ne fût que le reflet d'une certaine réserve.

En remontant à l'étage, après avoir pris congé de Gwen, Gracie croisa un jeune homme qui descendait l'escalier. Elle le trouva charmant : il avait de beaux cheveux noirs et un air rêveur. Gracie, après réflexion, se dit qu'elle avait dû se tromper d'escalier ; elle n'aurait pas dû le croiser là. Mais, en levant la tête vers le palier, elle reconnut le petit guéridon où trônait un vase vert contenant un bouquet de chrysanthèmes blancs. L'applique sur le mur au papier peint fleuri de vert et de blanc, avec son globe de verre dépoli, était en tout point pareille à celle qu'elle avait remarquée en descendant.

Le jeune homme s'était arrêté pour la laisser passer.

— Je vous demande pardon, dit-il avec un petit accent irlandais.

Il lui sourit. Il avait aussi de beaux yeux noirs.

— Je... je crois que je me suis trompée d'escalier, bégaya Gracie. Je suis désolée.

— Trompée d'escalier ?

— Oui, ici, ça doit être l'aile réservée aux valets, pas aux femmes de chambre, répondit-elle, le rouge aux joues.

— Oh, non ! C'est moi qui me suis trompé ! Je n'ai pas fait attention. Vous venez certainement d'arriver, comme moi...

— Oui, je suis la camériste de Mrs. Pitt.

Il sourit à nouveau.

— Et moi le valet de chambre de Mr. McGinley. Je m'appelle Finn Hennessey. Je viens du comté de Down.

Gracie lui rendit son sourire.

— Moi, c'est Gracie Phipps. J'habite à Bloomsbury.

Elle n'allait pas lui avouer qu'elle était originaire des taudis de Clerkenwell !

Il inclina légèrement la tête.

— Eh bien, enchanté de vous connaître, Gracie Phipps. Un agréable week-end en perspective, hein, surtout s'il fait beau. Je n'avais jamais vu un aussi joli parc, avec tant d'arbres. C'est bien, ici, conclut-il d'un air surpris.

— Vous êtes déjà venu en Angleterre ?

— Non, c'est la première fois. Ce n'est pas comme je l'imaginais.

— Vous vous attendiez à quoi ?

— Je ne sais pas. À quelque chose de différent.

— Différent comment ?

— Je ne sais pas, confessa-t-il. Différent de l'Irlande, je suppose. Ici, toutes ces fleurs, ces arbres, l'herbe verte... Ça ressemble à l'Irlande.

— C'est un beau pays, l'Irlande ?

L'expression de Finn s'adoucit. Il s'appuya sur la rampe d'escalier, les yeux brillants.

— C'est un pays de tristesse, Gracie, mais c'est le plus beau que Dieu ait créé, sauvage, plein de couleurs et de parfums. C'est une terre où vivaient autrefois des héros, des saints, des sages et des poètes ; la mémoire de ces jours anciens survit dans la terre, les menhirs, les troncs des arbres qui s'élancent vers le ciel, dans le grondement de l'orage. Mais la paix a disparu. Les enfants d'Irlande meurent de froid et de faim et la terre appartient à des étrangers.

— C'est terrible, murmura Gracie, compatissante, bien qu'elle ne vît pas grande différence avec le froid, la misère et la disette qui touchaient les indigents de la capitale.

Mais la douleur contenue dans la voix du jeune homme l'avait émue, tant ses mots évoquaient des images d'un paradis perdu. L'injustice avait toujours révolté Gracie et plus encore depuis qu'elle travaillait chez Thomas Pitt, car elle voyait chaque jour celui-ci tenter de la combattre.

— Oui, c'est terrible, fit-il en écho. Mais cette fois-ci, peut-être arriverons-nous à quelque chose. Nous gagnerons un jour, je vous le promets.

À ce moment, la camériste de Miss Moynihan apparut sur le palier de l'étage supérieur.

— Je crois que je me suis trompé d'escalier, madame, s'excusa Finn. On se perd facilement dans une maison aussi grande. Je suis désolé.

Après avoir jeté un bref coup d'œil à Gracie, il remonta les marches et disparut.

Gracie poursuivit son chemin. La tête lui tournait. Elle se trompa de couloir et se rendit bientôt compte qu'elle s'était perdue, elle aussi.

Pitt s'entretint tout d'abord avec Jack Radley et Ainsley Greville pour réfléchir avec eux aux mesures de sécurité à prendre à Ashworth Hall ; ils l'informèrent des précautions prises par la police locale. Pitt ignorait si Greville avait exposé la situation et ses dangers à la domesticité.

Charlotte alla directement retrouver Emily dans son boudoir, à l'étage. Celle-ci l'attendait avec impatience. Elle se jeta dans ses bras et la serra à l'étouffer.

— Oh, je suis si contente que tu sois là ! C'est le premier événement politique important auquel j'assiste et je crains qu'il tourne à la catastrophe. En fait, ça commence plutôt mal...

Elle recula d'un pas et eut une mimique inquiète.

— On sent déjà la tension qui règne entre les participants. Si ces gens sont représentatifs de tous les Irlandais, je me demande comment le gouvernement peut croire qu'ils vont arriver à faire la paix. Même les femmes se détestent.

— Elles sont irlandaises, elles aussi, remarqua Charlotte en souriant. Catholiques, elles sont dépossédées de leurs terres, protestantes, elles craignent qu'on les en dépossède à leur tour...

— Tu m'as l'air de bien connaître la question, fit Emily, surprise.

Ce matin-là, elle portait une robe vert pâle qui soulignait merveilleusement sa blondeur et son teint clair; elle était ravissante, en dépit de son agitation.

— J'en sais ce que Thomas m'en a dit, répondit Charlotte. À savoir fort peu de chose. Il a bien fallu qu'il m'explique la raison de notre présence ici.

Emily prit place dans une bergère fleurie et l'invita à s'asseoir à côté d'elle.

— Vous êtes les bienvenus, cela va de soi, mais je me demande pourquoi la présence de la police est à ce point nécessaire. Ces gentlemen ne vont tout de même pas en venir aux mains !

Elle observait Charlotte avec un demi-sourire, mais il y avait une réelle inquiétude dans sa voix.

— Je l'ignore, répondit celle-ci avec franchise. Il n'y a probablement pas de grands risques, mais Ainsley Greville a reçu des menaces de mort. La police doit donc assurer sa protection.

— Crois-tu qu'il ait reçu des menaces de la part de gens présents dans cette maison ?

— Je ne le pense pas, mais les lettres étaient anonymes, évidemment.

— Quoi qu'il en soit, je suis contente que tu sois là, soupira Emily, un peu détendue. Les journées à venir vont être éprouvantes, et ta présence me sera précieuse. J'ai l'habitude de recevoir du monde ici, mais il s'agit toujours de visiteurs que j'ai choisis ! Et, en général, des gens qui s'entendent bien... Ah ! Je t'en prie, Charlotte, pour une fois, fais attention à ce que tu dis. Il est hors de question d'aborder des sujets délicats comme la religion, les réformes parlementaires, l'enseignement dans les écoles, les propriétaires terriens, le métayage... et surtout la pomme de terre et le divorce !

— Mais de quoi puis-je parler? s'inquiéta Charlotte.

— De tout le reste. De la mode, par exemple. Bon, d'accord, tu n'y connais rien. De théâtre, peut-être? Mais tu ne t'y rends jamais, sauf pour accompagner maman quand elle va voir jouer Joshua. Ah, à propos, ne va pas raconter qu'elle est mariée à un acteur juif! Quoique... Les catholiques sont tellement occupés à détester les protestants et les protestants à haïr les catholiques qu'ils se soucient fort peu des juifs. Mais ils doivent tous penser que les acteurs traînent derrière eux un parfum de scandale... Alors, comme sujet de conversation, il te reste la pluie, le beau temps, le jardinage...

— Mais on va croire que je suis simple d'esprit!

— Je t'en prie, sœurette, pense à moi!

Charlotte soupira.

— Bon d'accord. Le week-end s'annonce mal, si je comprends bien.

Le déjeuner ne fit que confirmer ses inquiétudes.

Les invités se retrouvèrent dans la vaste salle à manger du manoir, autour d'une longue table destinée à accueillir une vingtaine de personnes. Ils n'étaient que douze.

Jack Radley présenta Pitt et Charlotte aux autres convives, puis l'on passa à table. Charlotte était placée entre Fergal Moynihan à sa gauche et Carson O'Day à sa droite. D'une taille légèrement supérieure à la moyenne, Fergal avait des traits fins et réguliers, mais dénués d'humour. Charlotte le trouva plutôt antipathique; peut-être l'image de protestant austère qu'elle se faisait de lui influençait-elle son jugement.

Carson O'Day, les cheveux grisonnants, était nettement plus petit et plus âgé, mais une grande force se dégageait de sa personne. Charlotte sentait que, sous des manières courtoises et policées, il n'oubliait à aucun moment la raison de sa présence à Ashworth Hall.

En face d'eux était assis Padraig Doyle, un homme d'une cinquantaine d'années, à l'expression chaleureuse. Son visage ne pouvait être qualifié de beau, avec ses traits irréguliers, son nez trop long et un peu crochu, mais il reflétait imagination et sensibilité. Charlotte se dit que sa compagnie devait être des plus agréables et amusantes.

Emily, en bonne hôtesse, s'assura que les convives étaient bien installés, puis laissa à Ainsley Greville le soin de présider au repas. L'épouse de ce dernier, Eudora, était une très belle femme, bien plus jeune que lui, à la chevelure cuivrée, aux grands yeux marron, avec de hautes pommettes et une grande bouche. Elle paraissait pleine de modestie, ce qui ne faisait qu'ajouter à son charme.

Les deux autres femmes attablées étaient trop éloignées de Charlotte pour qu'elle pût s'en faire une véritable idée mais, dès que l'occasion s'en présenta, elle les observa discrètement. Kezia Moynihan ressemblait vaguement à son frère ; le teint clair, des yeux d'un bleu aigue-marine, de beaux cheveux blonds. Contrairement à Fergal, elle possédait les traits mobiles et expressifs d'une personne prompte au rire et à la colère. Charlotte la trouva assurément sympathique.

Iona McGinley était tout le contraire de Kezia : des cheveux noirs, de grands yeux bleu foncé, rêveurs et pensifs. Elle parlait peu, d'une voix douce et chantante. Ses doigts tripotaient sans cesse la nappe. Lorcan, son époux, avait un visage long et étroit, une grande bouche et des yeux très bleus qui vous fixaient de façon déconcertante.

La conversation débuta par des remarques insignifiantes, proches de la banalité, ce qui surprit Charlotte, dans la mesure où ces gens, arrivés la veille au matin, avaient déjà partagé deux repas.

— Un temps très doux pour la saison, remarqua Kezia. Il y a encore beaucoup de rosiers en fleur.

— Parfois, nous avons des roses jusqu'à Noël, dit Emily.

— La pluie ne les fait-elle pas pourrir ? s'enquit Iona. Chez nous, c'est souvent le cas.

— Chez nous, à l'est de l'Irlande, il fait moins humide, remarqua Carson O'Day.

Il y eut un brusque silence, comme si cette simple remarque était déjà une critique.

— Oui, elles pourrissent parfois; c'est une question de chance, s'empressa de répondre Emily à la cantonade. Regardez, cette année, les aubépines sont chargées de baies.

— On dit que cela annonce un hiver rude, commenta Lorcan McGinley, sans lever les yeux de son assiette.

— Ce sont des dictons de grands-mères, riposta Kezia Moynihan.

— Les grands-mères ont parfois raison, la contredit son frère sans l'ombre d'un sourire.

Il regarda Iona; leurs regards se croisèrent, puis il détourna vivement les yeux.

Emily décida de changer de sujet de conversation et, cette fois, s'adressa à Eudora Greville.

— J'ai entendu dire que Lady Crombie avait l'intention de visiter la Grèce cet hiver. Êtes-vous déjà allée là-bas?

— Oui, il y a une dizaine d'années, au printemps, répondit Eudora, désireuse de venir à son secours. Un très beau pays...

S'ensuivit une longue description de son séjour. Personne ne l'écoutait vraiment. Elle ne parut pas s'en soucier, trop heureuse de contribuer à détendre l'atmosphère.

Charlotte aurait bien aimé, elle aussi, alimenter la conversation, mais les seuls sujets qui lui venaient à l'esprit avaient trait, curieusement, à la politique, à la pomme de terre et au divorce! Elle affecta donc un grand intérêt pour les voyages, posant des questions chaque fois que la conversation faiblissait. Si tous les repas et le thé de l'après-midi étaient aussi assommants que celui-ci, les cinq ou six jours à venir lui sembleraient durer une éternité.

Elle observait les convives chaque fois que les plats étaient desservis. Ainsley Greville paraissait à l'aise, mais ses doigts, quand ils n'étaient pas occupés à tenir une fourchette, tambourinaient sur la table, et son sourire était crispé. La responsabilité de la bonne tenue de cette conférence était un lourd fardeau. Charlotte ne put s'empêcher d'éprouver une certaine compassion pour lui.

Eudora, en revanche, avait l'air tout à fait à son aise. Était-elle meilleure actrice que son époux, ou n'avait-elle pas réalisé l'enjeu de cette réunion?

Padraig Doyle appréciait ce qu'il avait dans son assiette et mangeait de bon appétit. Il demanda à Emily de complimenter la cuisinière de sa part. C'était manifestement un acteur consommé, doublé d'un conteur plein d'esprit; tandis qu'on servait les desserts, il évoqua de façon très vivante un voyage en Turquie, imitant les gens qu'il avait rencontrés, décrivant leurs vêtements et mimant leurs attitudes de manière colorée et poétique. À plusieurs reprises, il parvint même à faire rire tous les convives. Charlotte remarqua qu'il s'adressait à Eudora Greville avec beaucoup de naturel, comme s'il la connaissait depuis longtemps.

Elle remarqua aussi une certaine agressivité entre Lorcan McGinley et Fergal Moynihan, même à propos de détails anodins, comme le prix exorbitant des hôtels à l'étranger ou l'inconfort des voyages par mauvais temps.

Kezia soutenait son frère, quels que fussent ses propos, mais n'approuvait ni ne contredisait ceux de Carson O'Day. Iona McGinley, en revanche, semblait gênée lorsqu'elle s'adressait à Fergal Moynihan ou qu'elle devait commenter ses propos.

À plusieurs reprises, Charlotte surprit une lueur d'inquiétude dans les yeux de Pitt tandis qu'il observait les invités. Elle vit aussi Jack et Emily échanger plus d'une fois des regards entendus.

La fin du repas arrivait quand un valet vint prévenir Jack qu'un certain Mr. Piers Greville était arrivé. Devait-il le faire entrer?

— Oui, bien sûr, dit Jack après une brève hésitation.

Ainsley et Eudora Greville parurent très surpris.

— Je pensais qu'il était à Cambridge, dit cette dernière. J'espère qu'il n'est rien arrivé de fâcheux...

— Bien sûr que non, ma chère, la rassura Ainsley, bien que son expression démentît ses propos. À mon avis, il est rentré à la maison, et, apprenant que nous étions ici, à quinze kilomètres à peine, a décidé de venir nous voir. Il ne pouvait deviner qu'il commettait un impair.

Il se tourna vers Emily.

— Je suis désolé, Mrs. Radley. J'espère que la présence de notre fils ne vous dérange pas ?

— Mais non, voyons ! Il est le bienvenu, dit Emily. Je serai ravie de le rencontrer.

Que pouvait-elle dire d'autre ? Il n'était pas rare que des gens se présentent à des week-ends à la campagne sans y être invités.

Charlotte jeta un coup d'œil à Pitt. Il lui rendit un petit sourire contrit.

Le valet s'inclina et partit chercher le nouvel arrivant.

Piers Greville était un peu plus petit que son père, mais il avait le même teint et les mêmes cheveux. En revanche, il possédait la finesse de traits et le charme de sa mère. Les joues rosies, il fixa Emily de ses yeux gris-bleu pleins de vivacité.

— Mrs. Radley, je suis enchanté de faire votre connaissance. C'est très aimable à vous d'accepter mon intrusion. J'apprécie votre sens de l'hospitalité. J'essaierai de vous déranger le moins possible, je vous le promets.

Il se tourna ensuite vers Jack, toujours souriant.

— Je vous suis d'avance très reconnaissant, Mr. Radley.

Il parcourut la tablée du regard, saluant chacun d'un bref signe de tête. On lui rendit son sourire, certains avec chaleur, comme Kezia Moynihan, d'autres plus froidement, comme Fergal Moynihan et Lorcan McGinley

Piers s'adressa alors à son père.

— Papa, je suis venu ici car cette semaine est la seule

qui me permette de vous voir au cours des deux mois à venir, et je pensais que la nouvelle ne pouvait attendre...

— Quelle nouvelle ? demanda Ainsley d'un ton neutre.

Eudora parut déroutée. Manifestement, ce qu'allait lui annoncer son fils n'était pas attendu et ne devait concerner ni ses études ni ses examens.

— Eh bien ? reprit Greville en haussant les sourcils.

— Je ... je suis fiancé et je vais me marier ! s'écria Piers, rayonnant. C'est la personne la plus merveilleuse que j'aie jamais rencontrée. Elle est très belle et vous allez l'aimer.

— Piers... J'ignorais que tu fréquentais une jeune fille, dit Eudora avec un mélange de surprise et d'inquiétude.

Elle s'efforçait de sourire, mais Charlotte devina sa peine. Elle pensa à son propre petit garçon. Quand Daniel tomberait amoureux, se confierait-il à elle avant de lui annoncer son prochain mariage ?

— Bon, eh bien, toutes mes félicitations, fit Ainsley. Nous discuterons plus tard des dispositions à prendre ; bien sûr, nous souhaiterons la rencontrer, ainsi que ses parents.

Une ombre passa sur le visage de Piers. Il parut soudain très jeune et très vulnérable.

— Elle n'a plus de parents, papa. Ils sont morts très jeunes quand elle était enfant. Elle a été élevée par ses grands-parents qui, hélas, sont aussi décédés.

— Ô mon Dieu ! s'exclama Eudora.

— Quelle tristesse ! commenta Ainsley. Mais nous n'y pouvons rien. De toute façon, il ne faut pas précipiter les choses. Tu dois d'abord terminer ta dernière année de médecine, acheter une clientèle et compter encore un an ou deux avant d'envisager de te marier.

Le regard de Piers s'assombrit. L'idée d'avoir à attendre si longtemps lui était manifestement insupportable.

— Quand pourrai-je la rencontrer ? s'enquit Eudora. J'imagine qu'elle vit à Cambridge ?

— Non... non, à Londres. Mais elle vient ici demain.

Piers se tourna vivement vers Emily.

— Avec votre permission, Mrs. Radley ? Pardonnez ce manquement à la bienséance, mais je tenais tellement à ce qu'elle rencontre mes parents ce week-end...

Emily répondit poliment :

— Mais bien sûr, Mr. Greville. Votre fiancée est la bienvenue. Toutes mes félicitations.

— Merci, Mrs. Radley, fit-il, rayonnant. Vous êtes très généreuse.

Après le repas, les hommes se retirèrent dans la bibliothèque, où avaient lieu leurs réunions. Emily alla trouver la gouvernante et lui demanda de faire préparer deux nouvelles chambres. Ensuite, elle rejoignit ses invitées et leur proposa de faire le tour du parc. Elle partit accompagnée d'Eudora et de Iona ; Charlotte la suivit avec Kezia. Elles admirèrent successivement le labyrinthe en charmille, l'orangerie, l'immense pelouse avec ses bordures fleuries de chrysanthèmes et d'asters d'automne, la mare aux nénuphars et le sentier serpentant dans le sous-bois où poussaient à profusion fougères et digitales sauvages ; puis, à l'heure du thé, elles revinrent par le bois de hêtres qui débouchait sur la roseraie.

Elles prirent place dans le salon vert, dont les portes-fenêtres ouvraient sur une grande terrasse donnant sur la roseraie. Un bon feu crépitait dans la cheminée. On leur servit, sur un plateau d'argent, des *crumpets*[1], des canapés et des petits gâteaux glacés.

Après cette longue promenade, Charlotte avait un appétit de loup. Les *crumpets* étaient délicieux, et elle se livra à l'exercice périlleux de les déguster d'un air distingué sans faire couler de beurre sur le corsage de sa robe !

— Mrs. Radley, s'enquit Kezia Moynihan d'un ton grave, croyez-vous qu'il me sera possible de me procurer

1 Petite crêpe épaisse, servie chaude et beurrée. (*N.d.T.*)

un journal au village demain? J'enverrai un valet, si vous n'y voyez pas d'inconvénient.

— Le *Times* nous est livré tous les matins, répondit Emily. J'ai veillé à ce qu'il y en ait plusieurs exemplaires à votre disposition.

Kezia lui sourit.

— C'est vraiment très aimable à vous d'y avoir pensé.

— Nous n'y trouverons que peu d'informations sur l'Irlande, remarqua Iona. Seulement des pages consacrées à la politique intérieure et extérieure anglaise, une rubrique économique, des critiques de théâtre, des potins mondains...

— Le Parlement britannique gouverne aussi l'Irlande, la coupa Kezia. L'auriez-vous oublié?

— J'y songe même dans mon sommeil, répliqua Iona, acerbe. Les vrais Irlandais ne l'oublient pas. Ceux qui veulent rester dans le giron de l'Angleterre, comme vous, ne savent pas ce que veulent dire la honte, la douleur, la faim, la pauvreté et l'injustice.

— Oui, c'est vrai, j'oubliais que toute l'Angleterre chevauche sur le dos de cette pauvre Irlande, railla Kezia. L'Irlande catholique est si chétive qu'il n'est pas étonnant que ce poids soit trop lourd pour elle. Vous devez travailler comme des galériens pour nous entretenir tous.

— La famine était due au mildiou de la pomme de terre, intervint Eudora. Ce fléau était la volonté de Dieu.

— Qui n'est ni catholique ni protestant, se permit d'ajouter Emily.

— « *Malédiction sur vos deux maisons* [1] », cita Charlotte, qui, voyant les quatre autres femmes tourner vers elle des yeux écarquillés, regretta de ne pas avoir tenu sa langue.

— Êtes-vous athée, Mrs. Pitt? s'enquit Eudora, incrédule. Vous ne faites pas partie de ces gens qui ne jurent que par Mr. Darwin, n'est-ce pas?

---

1. Shakespeare, *Roméo et Juliette*, Acte III, scène 1. (*N.d.T.*)

— Non, je ne suis pas athée, s'empressa de répondre Charlotte, les joues en feu. Je me dis seulement que Dieu doit être furieux de voir s'entre-tuer des gens qui se disent chrétiens.

— Vous ne diriez pas cela si vous connaissiez un tant soit peu les différences qui nous opposent, réagit Kezia avec violence.

Elle serrait les poings, posés sur sa robe lie-de-vin.

— L'intolérance, l'orgueil, l'irresponsabilité, l'amoralité sont enseignées, alors que les belles vérités divines, pureté, zèle, foi sont niées. Peut-il y avoir un plus grand mal ? Existe-t-il une cause plus importante, plus précieuse qui vaille la peine de se battre ? Si ces vérités sont perdues, que nous reste-t-il qui ait de la valeur ?

— Foi, honneur et loyauté, répondit Iona d'une voix chargée d'émotion. Pitié pour les miséreux, pouvoir de pardonner et amour de la vraie Église. Toutes choses que votre cœur de pierre et votre célérité à juger les autres vous empêchent de comprendre. Si vous voyez un homme qui regarde les pauvres mourir de faim en leur disant que c'est leur faute, ne cherchez pas plus loin, c'est un prédicateur protestant. Tout en parlant des feux de l'enfer, il allumera les charbons. Rien ne lui fait plus plaisir, en prenant son repas du dimanche, que de penser aux enfants catholiques mourant de faim ; son sommeil sera d'autant plus doux si nous gelons dans les fossés, lui qui nous a chassés de nos maisons et a pris possession des terres appartenant à nos ancêtres depuis la nuit des temps.

— Ce ne sont là que des fadaises romantiques et vous le savez, répliqua Kezia, dont les yeux bleu turquoise brillaient à la lumière. Plus d'un propriétaire protestant a fait banqueroute pour avoir nourri ses métayers catholiques pendant la Grande Famine. Mon grand-père l'a fait. Il ne lui est pas resté un penny. Et voilà plus de quarante ans que la famine a terrassé l'Irlande. Le problème avec vous, catholiques, c'est que vous vivez dans le passé. Vous chérissez vos douleurs comme si vous aviez peur de les oublier. L'émancipation des catholiques est chose acquise, désormais.

— Pardon? L'Irlande est toujours gouvernée par un Parlement protestant, qui siège à Londres, il me semble! s'écria Iona.

Elle ne s'adressait qu'à son ennemie; les autres personnes présentes dans la pièce ne comptaient pas.

— Que voulez-vous donc? lança Kezia. Être soumise à la curie romaine? C'est cela que vous voulez? Que nous devions tous répondre de nos actes devant le pape? Vous souhaitez que la doctrine papiste fasse la loi en Irlande, non seulement pour ceux qui s'en réclament, mais pour les autres aussi! Tout le problème est là. Eh bien, moi, je préfère mourir que renoncer au droit de pratiquer ma religion.

Une lueur amusée dansa dans les yeux de Iona.

— Donc, vous craignez que si nous prenions le pouvoir, nous vous persécutions tout comme vous nous persécutez. Il vous faudra alors vous battre pour vous émanciper d'une odieuse tutelle, pour reconquérir vos terres, au lieu d'être à la merci de propriétaires terriens, pour voter les lois de votre propre pays et pouvoir exercer le métier de votre choix[1]. C'est cela qui vous fait peur? Nous savons ce qu'est l'oppression, car nous avons eu de bons professeurs!

Eudora intervint à nouveau, pâle, la gorge nouée:

— Voulez-vous vivre pour toujours dans le passé? Voulez-vous gâcher l'occasion que nous avons aujourd'hui de mettre un terme à des siècles de haine et de sang versé, dans l'espoir de créer un vrai pays qui ait enfin le droit de se gouverner lui-même?

— Avec Parnell? s'exclama Kezia d'une voix dure. Il ne survivra pas au scandale. Katie O'Shea a mis un terme à sa carrière politique.

---

1. Les catholiques étaient exclus, entre autres, de l'armée, de la magistrature et des professions libérales. (*N.d.T.*)

— Oh, ne soyez pas hypocrite ! rétorqua Iona. Il est aussi coupable qu'elle. Le seul qui soit innocent dans cette affaire, c'est le capitaine O'Shea.

— J'ai lu dans les journaux, remarqua Charlotte, que le capitaine O'Shea aurait poussé sa femme dans les bras de Parnell pour obtenir de l'avancement. Ce qui le rend aussi coupable que les autres et pour une raison bien moins honorable.

— Il n'a pas commis d'adultère, lui, riposta Kezia, rouge d'indignation. C'est un péché mortel.

— Manipuler un homme de façon qu'il tombe amoureux de votre femme, la lui vendre par intérêt et ensuite la clouer au pilori parce qu'elle s'est éprise de lui, ce n'est pas un péché, selon vous ? s'étonna Charlotte.

Emily poussa un grognement. Eudora regarda tout autour d'elle, affolée.

Soudain, Charlotte eut envie d'éclater de rire. Cette scène était absurde. Mais si elle se mettait à rire, elles croiraient toutes qu'elle avait perdu l'esprit. Au fond, ce ne serait peut-être pas une mauvaise chose...

— Voulez-vous un autre *crumpet* ? proposa-t-elle à Kezia. Ils sont absolument délicieux. Mesdames, cette conversation m'effraie. Nous nous sommes toutes montrées à ce point intolérantes que nous nous mettons dans l'impossibilité de battre en retraite avec dignité.

Elles la dévisagèrent comme si elle s'était exprimée dans une langue inconnue.

Charlotte prit une grande inspiration.

— La seule solution serait de faire comme si cet échange de propos plutôt vifs n'avait pas eu lieu. Dites-moi, Miss Moynihan, si vous aviez du temps et de l'argent, dans quel pays aimeriez-vous voyager ?

Kezia hésita.

Dans la cheminée, le feu rougeoyait faiblement. Emily n'allait pas tarder à sonner pour qu'un valet vienne la recharger en charbon.

— En Égypte, répondit enfin Kezia. J'aimerais remonter le Nil, visiter les pyramides et les temples de Louxor et de Karnak. Et vous, Mrs. Pitt?

— Moi? Venise, répondit Charlotte sans hésiter.

Elle faillit ajouter « Rome », mais se retint.

— Florence, aussi, conclut-elle. Oui, j'aimerais tant voir Florence.

Emily, soulagée, put enfin sonner le valet.

Tout l'après-midi, Gracie fut très occupée. Gwen était toujours là pour la conseiller, mais ce fut Doll, la camériste d'Eudora Greville, qui lui apprit comment donner aux bas de soie une belle couleur chair en ajoutant à l'eau de lavage des paillettes de savon rose, puis en les frottant avec de la flanelle et en les essorant jusqu'à ce qu'ils soient presque secs. Le résultat était parfait.

— Merci pour le conseil, fit Gracie avec enthousiasme.

Doll sourit.

— Oh, il y a plein de petites astuces qui sont bonnes à savoir. Tu as du papier ou du tissu bleu?

— Non. Pour quoi faire?

— Il faut toujours mettre le linge blanc dans des cartons ou des tiroirs tapissés de bleu. De cette façon, il ne jaunira pas. Il n'y a rien de pire que du blanc qui vire au jaune. À propos, tu sais t'y prendre avec les perles jaunies? Non? Attention, ne les fais jamais tremper dans du vinaigre! Il faut faire bouillir du son, le tamiser, y ajouter de la crème de tartre et de l'alun. Ensuite il suffit de frotter les perles — attention, c'est chaud — avec ce mélange jusqu'à ce qu'elles soient redevenues toutes blanches. On les rince à l'eau tiède, on les pose sur du papier blanc et on laisse refroidir dans un tiroir.

Gracie, très impressionnée, se dit qu'en quelques jours, si elle était bien attentive, elle deviendrait une vraie camériste!

— Merci, répéta-t-elle en relevant le menton. C'est très gentil à toi de me donner tous ces conseils.

Doll sourit et se détendit un peu.

Gracie serait bien restée encore avec elle, mais craignait de dévoiler son inexpérience. On aurait fini par se demander pourquoi Charlotte avait une femme de chambre ignare à ce point. Aussi s'excusa-t-elle et remonta-t-elle à l'étage.

Très vite, elle commença à s'ennuyer, car elle n'avait rien à faire. Elle décida donc d'aller explorer le quartier des domestiques. Dans la lingerie, elle trouva les petites bonnes en train de rire et de papoter, après le dur travail de la matinée, passée dans la vapeur à laver les draps et les serviettes. L'une d'elles repassait. D'autres s'affairaient à monter du charbon dans les étages pour allumer les cheminées avant que les invités se changent pour le dîner.

Elle vit Tellman qui revenait des écuries, l'air lugubre. Il semblait complètement dépassé par les événements. Les autres valets n'allaient pas tarder à s'en apercevoir. Gracie décida d'aller l'aider.

— Vous commencez à vous y retrouver, Mr. Tellman ? lui lança-t-elle d'un ton joyeux. J'ai jamais vu une maison aussi grande !

— Cirer des bottes et porter des seaux de charbon ! grommela-t-il. Je ne suis pas payé pour ça !

— C'est pas à vous de porter le charbon ! Vous êtes valet de chambre, l'oubliez pas !

Tellman eut une grimace dégoûtée.

— Ne dites pas d'âneries. Quand on passe son temps à recevoir des ordres, on est un larbin, un point c'est tout.

— Pas du tout ! s'indigna-t-elle. C'est comme dans la police, il y a des inspecteurs qui mènent les enquêtes et puis des agents qui font leur ronde avec une lanterne.

— N'empêche que vous êtes à la disposition de ces messieurs-dames, grogna-t-il.

— Écoutez, si vous savez pas quoi faire, je peux trouver à vous occuper. Faut pas que vous ayez l'air de pas connaître votre travail. Je vais vous montrer comment on brosse correctement un manteau et comment on enlève les taches. Vous savez faire partir des taches de graisse ?

— Non, admit-il avec humeur.

— Avec un fer à repasser chaud, mais pas trop, et du papier d'emballage. Si ça marche pas, on frotte avec un chiffon imbibé d'esprit-de-vin. Et si vous avez un problème, vous venez me voir.

Elle lut sur son visage que si l'idée lui déplaisait il reconnaissait qu'elle n'avait pas tort.

— Merci, dit-il entre ses dents, avant de rentrer dans la maison.

Gracie secoua la tête et poursuivit son exploration.

En entrant dans la réserve, elle aperçut la mince silhouette de Finn Hennessey, de dos. Elle l'aurait reconnu entre mille. Il se retourna au bruit de ses pas. Son visage s'illumina à sa vue.

— Bonjour, Gracie Phipps. Vous cherchez quelqu'un ?

— Non, j'explore la maison, pour savoir où trouver ce dont j'ai besoin.

— Bonne idée. Moi aussi, voyez-vous. C'est drôle, on a passé des jours à préparer ce voyage ; maintenant qu'on est sur place, on n'a plus grand-chose à faire.

— Moi, à la maison, je m'occupe aussi des enfants, fit Gracie avec fierté.

— Vous aimez ça ?

— M'occuper des enfants ? Oh, oui ! Ils sont obéissants, et très intelligents.

— En bonne santé ?

— Oui, bien sûr.

Elle vit son visage s'assombrir.

— Pourquoi vous me demandez ça ? Les enfants sont pas en bonne santé, là d'où vous venez ?

— Là d'où je viens... répéta-t-il d'un ton amer. Le village de ma mère et de ma grand-mère est en ruine. Abandonné par tous ses habitants, qui ont fui pendant la famine. Plus de cent personnes, hommes, femmes et enfants. Les maisons du village ? Les tombeaux d'une race disparue, retournée à la poussière.

— C'est terrible, soupira Gracie. Et votre maman, elle

est partie elle aussi ? Elle avait pas des frères qui sont restés ?

— Elle en avait trois. Deux ont été chassés par les nouveaux propriétaires et le troisième, le plus jeune, a été pendu par les Anglais, qui pensaient qu'il était fenian.

Gracie savait ce qu'était la misère. Dans certains quartiers de Londres, les enfants mouraient de froid et de faim. Elle-même avait souffert de malnutrition avant d'être recueillie par Pitt.

— Qu'il était quoi ?

— Fenian. Une société secrète qui se bat pour la liberté des Irlandais, enfin, ce qu'il en reste. C'est-à-dire pas beaucoup. Nous avons été chassés de nos terres. Dans l'ouest et le sud de l'Irlande, les villages sont abandonnés.

— Et où sont-ils allés ?

— En Amérique, au Canada, partout où l'on peut trouver du travail, de la nourriture et un toit au bout du voyage.

Gracie comprenait sa colère, mais ne trouva rien à répondre.

— Imaginez des familles entières dépossédées des maisons qu'elles avaient construites, des terres qu'elles travaillaient, fuyant dans le froid et la pluie, en plein hiver, vieillards, femmes avec leurs bébés au bras, les autres enfants accrochés à leur jupe, tous livrés à eux-mêmes. Quel genre d'homme faut-il être pour infliger pareil traitement à d'autres hommes ?

— Je sais pas, murmura-t-elle. C'est pas humain.

— Croyez-moi, Gracie, si je devais vous raconter toutes les souffrances de l'Irlande, nous serions encore là bien après la fin de ce week-end, quand ces politiciens seront repartis à Londres, à Dublin et à Belfast. Et ce ne serait que le début de l'histoire. Je sais, vous allez me dire que de la misère, il y en a partout. Mais là, il s'agit de la lente agonie d'une nation. La pluie qui rend notre terre si verte, ce sont les larmes des anges qui pleurent de la voir tant souffrir.

Gracie se représentait les anges en train de pleurer, quand Gwen entra dans la réserve, à la recherche des ingrédients nécessaires à la fabrication du « miel à lèvres de Lady Conyngham ».

— Comment tu fais ça ? s'enquit Gracie avec curiosité.

— Tu prends soixante grammes de miel, trente grammes de cire d'abeille, quinze grammes d'oxyde de plomb et quinze grammes de myrrhe, expliqua Gwen. Tu mélanges le tout à feu doux et tu ajoutes le parfum de ton choix. Je vais prendre du lait de rose. Il doit être là-haut, sur l'étagère, au-dessus de ta tête.

Elle sourit à Finn, qui ouvrit le placard et lui tendit le flacon.

Gwen paraissait disposée à faire la causette. Gracie faillit rester, puis préféra s'éclipser. Elle se demanda si Finn la suivait des yeux ou s'il était déjà en grande conversation avec Gwen. Une fois dans le couloir, elle ne put résister à l'envie de jeter un coup d'œil par-dessus son épaule : quel ne fut pas son bonheur de voir qu'il la regardait !

Le dîner débuta dans une atmosphère terriblement compassée. Les femmes n'avaient pas oublié les propos acides échangés à l'heure du thé ; Charlotte et Emily redoutaient que la scène ne se reproduisît.

Fergal Moynihan se montra d'une courtoisie égale envers tous les convives. Iona McGinley avait revêtu une robe d'un bleu profond, presque violet, qui faisait ressortir la blancheur de sa gorge et de ses frêles épaules. On aurait dit une émanation de ses propres poèmes ; un sourire lointain flottait sur ses lèvres. Kezia Moynihan était tout aussi magnifique, dans une robe aigue-marine délicatement brodée, rehaussant ses épaules rondes et sa jolie poitrine. La lumière des chandeliers jouait sur ses cheveux blonds et illuminait son teint. Charlotte surprit Ainsley Greville et Padraig Doyle l'observant d'un œil appréciateur.

Greville et son épouse s'efforçaient d'échanger des banalités avec tous les convives, tandis que Piers, leur fils, seul sur son îlot de bonheur, paraissait le plus heureux des hommes.

Charlotte portait l'une des toilettes de tante Vespasia, une robe vert foncé dont la coupe sévère mettait en valeur sa poitrine et sa taille et la flattait bien plus qu'elle ne le supposait. Elle s'aperçut que les hommes lui jetaient des regards admiratifs et que les femmes l'observaient avec envie.

Lorcan McGinley interrompit sèchement Fergal Moynihan qui bavardait avec Iona. Aussitôt Padraig Doyle, pour apaiser la tension, se lança dans le récit d'une aventure qui lui était arrivée dans l'Ouest américain ; tout le monde rit.

À la fin du repas, les dames se rendirent dans le petit salon, bientôt suivies par les messieurs. Quelqu'un suggéra que l'on écoute un peu de musique. Eudora Greville se mit au piano et commença à jouer de vieilles ballades du folklore irlandais ; Iona McGinley la rejoignit et chanta d'une voix magnifique, pleine d'une puissance surprenante pour un corps si fragile. Puis elle entonna un chant d'amour tragique qui parlait de paix perdue, de deux amants séparés par la trahison et la mort.

Ainsley Greville commença à bouger sur sa chaise, mal à l'aise. Kezia Moynihan pinçait les lèvres, rouge de colère. Fergal ne quittait pas Iona des yeux, comme si la beauté de la musique pénétrait son âme, l'empêchant de réagir aux paroles qui pourtant accusaient ouvertement les protestants de trahison. Lorcan McGinley écoutait, debout, en extase, ce chant d'amour trahi faisant l'éloge du héros assassiné par les Anglais.

Ce fut Padraig Doyle qui intervint, à la fin du morceau.

— Une belle chanson, très triste, dit-il en souriant. On y parle d'une jeune fille de ma famille, Neassa Doyle. C'était l'une de mes tantes, du côté de ma mère.

Il s'adressa à Carson O'Day, qui avait écouté la chanson d'un air impassible.

— Le héros faisait partie de votre famille, n'est-ce pas ?

Carson hocha la tête.

— Drystan O'Day. Une tragédie parmi d'autres, mais celle-là a été immortalisée par les poètes et les musiciens.

— Une très belle ballade, en effet, renchérit Doyle, mais si nous faisions honneur à nos hôtes en leur chantant quelques airs entraînants ? Il ne faudrait pas que nous nous couchions sur une note aussi triste. S'apitoyer sur son propre sort n'est guère constructif.

— Car, selon vous, les malheurs de l'Irlande ne relèvent que de l'apitoiement ? rétorqua Lorcan McGinley, agressif.

Doyle sourit.

— Nos malheurs sont bien réels, mon vieux. Tout le monde le sait. Mais le courage, c'est aussi de chanter des chansons gaies. Si nous commencions par « *Take a Pair of Sparkling Eyes* » ? Eudora connaît la mélodie de mémoire, je crois. Écoutons-la.

Celle-ci hocha la tête et égrena quelques notes joyeuses sur le piano ; Doyle chanta d'une belle voix de ténor, douce et profonde. Emily se mit à fredonner et, en l'entendant, il l'encouragea d'un geste amical.

Dix minutes plus tard, oubliant leurs dissensions, ils chantaient tous en chœur des extraits d'opérettes de Gilbert et Sullivan.

Charlotte sombra dans un sommeil agité, peuplé de rêves inquiets. Aussi crut-elle que le hurlement qu'elle entendit faisait partie de l'un d'eux. Mais déjà Pitt avait bondi du lit et marchait vers la porte à grandes enjambées. Le jour commençait à poindre.

Le hurlement strident venait du couloir. Il n'exprimait aucune terreur, seulement une rage incontrôlée.

Charlotte sortit du lit, les cheveux épars, s'enveloppa dans sa robe de chambre et rejoignit Pitt sur le palier. Celui-ci regardait, debout sur le seuil de la porte qui leur faisait face, Kezia Moynihan, blême, les yeux écarquillés, le regard étincelant. Emily arriva en courant, affolée, vêtue d'un déshabillé vert d'eau, n'ayant même pas pris le temps de se coiffer. Padraig Doyle sortit de sa chambre, suivi peu de temps après par Lorcan McGinley.

Jack, déjà levé et habillé, monta en courant du rez-de-chaussée.

— Au nom du ciel, que se passe-t-il ? demanda-t-il, tout essoufflé.

Kezia avait ouvert en grand la porte de la chambre. Charlotte aperçut un grand lit aux montants de cuivre ; elle y vit Iona McGinley, ses cheveux noirs retombant en cascade sur ses épaules nues, tentant de se cacher sous les couvertures en désordre. À ses côtés, la chemise de nuit de travers, était couché Fergal Moynihan.

CHAPITRE III

Emily fut la première à réagir.

Elle prit Kezia par la main, la tira sur le côté et referma vivement la porte.

— Que se passe-t-il? s'enquit Carson O'Day, inquiet. Quelqu'un est-il blessé?

Charlotte eut envie de rire. Il imaginait sans doute une agression d'ordre politique, alors qu'il s'agissait d'une tragédie domestique comme il s'en produit n'importe où!

— Rassurez-vous, dit-elle d'une voix forte et distincte. Personne n'est blessé.

Puis, devant la pâleur de Lorcan McGinley, elle regretta d'avoir utilisé cette expression.

Emily tentait, sans succès, d'entraîner Kezia en direction de sa chambre. Pitt vint à son secours.

— Suivez-moi, ordonna-t-il en prenant fermement la jeune femme par l'autre bras. Vous allez attraper froid.

Ses paroles produisirent l'effet escompté; Kezia, un instant calmée, accepta de les suivre.

Jack, arrivant sur le palier, ignorait tout de ce qui s'était passé. Charlotte était donc la seule personne susceptible de donner des explications aux invités. Elle annonça le plus calmement qu'elle put:

— Miss Moynihan est en état de choc, à la suite de la scène qui vient de s'offrir à ses yeux. Le mieux serait que nous retournions tous dans nos chambres, sinon nous finirions par attraper un rhume.

Ainsley Greville poussa un soupir de soulagement.

— Merci, Mrs. Pitt. C'est un sage conseil, que tout le monde devrait suivre.

Avec un sourire lugubre, il partit à pas lents vers sa chambre, suivi de son épouse. Padraig Doyle observa Charlotte d'un air soucieux, puis comprenant qu'il valait mieux ne pas intervenir, s'en fut de son côté.

Charlotte et Lorcan McGinley restèrent seuls face à face.

— Je suis désolée, Mr. McGinley, murmura-t-elle, émue.

Était-il déjà au courant de la liaison de son épouse avec Fergal Moynihan, ou sous le choc de cette découverte ? Sa pâleur révélait-elle sa stupéfaction ou bien sa honte de voir cette liaison révélée au grand jour ?

Il ne répondit pas. Mais l'expression qu'elle lut dans ses yeux ne laissait rien présager d'agréable.

Le petit déjeuner se déroula dans une atmosphère épouvantable. Emily ne savait comment s'y prendre pour entretenir un semblant de conversation. Certes, ce n'était pas le premier adultère commis dans une maison de campagne, mais, d'ordinaire, les protagonistes s'arrangeaient pour être discrets ! Et si par malchance une personne surprenait leurs ébats, elle détournait les yeux et gardait cela pour elle. Du moins, ne se mettait-elle pas à hurler sur le palier dans l'espoir de réveiller toute la maisonnée ! Tout l'art d'une maîtresse de maison consistait d'ailleurs à choisir avec soin ses invités, en fonction de leur amitié ou de leur inimitié.

Lorsque Jack avait présenté sa candidature à la députation, Emily ignorait tout des problèmes de réception qu'elle aurait à résoudre en tant qu'épouse d'un homme politique. Bien sûr, elle connaissait tous les pièges que posait l'organisation de grands repas et de soirées mondaines : dénicher un personnel qualifié et compétent, respecter les règles compliquées de l'étiquette, porter les toilettes appropriées, inventer des menus qui soient originaux sans être trop excentriques et imaginer des divertissements à la fois intéressants et sans danger.

Mais jamais elle ne s'était trouvée en présence d'invités qui se détestaient cordialement; que l'on puisse haïr son prochain du fait de ses convictions religieuses dépassait son entendement. La veille, le conflit avait été évité de justesse; aujourd'hui, il paraissait inévitable, songeait-elle, tout en accueillant ses hôtes qui se présentaient un par un à la table du petit déjeuner. En passant, ils se servaient des différents plats mis à leur disposition sur les dessertes : pilaf de poisson, rognons à la sauce diable, œufs brouillés ou pochés, bacon, saucisses, haddock, hareng fumé et champignons grillés.

Padraig Doyle, toujours bon vivant, se servit généreusement. Ainsley Greville mangeait sans appétit, perdu dans ses pensées, l'air tendu. Carson O'Day grignotait du bout des lèvres; McGinley, éprouvé, repoussait la nourriture sur les bords de son assiette, sans parler à personne. Au bout de dix minutes, il s'excusa et quitta la pièce. Fergal Moynihan resta à table, sans desserrer les dents. Iona buvait du thé à petites gorgées, mais paraissait moins gênée que son amant, comme si elle était soutenue par une sorte de force intérieure.

Piers Greville était le seul à ignorer ce qui s'était passé au petit matin; Emily, ravie de trouver en lui un interlocuteur attentif, l'interrogea sur ses études. Il expliqua avec enthousiasme qu'il terminait sa médecine à Cambridge et espérait ouvrir bientôt un cabinet médical. Eudora l'écoutait d'un air étonné, comme si elle n'avait jamais réalisé la passion de son fils pour son futur métier. Sans doute n'en parlait-il pas autant à la maison.

Kezia n'apparut pas à table. Au bout d'une demi-heure, Charlotte jeta un coup d'œil à sa sœur; Emily comprit qu'elle désirait parler à la jeune femme. Elle se demanda si c'était une sage attitude de la part de Charlotte, mais lui rendit néanmoins un sourire d'approbation.

Charlotte s'excusa et monta à l'étage. Elle souhaitait en effet réconforter Kezia, qui lui était sympathique, mais tenait surtout à rendre service à Emily et à Pitt. Si Kezia, sous le choc, se retrouvait seule, isolée de tous, elle perdrait sans doute tout contrôle d'elle-même et serait alors capable de provoquer un véritable drame.

Arrivée sur le palier du premier étage, Charlotte aperçut une ravissante jeune femme, aux beaux cheveux couleur de miel, à la fine silhouette. Une soubrette, songea tout d'abord Charlotte, car ces dernières étaient souvent choisies pour leur beauté, et cette jeune femme était vraiment très belle ; mais elle ne portait pas le bonnet de dentelle des soubrettes, qui, de plus, n'assuraient leur service qu'au rez-de-chaussée. Elle devait donc être camériste. Elle avait une expression plaisante, aimable, mais ses traits étaient empreints de gravité et de tristesse.

— Pouvez-vous me dire où se trouve la chambre de Miss Moynihan ? lui demanda Charlotte.

— Oui, madame. C'est la seconde porte sur la gauche, dans le couloir, juste après la jarre de lierre que vous voyez là-bas. Je peux vous y conduire, ajouta-t-elle.

— Merci, répondit Charlotte. Vous ne seriez pas sa femme de chambre ?

— Non, madame. Je suis la camériste de Mrs. Greville.

— Savez-vous où je peux trouver la femme de chambre de Miss Moynihan ? Il se peut que j'aie besoin d'elle.

— Oui, madame. Je crois qu'elle est dans la lingerie. Elle fait cuire le riz.

— Pardon ? Vous voulez dire qu'elle est dans la cuisine ?

— Non, madame, elle prépare l'amidon.

Devant l'étonnement de Charlotte, une lueur amusée passa dans ses yeux.

— Nous utilisons l'eau du riz pour laver les mousselines. Ça leur donne de l'apprêt. Les bocaux de riz sont entreposés dans la lingerie. Les cuisinières ne veulent pas que l'on prépare l'eau de riz en cuisine.

— Ah, je comprends, fit Charlotte. Je vous remercie.

Elles étaient arrivées devant la porte.

Charlotte frappa.

N'entendant pas de réponse, elle frappa une seconde fois, puis, comme l'aurait fait une femme de chambre, ouvrit la porte et la referma derrière elle.

Charlotte embrassa la pièce du regard : des murs décorés de motifs floraux jaune jonquille et vert tilleul, avec quelques touches de bleu, un vase de chrysanthèmes blancs et d'asters bleus, une table jonchée de journaux. Charlotte se souvint que Kezia était aussi passionnée de politique que son frère.

La jeune femme se tenait debout devant la fenêtre, de dos. Ses cheveux étaient encore dénoués. Elle n'avait pas pris la peine de s'habiller et avait sans doute délibérément renvoyé sa femme de chambre.

— Miss Moynihan...

Kezia se retourna lentement. Son visage était gonflé, ses yeux rougis. Elle regarda sa visiteuse d'un air surpris et peu amène. Charlotte ne s'en offusqua pas ; elle s'était permis d'entrer sans y avoir été invitée.

— J'ai besoin de vous parler, dit-elle en souriant. Je ne pouvais pas prendre mon petit déjeuner comme s'il ne s'était rien passé. Vous devez être très malheureuse.

Kezia respirait très vite. Sa poitrine se soulevait et s'abaissait précipitamment. Sa physionomie exprimait à la fois son désir d'assouvir sa colère et le mépris qu'elle éprouvait par ailleurs pour les paroles de Charlotte, laquelle, à ses yeux, ne pouvait imaginer ce qu'elle ressentait.

— Vous ne pouvez pas comprendre, fit-elle d'une voix dure.

— Non, bien sûr, acquiesça Charlotte, conciliante.

Elle ne comprenait en effet pas pourquoi la rage étouffait à ce point la belle jeune femme qui se tenait devant elle dans son joli déshabillé de dentelle.

— Comment a-t-il pu faire une chose aussi méprisable, aussi... impardonnable ! s'écria Kezia dont les yeux bleus étincelaient. Moi qui pensais le connaître ! Pendant des années, nous avons combattu pour les mêmes idéaux, partagé les mêmes rêves, souffert les mêmes maux. Pour en arriver là !

Charlotte la sentait sur le point de perdre le contrôle de ses nerfs. Kezia devait absolument parler, se confier à quelqu'un pour apaiser l'immense douleur qui l'étreignait.

— Quand les gens tombent amoureux, commença Charlotte, ils font parfois d'étranges choses, qu'ils ne feraient pas en temps normal...

— Tombent amoureux ? hurla Kezia, comme si ces mots n'avaient aucun sens. Les gens ? Fergal n'est pas n'importe qui ! C'est le fils de l'un des plus grands pasteurs qui aient jamais répandu la parole divine ! Un homme juste et droit, suivant à la lettre les Commandements et représentant une lumière d'espoir pour tout l'Ulster. Il a toujours défendu la foi chrétienne et l'indépendance de l'Irlande face à l'emprise d'une papauté corrompue.

Elle tendit vers Charlotte un doigt accusateur.

— Vous vivez en Angleterre. Vous n'avez pas vécu sous cette menace. N'avez-vous pas lu vos livres d'histoire ? Ignorez-vous combien d'hommes votre *Bloody Mary*[1] a fait brûler sur le bûcher, parce qu'ils refusaient de renoncer aux réformes initiées par l'Église protestante ? Parce qu'ils voulaient mettre un terme aux superstitions et aux rémissions par l'Église des peines temporelles que certains péchés méritent, et faire cesser la vie de luxe et de

1. Marie la Sanglante, surnom donné à Marie Iʳᵉ Tudor, reine catholique d'Angleterre (1516-1558), qui approuva les persécutions contre les protestants. (*N.d.T.*)

péché régnant dans toute la hiérarchie religieuse ? Parce qu'ils voulaient aussi se débarrasser d'un pape arrogant qui, au nom de Dieu, avait chargé les tribunaux de l'Inquisition de questionner et de torturer des chrétiens qui s'en tenaient aux seules Saintes Écritures ? Les protestants n'idolâtrent pas des statues de plâtre et ne croient pas que leurs péchés leur seront pardonnés s'ils donnent leur obole à l'Église et marmonnent des prières en tripotant leur chapelet !

— Kezia... murmura Charlotte.

Celle-ci ne l'écoutait pas.

— J'ai surpris mon frère au lit avec une putain catholique, une femme adultère ! Une créature qui pousse les Irlandais à s'entre-déchirer en écrivant des poèmes farcis de mensonges, excitant l'imagination d'hommes stupides et ignorants par des vers larmoyants à la gloire de héros n'ayant jamais existé, morts au cours de batailles qui n'ont jamais été livrées !

— Kezia...

— Et vous voulez que j'accepte son comportement ? Que j'admette qu'il s'agit d'une faiblesse bien humaine et pardonnable ? Jamais !

Elle serra les poings, prête à éclater en sanglots.

— Jamais ! Il a commis un acte inexcusable !

— Pour vous, rien n'est pardonnable, même si l'on se repent ?

Kezia releva le menton avec dédain.

— Pas la trahison. Mon frère a tout trahi. C'est le pire des hypocrites. Il n'est pas ce qu'il m'a toujours laissé croire.

— Il est faillible, comme tous les hommes, raisonna Charlotte. N'est-ce pas le plus pardonnable des péchés ?

Les rayons du soleil jouaient dans la chevelure blonde de Kezia, créant un halo autour de sa tête.

— L'hypocrisie ? La tricherie ? Le mensonge ? La trahison de ses idées et des amis qui croyaient en lui ? Non, je ne pardonne rien de tout cela.

Elle se détourna et regarda à nouveau par la fenêtre.

Il ne servait à rien d'argumenter, cela ne ferait que la conforter dans ses positions, se dit Charlotte, commençant à pressentir la profondeur de la haine qui déchirait les familles irlandaises. Mais elle se souvenait aussi de son chagrin, bien des années plus tôt, avant son mariage, lorsqu'elle s'était rendu compte qu'elle devait renoncer à un homme qu'elle adorait, Dominic Corde, le mari de sa sœur aînée Sarah. La perte de ses illusions lui avait paru insupportable.

— Si vous souhaitez vous promener seule, proposa-t-elle, il n'y a personne dans le parc en ce moment, sauf peut-être le jardinier qui taille le buis du labyrinthe.

— Merci.

Kezia n'eut même pas un signe de tête. Elle s'enveloppa plus étroitement dans son déshabillé blanc, comme pour empêcher qu'on le lui arrache.

Charlotte sortit de la pièce et referma la porte sans bruit.

Les dames passèrent la matinée à faire leur courrier, à s'entretenir des différents objets d'art décorant la maison et à feuilleter les livres d'échantillons d'ouvrages de dames qui traînaient dans le petit salon ou le boudoir. Ces volumes réunissaient dessins, peintures, eaux-fortes, découpages, ou dentelles. C'était une pratique courante chez les dames de produire ce genre d'ouvrages, qui leur permettait de comparer leurs créations. Emily détestait les activités manuelles et prenait grand soin de ne jamais avoir le temps de s'y livrer ; en revanche, elle acceptait volontiers les ouvrages qu'on lui offrait, afin de pouvoir les montrer à ses invitées.

Par bonheur, Kezia était absente ; avec elle l'atmosphère eût été irrespirable. La dispute de la veille n'était rien comparée à celle qui aurait alors pu éclater.

Les messieurs reprirent les pourparlers, habilement menés par Ainsley Greville. L'ambiance était tendue, mais on entendit Carson O'Day et Padraig Doyle rire ensemble en traversant le hall qui menait à la bibliothèque où se déroulait la conférence. Jack, qui les suivait en compagnie de Fergal Moynihan, semblait converser agréablement avec celui-ci.

Pitt retrouva Tellman qui traversait la cour de l'écurie d'un pas traînant.

— Il y a bien trop d'hommes ici, grommela ce dernier, lorsqu'il fut assez près pour ne pas être entendu. J'ignore qui ils sont et ce qu'ils y font.

— La plupart sont des domestiques qui travaillent depuis longtemps à Ashworth Hall, répondit Pitt. Ce sont les nouveaux venus que nous devons tenir à l'œil.

Tellman haussa les sourcils.

— Vous vous attendez à quoi? demanda-t-il d'un ton sarcastique. À voir arriver un bataillon de Fenians armés jusqu'aux dents et chargés d'explosifs? À en juger par l'atmosphère qui règne dans la maison, ils n'auraient pas besoin de prendre cette peine. Les invités s'entre-tueront avant qu'ils aient à intervenir.

— Ce sont des ragots que l'on entend à l'office, lui fit remarquer Pitt.

Tellman lui lança un regard noir.

— Non, il n'y aura pas de violences entre les invités, poursuivit Pitt. De tels actes ne feraient que créer des martyrs et leurs auteurs saliraient leur propre nom, indépendamment du fait qu'ils finiraient à la potence. Aucun des hommes ici présents n'est assez fanatique pour commettre un meurtre.

— Vous croyez cela? demanda Tellman, qui marchait tête baissée, les mains dans les poches.

À une trentaine de mètres de là, un jardinier traversa l'allée pour pénétrer dans le labyrinthe.

— Tenez-vous correctement, dit Pitt entre ses dents. Et sortez vos mains de vos poches.

— Quoi?

— Vous êtes supposé être mon valet, ne l'oubliez pas.

Marchez comme un valet et sortez vos mains de vos poches.

Tellman jura entre ses dents, mais s'exécuta.

— Nous perdons notre temps ici, dit-il avec amertume. Nous ferions mieux de rentrer à Londres pour trouver l'assassin de Denbigh. Ça, c'est important. Personne n'arrivera à mettre ces gens-là d'accord. Ils se haïssent et se haïront toujours. Même leurs domestiques s'injurient entre eux.

Il se tourna vers Pitt, le front plissé.

— Saviez-vous que les domestiques sont encore plus pointilleux que leurs maîtres dès qu'il s'agit de leur rang ou de leur statut ? Chacun a un travail bien défini et laisserait la maison s'arrêter de tourner, plutôt que de faire le travail d'un autre ! Même porter un seau de charbon sur quelques mètres. Un valet ne donnera jamais un coup de main à une fille de cuisine. Il regardera la pauvre gamine tenter de soulever un seau plus lourd qu'elle, sans lever le petit doigt !

Il pinça les lèvres avec mépris.

— Nous mangeons tous à l'office, mais les plus haut placés dans la hiérarchie domestique vont manger leur assiette de pudding dans le salon de la gouvernante ! J'espère que vous n'ignorez pas, conclut-il d'un ton venimeux, que, compte tenu du rang qui est le vôtre dans cette société, je ne peux être, moi, que le dernier des valets ; l'ordre de préséance est parfaitement respecté...

— Je vois que cela vous dérange, répliqua Pitt. Mais souvenez-vous de la raison pour laquelle nous sommes ici. Vous êtes peut-être un mauvais valet, mais vous êtes un excellent policier.

Tellman jura à nouveau.

Ils firent le tour du manoir, observant avec soin les abords, les voies d'accès, le couvert que procuraient les bâtiments extérieurs et les massifs d'arbustes.

Tellman leva le menton vers la façade et ses innombrables fenêtres.

— Tout est verrouillé là-dedans, la nuit? Un habile découpeur de vitres aurait tôt fait d'entrer sans difficulté.

— Le garde-chasse fait des rondes de nuit avec des chiens, répliqua Pitt. La police locale surveille les routes et la campagne alentour. Le personnel d'Ashworth Hall connaît mieux le domaine que quiconque.

— Vous avez prévenu les jardiniers?

— Oui, et aussi valets, cochers, palefreniers et même le cireur de chaussures, au cas où quelqu'un se présenterait à la porte de service.

— Je ne vois pas ce que l'on peut faire de plus, reconnut Tellman en lançant à Pitt un regard de côté. Vous croyez qu'il y a une petite chance pour qu'ils arrivent à se mettre d'accord?

— Je l'ignore. J'ai un certain respect pour Ainsley Greville. Grâce à ses qualités de médiateur, les délégués de chaque parti échangent des propos courtois, ce qui tient du miracle, après ce qui s'est passé ce matin.

Tellman fronça les sourcils.

— Que s'est-il passé? Votre Gracie m'a dit qu'elle avait entendu un hurlement terrible, mais elle n'a pas voulu m'en dire plus. Drôle de numéro, cette gamine.

Il regarda au loin, étudiant le gravier de l'allée qu'ils faisaient crisser sous leurs pas.

— Pendant un moment, elle est tout sucre tout miel, et, deux minutes après, elle n'est pas à prendre avec des pincettes. J'ai du mal à la comprendre. Mais elle a de l'esprit et elle est très débrouillarde, pour une petite bonne.

— Ne vous méprenez pas sur Gracie. Elle est très intelligente, à sa façon. Elle a plus de sens pratique que vous, et un jugement très sûr.

— Elle prétend savoir lire et écrire, mais...

— Mais oui, elle sait!

— Donc ce hurlement venait d'où? reprit Tellman.

— Miss Moynihan a surpris son frère au lit en compagnie de Iona McGinley.

De surprise, Tellman trébucha et faillit tomber.

— Quoi?

— Vous m'avez bien entendu : Fergal Moynihan est l'amant de Iona McGinley.

Tellman lâcha une bordée de jurons.

Alors que les convives étaient à table pour le déjeuner, composé de saumon poché froid, de faisan en gelée, de tourte aux cailles, de pâté de lièvre, le tout accompagné de légumes frais et de pommes de terre nouvelles, le majordome s'approcha d'Emily et la prévint à voix basse qu'une certaine Miss Justine Baring était là. Devait-il la faire entrer ou la faire patienter dans le salon et lui servir un rafraîchissement?

— Dites-lui de se joindre à nous, répondit aussitôt Emily en jetant un coup d'œil circulaire autour de la table pour voir si tout le monde avait bien entendu son propos.

Le visage de Piers Greville s'éclaira. Il se leva aussitôt. Toutes les têtes se tournèrent vers la porte, par intérêt ou par politesse.

La jeune femme qui entra était très mince, presque maigre, bien loin de posséder les rondeurs de Kezia, qui avait enfin quitté sa chambre et se tenait assise, pâle et toujours en colère. Brune, comme Iona, Justine Baring possédait un visage inoubliable : le teint mat, olivâtre, un front bombé, de hautes pommettes, des lèvres délicates, des yeux noirs frangés de longs cils, un nez fort et busqué. Elle portait une superbe robe de lainage rose foncé, admirablement coupée. Certes elle n'avait plus de famille, mais elle ne manquait ni d'argent ni de goût.

— Bienvenue à Ashworth Hall, Miss Baring, fit Emily avec chaleur. Voulez-vous vous joindre à nous pour le déjeuner ou avez-vous déjà mangé? Un dessert peut-être? Un verre de vin?

Justine sourit.

— Merci, Mrs. Radley. Je serai heureuse de me joindre à vous, si je ne vous dérange pas.

— Bien sûr que non, voyons.

Emily fit un signe au majordome, qui attendait à côté de la table de service. Il s'avança et mit le couvert pour la nouvelle venue, à côté d'Eudora et en face de Piers.

— Puis-je vous présenter nos invités ? proposa Emily. Vous n'avez pas encore fait la connaissance de vos futurs beaux-parents. Mr. Ainsley Greville...

En se tournant pour le saluer, Justine se raidit brusquement, prit une profonde inspiration et expira lentement, comme si elle faisait un effort terrible pour se maîtriser. Emily remarqua sa soudaine pâleur, mais se dit que le voyage l'avait peut-être exténuée ; pour une jeune personne ne fréquentant pas la haute société, rencontrer les parents de son fiancé, des gens riches et haut placés, devait être une véritable épreuve. Emily n'aurait pas voulu être à sa place. Elle se souvint que lors de sa première rencontre avec l'aristocratique famille de son premier mari, Lord Ashworth, elle était dans ses petits souliers !

— Enchanté de vous connaître, Miss Baring, fit Ainsley Greville après une longue hésitation. Puis-je vous présenter mon épouse ?

Il toucha légèrement le bras d'Eudora, sans quitter Justine des yeux.

Eudora sourit, un peu nerveuse.

— Je suis ravie de vous rencontrer, Miss Baring. J'espère que vous resterez assez longtemps pour que nous puissions faire plus ample connaissance...

— Cela dépendra du bon vouloir de Mrs. Radley, ma chère, la coupa Ainsley.

Eudora rougit.

Emily en voulut à Greville de mettre sa femme dans un tel embarras. Quel manque de diplomatie, pour un médiateur du gouvernement !

— Miss Baring est la bienvenue, se hâta-t-elle de répondre. Elle peut rester ici autant de temps qu'elle voudra. D'ailleurs, il manquait de présence féminine pour le bon équilibre de notre table.

Piers ne cherchait pas à masquer son émotion. Il avança

une chaise, effleurant l'épaule de Justine tandis qu'elle s'asseyait, puis retourna à sa place.

Tous les convives, excepté Kezia, s'efforcèrent de cacher leurs désaccords. Ils cherchaient peut-être à se protéger d'une inconnue qui ignorait le motif réel de leur présence à Ashworth Hall. Si, quand Emily avait fait les présentations, Justine avait noté le nombre inhabituel de patronymes irlandais, elle s'était bien gardée de paraître étonnée.

— Comment vous êtes-vous rencontrés? demanda Emily en s'adressant à Piers.

— Oh, tout à fait par hasard, à la sortie d'un théâtre, répondit le jeune homme, ravi de parler de la femme qu'il aimait.

Il lui jetait des coups d'œil incessants; chaque fois, Justine rosissait et baissait les yeux. Emily aurait juré que ce n'était ni par timidité ni par gaucherie, mais par gêne devant ses futurs beaux-parents. Une telle pudeur était parfaitement compréhensible; Emily, à sa place, aurait adopté le même comportement.

— J'étais avec un groupe d'amis, enchaîna Piers, enthousiaste. J'avoue que je ne me souviens plus de la pièce! Une œuvre de Pinero, je crois, mais je l'ai oubliée à la seconde où j'ai vu Justine! Elle quittait le théâtre en compagnie de l'un de mes professeurs, un médecin éminent, spécialisé dans les maladies du cœur. J'ai naturellement saisi l'occasion qui m'était offerte de le saluer afin d'être présenté à Justine.

Il eut un sourire amusé.

— Je craignais qu'elle ne fût sa nièce et qu'il ne désapprouvât l'attitude audacieuse d'un simple étudiant cherchant à faire sa connaissance.

Justine leva les yeux vers Ainsley Greville, qui l'observait. Elle baissa aussitôt les paupières, mal à l'aise.

— En fait, poursuivit Piers, il m'a expliqué qu'elle était la fille de l'un de ses anciens élèves, prématurément disparu dans un accident.

— Quelle tristesse ! fit Eudora en secouant la tête.

— Et bien sûr, vous avez cherché à la revoir, conclut Emily en souriant.

— C'est bien normal ! s'exclama Padraig Doyle. Tout homme digne de ce nom rencontrant la femme de ses rêves la suivrait à l'autre bout du monde si besoin était, non ?

Piers eut un large sourire.

Iona garda les yeux baissés sur son assiette.

— Oui, jusqu'au bout du monde, acquiesça brusquement Fergal Moynihan, en regardant Padraig Doyle et Piers. Il faut dans ce cas-là prendre son courage à deux mains et oublier toutes ses craintes !

Kezia planta rageusement sa fourchette dans sa part de tourte.

— Quoi qu'il en résulte, le paradis ou l'enfer, l'honneur ou le déshonneur ? articula-t-elle distinctement. On prend ce que l'on désire, sans chercher à savoir qui paiera le prix d'un tel choix ?

Piers parut déconcerté. Il était le seul invité à ignorer le scandale qui avait éclaté au petit matin. Toutefois, il n'était pas aveuglé par son bonheur au point de ne pas sentir la douleur et la colère contenues dans la voix de Kezia.

— Loin de moi cette idée, Miss Moynihan, répondit-il. Je n'aurais pas cherché à revoir Justine s'il y avait eu quoi que ce soit de déshonorant dans notre relation. Mais Dieu merci, elle est libre, tout comme moi, et semble éprouver à mon égard le même sentiment que celui que j'éprouve envers elle.

— Félicitations, mon garçon, fit Padraig, sincère.

Le majordome servit à Justine une assiette composée de saumon froid, de tranches de concombres et de pommes de terre en persillade, accompagnée de vin blanc frappé.

Un convive fit l'éloge d'un opéra qui se jouait à Londres. Un autre lui assura qu'il l'avait aussi vu à Dublin. Padraig Doyle souligna la difficulté de la partition de la soprano, ce que Carson O'Day s'empressa de confirmer.

Emily regarda Jack, qui lui adressa un petit sourire contraint.

Après le repas, les hommes retournèrent dans la bibliothèque pour poursuivre leurs discussions ; ces dames décidèrent d'aller se promener dans les bois environnants. L'après-midi était ensoleillé, avec quelques petits nuages et une légère brise. Mais en cette saison on ne savait jamais si le beau temps se maintiendrait ; une soudaine averse, une brutale chute de température, des bourrasques, des gelées, une pluie battante, tout était possible.

Les six femmes traversèrent la pelouse, Emily et Kezia en tête. Emily tenta d'amorcer une conversation, mais très vite elle comprit que Kezia ne souhaitait pas parler. Emily se contenta de cheminer à ses côtés en silence. Eudora et Justine les suivaient à quelques pas. Le contraste entre leurs deux silhouettes était frappant : Eudora marchait la tête haute, le soleil jouant dans ses cheveux cuivrés et, à ses côtés, Justine, déliée et gracieuse avec sa magnifique chevelure d'un noir de jais et son puissant nez busqué qui conférait tant d'originalité à son visage.

Charlotte se retrouvait, bien malgré elle, en compagnie de Iona. Elle regretta de ne pas connaître avec précision le nom des différentes variétés d'arbres, car cela lui aurait fourni un sujet de conversation ! Emily lui avait bien recommandé d'éviter tout sujet délicat, politique, religion, divorce et pomme de terre, mais c'étaient justement les seuls qui lui venaient à l'esprit ! Elle préféra donc se taire plutôt que de parler de la pluie et du beau temps.

Eudora bavardait avec Justine ; apparemment elle lui posait des questions, sans doute désireuse d'en savoir davantage sur les liens qui l'unissaient à son fils. Charlotte continuait à se demander pourquoi Piers n'avait pas parlé de sa fiancée à sa mère. Elle faillit s'en ouvrir à Iona, puis se ravisa, se disant que l'amour était un autre sujet interdit : que dire à une femme mariée que l'on a surprise le matin même dans le lit d'un homme qui n'est pas son mari? Ce sujet n'était pas évoqué dans les manuels de savoir-vivre!

Une pie s'envola devant elles au moment où elles arrivaient dans l'allée bordée de rhododendrons.

— Oh, comme elle est belle! s'exclama Charlotte.

— Signe de douleur, murmura Iona.

— Pardon?

— Cela porte malheur de voir une pie toute seule. Il faut en voir deux, ou aucune.

— Et pourquoi?

La question parut laisser Iona perplexe.

— Parce que c'est ainsi!

— Mais à qui cela porte-t-il malheur? insista Charlotte, intéressée. Aux paysans, aux gens qui observent les oiseaux?

— Non, on dit cela chez nous. C'est...

— Une superstition?

— Oui!

— Ah, je vois. Pardonnez-moi, je croyais que vous étiez sérieuse...

Iona ne dit rien, mais se renfrogna. Charlotte comprit alors qu'elle avait parlé sérieusement. Étaient-ce ses origines celtes, son imagination romantique et son sens du merveilleux qui avaient séduit Fergal, ce protestant matérialiste? Elle devait raconter à son amant, telle Schéhérazade, des contes et légendes inconnus de lui. Charlotte se demanda ce qu'il pouvait lui offrir en retour...

Le silence devenait pesant. Alors qu'elle cherchait désespérément un sujet de conversation, elle remarqua une grande quantité de cynorhodons sur les branches d'églantiers.

— Cela veut dire que l'hiver sera rude, déclara Iona, qui ajouta avec un grand sourire : Culture générale, pas de superstition là-dedans, rassurez-vous!

Charlotte se mit à rire.

— Oui, c'est ce que l'on dit. J'ignore si c'est la vérité.

— Moi aussi, avoua Iona. Espérons que c'est faux. Il y a tant de baies. L'hiver risque d'être terrible !

Elles marchaient dans la hêtraie, faisant bruire sous leurs pas le tapis de feuilles mortes. Les branches nues des arbres s'agitaient dans le vent.

— Ici, au printemps, on trouve beaucoup de campanules, reprit Charlotte. Elles apparaissent avant l'éclosion des bourgeons.

— Oui, elles sont si bleues que l'on a l'impression de marcher entre deux ciels... Tiens, cela me rappelle...

Iona entreprit alors de lui raconter une légende irlandaise, qui parlait d'arbres, de pierres et de héros au destin tragique.

Au retour, Justine demeura aux côtés d'Eudora, mais Emily, reconnaissante, proposa à Charlotte de marcher en compagnie de Kezia. Des faisans picoraient des grains tombés en bordure des champs. Charlotte s'extasia sur leur magnifique plumage, mais c'est à peine si Kezia daigna répondre.

Le soleil se couchait dans un flamboiement d'or et de pourpre. L'ombre des marcheuses s'étirait sur les champs labourés dont les sombres sillons suivaient les ondulations du sol. Le vent s'était levé et les étourneaux se laissaient porter telles des feuilles mortes dans le ciel tourmenté. Des traînées de ciel d'un bleu presque vert apparaissaient au milieu des nuages, dans le soleil couchant.

La perspective d'un bon thé chaud et de *crumpets* au coin du feu leur paraissait très plaisante.

Gracie aida Charlotte à enfiler sa robe de soie blanche pour le dîner.

— Elle est vraiment magnifique, Madame, dit-elle avec admiration, puis ajouta, d'un air préoccupé : J'espère que ces messieurs arriveront à un accord. On a fait beaucoup de mal aux Irlandais. Je suis pas fière d'être anglaise, quand j'entends toutes ces histoires...

Elle finit de coiffer Charlotte et attacha son collier de perles sur sa nuque.

— C'est pas que je croie à toutes ces histoires, mais quand même, il y a eu des hommes cruels qui leur ont fait du mal.

— De vilaines choses ont été commises des deux côtés, remarqua Charlotte en regardant son reflet dans le miroir de la coiffeuse, ainsi que le petit visage anxieux de Gracie. Ces messieurs travaillent d'arrache-pied, je vous assure. Mr. Greville sait y faire. Il n'aura de cesse qu'ils ne parviennent à un accord.

— J'espère bien. Là-bas, les hommes se battent, mais les femmes et les enfants souffrent. Peut-être que les Fenians ont tort, mais ils existeraient pas si on avait pas été envahir leur pays...

— Oublions ce passé, Gracie. Nous ne devrions pas non plus être là où nous sommes. Ici se sont succédé les Normands, les Vikings, les Danois, les Romains. Les Écossais, au départ, venaient d'Irlande.

— Non, Madame, les Écossais viennent d'Écosse, la contredit Gracie.

Charlotte secoua la tête.

— En Écosse, il y avait les Pictes[1]. Les Écossais venus d'Irlande les ont chassés de leurs terres.

— Et où sont-ils allés ?

— Je l'ignore. La plupart d'entre eux ont dû être tués.

Gracie réfléchit.

— Bon alors, si les Écossais venaient d'Irlande et ont envahi l'Écosse, d'où y viennent, les Irlandais ? Pourquoi ils peuvent pas s'entendre, comme tout le monde ?

— Parce que certains Écossais protestants ont été chassés par les Anglais et sont retournés en Irlande, où la majorité de la population, entre-temps, était devenue catholique.

---

1. Les Pictes ou peuples peints, qui se bariolaient le visage de couleurs vives. Ils n'étaient probablement pas celtes. (*N.d.T.*)

— Ils auraient peut-être pas dû y retourner, conclut Gracie.

— C'est possible, mais on ne refait pas l'histoire, soupira Charlotte.

Elle s'enveloppa dans le châle que Gracie lui tendait et quitta la pièce. Elle retrouva Pitt au pied des escaliers et fut surprise — et ravie — de voir la lueur d'admiration qui passait dans ses yeux tandis qu'il lui offrait son bras. Elle rougit de bonheur.

Grâce à la présence de Piers et de Justine, l'atmosphère du début du dîner fut moins tendue que la veille ; néanmoins, l'ordre de préséance autour de la table restait un cauchemar pour Emily. À égalité de titre ou de profession, c'était l'âge qui prévalait ; or elle ne pouvait placer Fergal à côté ou en face de Lorcan McGinley ! Pas plus qu'elle ne pouvait le placer aux côtés de Iona, pour des raisons que certains connaissaient, si d'autres les ignoraient encore. Quant à Kezia, toujours frémissante de rage, il était hors de question qu'elle s'assoie trop près de son frère.

Carson O'Day sauva la situation, bavardant aimablement avec chacun, trouvant des sujets de conversation variés, comme la beauté de l'argenterie georgienne ou la dernière éruption du Vésuve.

Padraig Doyle raconta une anecdote amusante à propos d'un rétameur irlandais et d'un curé, qui fit rire tout le monde, excepté Kezia. Mais Doyle ne s'en offusqua pas.

Piers et Justine n'avaient d'yeux que l'un pour l'autre.

Eudora semblait un peu triste et Ainsley paraissait s'ennuyer. De temps en temps, une expression inquiète passait dans son regard, sa main tremblait légèrement ; l'esprit ailleurs, il n'écoutait pas vraiment ce que l'on disait, obligeant ses interlocuteurs à se répéter. Quelle terrible responsabilité était la sienne, songea Charlotte, d'avoir la charge d'une telle conférence ! Greville avait de bonnes raisons d'être soucieux.

On n'avait plus reparlé de l'affaire Parnell-O'Shea. Si

les journaux l'avaient mentionnée, personne n'y fit référence pendant le dîner.

On en était aux plats principaux, épaule d'agneau, tourte au bœuf, anguilles marinées accompagnées d'oignons et de concombre, quand la querelle éclata. Jusque-là, Kezia avait maîtrisé sa colère, s'adressant poliment à tous les convives, ignorant ostensiblement Iona. Sa fureur était concentrée sur son frère. Celui-ci, penché en avant, parlait du protestantisme avec Justine.

— Vous comprenez, disait-il, il s'agit de responsabilité individuelle, de relation directe entre l'homme et Dieu, sans l'intermédiaire d'un prêtre, lequel, après tout, est mortel et faillible, comme tous les êtres humains.

— Certains sont plus faillibles que d'autres... remarqua Kezia d'un ton amer.

Fergal rougit légèrement, mais fit semblant de ne pas l'avoir entendue.

— Le pasteur protestant se borne à être le berger de son troupeau, poursuivit-il en plongeant son regard dans celui de Justine. La foi est de la plus haute importance, la foi simple et profonde, et non celle qui croit aux miracles, à la magie et au pouvoir rédempteur qu'aurait le Christ de sauver nos âmes.

— Travail, obéissance, vie chaste et honorable, dit Kezia. Du moins, c'est ce que l'on prétend, n'est-ce pas, mon cher frère ? La chasteté est proche de la dévotion. Rien de ce qui est sale ne peut entrer dans le royaume des cieux. Nous ne sommes pas comme ces gens de l'Église de Rome, qui peuvent pécher du lundi au samedi, du moment qu'ils se confessent le dimanche à leur curé, assis dans le noir, derrière une grille, écoutant leurs vilains petits secrets. Il suffit de dire quelques prières et vos péchés sont pardonnés, jusqu'à la prochaine fois...

— Kezia... l'interrompit Fergal.

Elle l'ignora, fixant sur Justine un regard étincelant ; ses mains tremblaient.

— Nous, nous n'avons rien à voir avec ces gens-là. Nous ne révélons nos péchés à personne, sauf à Dieu. Comme s'il ne connaissait pas déjà les vilains secrets de nos vilaines âmes ! Comme s'il ne savait pas reconnaître l'hypocrite à mille lieues !

Un lourd silence s'installa dans la pièce. Padraig s'éclaircit la gorge pour répondre, mais ne trouva rien à dire.

Justine sourit.

— À mon avis, l'essentiel est de savoir si vous vous repentez ou non, répondit-elle d'une voix douce. La personne à laquelle vous vous confiez n'a pas d'importance. Si vous reconnaissez avoir fait quelque chose de mal et que vous ne voulez pas récidiver, alors il vous faut changer et c'est la seule chose qui compte, n'est-ce pas ?

Kezia la dévisagea en silence.

Fergal, hélas, vint tout gâcher. Il était rouge d'embarras, mais tenait à se défendre.

— Je ne suis pas d'accord. L'idée que l'on doive rendre des comptes à quelqu'un d'autre qu'à Dieu, qu'un être humain soit en position de vous juger, de vous pardonner, de vous condamner...

Kezia éclata d'un rire mauvais.

— Cela te plaît, hein, l'idée que personne n'ait le droit de te juger ? Tu te crois au-dessus de tout le monde ! Mais pour l'amour du ciel, pour qui te prends-tu ? Nous te jugeons ! Je te juge et je te déclare coupable, espèce d'hypocrite !

— Kezia, va dans ta chambre et restes-y jusqu'à ce que tu sois calmée, dit Fergal entre ses dents. Tu es hystérique et...

Il n'eut pas le temps de terminer sa phrase. Kezia repoussa sa chaise, se saisit de son verre et lui en lança le contenu à la figure. Puis elle quitta la pièce en courant, manquant de renverser une servante qui portait une saucière.

— Je... je suis désolé pour elle, Mrs. Radley, bredouilla Fergal dans le silence qui s'ensuivit. Ma sœur est très nerveuse en ce moment. Je suis sûr qu'elle regrettera son geste demain matin...

Charlotte lança un coup d'œil à Emily, puis se leva.

— Je vais aller voir si elle a besoin de quelque chose. Elle paraît très éprouvée.

— Oui, c'est une bonne idée.

Charlotte lut dans le regard de sa sœur que celle-ci l'enviait de pouvoir quitter la table !

Elle sortit de la salle à manger, traversa le hall et monta l'escalier. Sur le palier, elle demanda à une petite bonne à tout faire si elle avait vu passer Miss Moynihan.

La fillette hocha la tête, les yeux écarquillés.

— Merci.

Comme la fois précédente, Charlotte ouvrit la porte sans y avoir été invitée. Kezia était pelotonnée sur son lit, la tête dans les épaules, sa robe étalée autour d'elle. Charlotte referma la porte et alla s'asseoir au bout du lit. Kezia ne bougea pas.

— Vous devez être très malheureuse... dit Charlotte à voix basse.

Très lentement, Kezia se retourna et s'appuya contre ses oreillers. Elle dévisagea Charlotte avec mépris.

— Je ne suis pas « malheureuse », comme vous le dites, Mrs. Pitt. J'ignore si les principes moraux de votre milieu permettent à un homme de forniquer avec une femme mariée, mais pour moi, c'est un acte abominable. Et c'est un péché impardonnable pour quelqu'un qui, comme mon frère, a été élevé dans la foi chrétienne par l'un des pasteurs les plus honnêtes et les plus courageux de son temps.

Son beau visage était déformé par la colère, et la fureur étincelait dans ses yeux aigue-marine.

Charlotte chercha des mots qui puissent l'atteindre, au-delà de sa colère.

— Je n'ai pas de frère, commença-t-elle, mais si ma sœur avait une liaison adultère, j'en serais bien sûr très peinée. Je crois que je me disputerais avec elle ! Je lui demanderais pourquoi elle gâche tant de choses pour si peu. Mais Emily est ma cadette ; je me sens encore tenue de la protéger. Fergal est-il votre aîné ?

Kezia la regarda comme si la question était dénuée de sens. Manifestement sa patience était à bout.

— Écoutez, Mrs. Pitt, j'essaie de rester courtoise. Vous entrez dans ma chambre sans y être invitée, vous vous asseyez sur mon lit et vous me débitez des platitudes sur ce que vous feriez à ma place, alors que vous n'avez pas la moindre idée de ce dont vous parlez. Vous n'êtes pas à ma place, loin de là. Vous n'avez aucune ambition politique, vous n'imaginez même pas qu'une femme puisse en avoir. Vous êtes mariée, heureuse, vous avez des enfants, je suppose. Vous aimez votre mari et lui vous aime. Alors, s'il vous plaît, quittez ma chambre et laissez-moi tranquille.

Le ton condescendant qu'elle avait utilisé exaspéra Charlotte, mais elle tint sa langue.

— Je suis venue vous voir car j'aurais été incapable de terminer mon assiette en vous sachant dans cet état, expliqua-t-elle. En refusant de parler à votre frère, vous vous faites du mal. Réfléchissez : à quoi cela va-t-il mener ?

Kezia plissa les yeux.

— Je ne comprends pas ce que vous dites.

— Croyez-vous qu'il cessera d'aimer Mrs. McGinley pour autant ? Pensez-vous réellement qu'il se rende compte qu'il va à l'encontre de tous ses principes et risque ainsi sa carrière politique ? Pour l'amour du ciel, songez à l'exemple de Mr. Parnell ! La politique ne l'a pas empêché d'aimer Katie O'Shea !

Kezia parut surprise, comme si elle n'avait jamais pensé à cela. Refusait-elle de comprendre ce que signifierait la victoire de O'Shea ?

— Une personne follement amoureuse ne réfléchit pas aux conséquences de ses actes, poursuivit Charlotte. Si la pensée de tout ce que cette liaison risque de lui faire perdre n'arrête pas votre frère, ce n'est pas votre colère qui le fera.

Kezia partit d'un rire dur.

— Non, en effet. Je n'espère pas le voir changer. Je suis furieuse contre lui, voilà tout. Ce n'est pas tant le reniement de ses valeurs et la mise à mal de sa carrière politique que je ne peux lui pardonner. C'est son insupportable hypocrisie !

— Vraiment ? Votre frère a peut-être besoin de savoir qu'il est faillible afin de pouvoir surmonter ses faiblesses. Il sera peut-être moins prompt à condamner celles des autres...

Kezia eut un rire méprisant.

— Pour l'amour du ciel, taisez-vous ! Encore une fois, vous ne savez pas de quoi vous parlez.

Elle serra ses genoux contre sa poitrine, dans un geste de protection.

— Vous vous gargarisez de mots qui n'ont aucun sens. Je pourrais lui pardonner ses faiblesses. Nous en avons tous... Moi, j'ai aimé de tout mon cœur, de toute mon âme, un homme catholique, oui, catholique. C'était après la mort de papa ; Fergal m'a interdit, vous m'entendez, interdit de le revoir ! Il m'a même empêchée d'aller lui dire moi-même que nous ne nous verrions plus.

Sa voix était si rauque, si pleine de douleur que Charlotte avait peine à la comprendre.

— Il a dit à Cathal que jamais je ne l'épouserais, car ce mariage serait un blasphème contre ma foi ! J'étais trop jeune pour me marier sans sa permission et Fergal était mon tuteur légal. Si je m'étais enfuie, j'aurais perdu la bénédiction de l'Église. J'ai écouté mon frère, je lui ai obéi. J'ai perdu Cathal.

À ce souvenir, ses yeux s'emplirent de larmes.

— Cathal est mort, murmura-t-elle. Jamais je ne le retrouverai. Comprenez-vous, à présent, pourquoi je ne peux pardonner à mon frère d'avoir une liaison avec une femme catholique, mariée de surcroît? Lorsque j'irai fleurir la tombe de Cathal, comment pourrai-je lui expliquer cela?

— Je vous comprends, Miss Moynihan. J'aurais du mal à pardonner une chose pareille, moi aussi. Je vous prie de pardonner mon jugement trop rapide. Mais Fergal reste votre frère. Souhaitez-vous briser à jamais les liens qui vous unissent? Vous vous feriez autant de mal à vous-même qu'à lui. Il a fait quelque chose d'affreux. Il le regrettera un jour...

Kezia haussa les épaules.

— Je ne suis pas sûre de croire à la justice divine. Et je n'aurai pas la patience d'attendre.

— Je parlais d'un sentiment de culpabilité, corrigea Charlotte. Il en souffrira un jour ou l'autre. Voulez-vous réellement creuser entre votre frère et vous un fossé que vous ne pourrez jamais franchir?

Kezia réfléchit longuement, puis répondit, un peu à contrecœur, mais avec un léger sourire :

— Non... Au fond, vous n'êtes pas aussi imbue de vous-même que je le croyais. Je vous prie de m'excuser.

Charlotte lui rendit son sourire.

— Merci. La prétention est tellement ennuyeuse. C'est un travers typiquement masculin, n'est-ce pas?

— Oui, vous avez raison, acquiesça Kezia avec un petit rire.

La fin de la soirée fut tendue. Kezia ne descendit pas de sa chambre, mais la présence de Lorcan suffisait à mettre tout le monde mal à l'aise. On évita soigneusement de parler de l'affaire Parnell-O'Shea et de tout sujet ayant trait de près ou de loin à la politique. La conversation se limita à un échange de banalités si pesantes que les convives ne furent pas mécontents de se retirer tôt dans leurs chambres.

Charlotte, assise à sa coiffeuse, lissait ses cheveux avec une écharpe en soie, pour les rendre doux et brillants.

— Nous n'avons même pas à redouter une attaque des Fenians, constata-t-elle avec effroi. Ces gens sont en train de se détruire les uns les autres.

— Que vous a dit Kezia ? demanda Pitt, qui s'était déjà mis au lit. Pensez-vous qu'elle va continuer à faire une scène à son frère à chaque repas ?

— Elle a de bonnes raisons de lui en vouloir, dit Charlotte qui lui répéta la conversation qu'elle avait eue avec la jeune femme.

— Il faudrait peut-être que j'assure la protection de Fergal, soupira Pitt. Il a contre lui non seulement sa sœur et Lorcan McGinley, qui a de solides raisons de lui en vouloir, mais aussi Iona, si jamais il venait à mettre un terme à leur liaison, ou encore Carson O'Day, qui peut lui en vouloir d'avoir mis en difficulté le parti protestant...

— Vous oubliez Emily, ironisa Charlotte. Ce week-end qui commençait déjà sous de mauvais auspices s'est transformé en véritable cauchemar !

Elle posa le foulard de soie, éteignit la veilleuse à gaz posée sur la coiffeuse et alla se pelotonner contre Pitt. La chambre n'était plus éclairée que par le rougeoiement des braises dans la cheminée.

Au petit matin, ils furent à nouveau réveillés en sursaut par un hurlement terrorisé. Pitt poussa un juron, remua et enfouit sa tête sous l'oreiller.

Mais le hurlement reprit de plus belle.

Il sortit du lit de mauvaise grâce, chercha sa robe de chambre à tâtons, l'enfila, ouvrit la porte et sortit dans le couloir. Sur le palier, à quelques mètres de là, il vit Doll, la jolie camériste, debout devant la porte ouverte de la salle de bains des Greville. Le visage livide, elle tenait ses mains autour de son cou, comme si elle ne parvenait pas à respirer.

Pitt la rejoignit en quelques enjambées, la prit par les épaules et l'écarta doucement. Il jeta un coup d'œil dans la salle de bains.

Ainsley Greville était allongé, nu, dans la baignoire. Sa poitrine, ses épaules et son visage étaient sous l'eau. De toute évidence, il était passé de vie à trépas.

CHAPITRE IV

Pitt se retourna vivement, cachant la scène à la camériste, qui vacillait sur ses jambes et cherchait à reprendre sa respiration.

Charlotte les avait rejoints sur le palier.

— Emmenez-la et occupez-vous d'elle, lui recommanda-t-il. Greville est mort.

Charlotte passa doucement un bras autour de la taille de la jeune femme et s'éloigna avec elle.

Plusieurs personnes, réveillées en sursaut, inquiètes, s'étaient rassemblées sur le palier. La scène de la veille était encore présente à leur esprit.

Padraig Doyle passa à côté de Piers Greville qui s'appuyait contre la rambarde, l'air étonné. Derrière lui se tenait Eudora, anxieuse.

Fergal Moynihan sortit de sa chambre, qui se trouvait en face de celle de Pitt; il cligna des yeux, tout ensommeillé, le cheveu en bataille. Comme il avait laissé la porte grande ouverte, on pouvait voir que Iona n'était pas dans son lit.

— Que se passe-t-il encore? demanda Padraig Doyle, agacé.

— Un malheureux accident, expliqua Pitt avec calme. Il n'y a rien que vous puissiez faire d'utile.

— Vous... vous voulez dire que quelque chose de grave est arrivé ? Ainsley est-il...

— Oui, je le crains, dit Pitt en refermant la porte de la salle de bains.

Padraig se tourna vers Eudora et passa tendrement ses bras autour de ses épaules. Ce geste ne fit que l'alarmer.

— Que se passe-t-il, Padraig ? demanda-t-elle en reculant pour lui faire face.

— Il s'agit d'Ainsley, murmura-t-il. Nous ne pouvons rien faire. Viens, je t'accompagne à ta chambre.

— Ainsley ? répéta-t-elle sans comprendre.

— Oui, il est mort. Tu dois être forte, ma chérie.

Fergal sursauta en l'entendant s'adresser ainsi à Eudora.

— Je suis son frère, expliqua Doyle.

Carson O'Day arriva par une extrémité du couloir et Iona par l'autre ; elle était vêtue d'une magnifique robe de chambre bleue dont les plis soyeux ondulaient au rythme de ses pas.

— Oui, raccompagnez Mrs. Greville à ses appartements, dit Pitt à l'adresse de Doyle, et demandez à la camériste de Mrs. Radley de venir s'occuper d'elle. Je crois que sa femme de chambre n'est pas en état de l'aider. Ah, pourriez-vous prévenir Tellman et lui dire de venir tout de suite ?

Emily accourut, tout essoufflée, craignant un nouvel esclandre de Kezia. Elle regarda Pitt et comprit qu'il ne s'agissait pas cette fois d'un problème d'adultère. Elle prit une profonde inspiration et attendit.

— Je suis au regret de vous dire que Mr. Greville est décédé, annonça Pitt. Nous ne pouvons plus rien faire pour lui. Il vaudrait mieux que chacun retourne dans sa chambre pour s'habiller. Nous ne savons pas encore exactement ce qui s'est passé. Que quelqu'un aille chercher Mr. Radley et lui dise de monter.

Jack, en effet, demeurait invisible. Il s'était sans doute levé à l'aube, comme à son habitude.

— Je m'en charge, proposa Carson O'Day, pâle, mais

très maître de lui. Mon Dieu, quel drame ! Greville était un homme brillant. Notre meilleur espoir de réconciliation.

Il soupira, serra la ceinture de sa robe de chambre et descendit sans bruit l'escalier.

Piers s'avança vers Pitt.

— Puis-je vous être utile ? s'enquit-il d'une voix altérée, mais posée.

Ses mains tremblaient légèrement.

— J'ai presque terminé mes études de médecine. Si je peux examiner mon père, cela évitera d'aller chercher un médecin au village. Et ce sera plus discret.

Il toussota.

— Ensuite, j'irai retrouver ma mère. Padraig est merveilleux, mais je préfère être à ses côtés. Et puis, il y a Justine... Il vaudrait mieux que ce soit moi qui lui annonce le décès de mon père...

— Plus tard, le coupa Pitt. Nous avons en effet besoin d'un médecin.

Il ouvrit la porte de la salle de bains, s'effaça pour laisser entrer Piers et referma la porte. Le jeune homme s'approcha de la baignoire. Pitt se plaça derrière lui, pour le soutenir au cas où il aurait une défaillance. La volonté la plus forte ne protège pas toujours du choc physique que représente l'approche d'un mort, a fortiori s'il s'agit de votre propre père. Bien que Piers ait déjà vu un certain nombre de cadavres au cours de ses études, il n'était pas à l'abri d'un malaise.

Le jeune homme vacilla et s'appuya sur le rebord de la baignoire pour retrouver son équilibre. Puis, lentement, il s'agenouilla et effleura le visage, les bras et les épaules du défunt.

Pitt l'observa ; il n'avait jamais pu lui-même s'habituer à la vue d'un mort, même si le visage de celui-ci paraissait paisible. Ainsley Greville, de son vivant, était un homme vigoureux, doté d'une forte personnalité. Désormais, il ne restait de lui qu'une coquille vide flottant dans une baignoire ; son intelligence, sa volonté l'avaient quitté.

Pitt regardait les mains de Piers, minces et fortes, expertes, qui bougeaient d'instinct, soulevant les membres, cherchant les blessures sans déranger la position du corps. Quel effort cela coûtait-il de rester si maître de soi ? Qu'il ait aimé cet homme profondément ou non, qu'ils aient été proches ou éloignés l'un de l'autre, Greville n'en était pas moins son père.

Pitt nota mentalement tous les détails dont il devrait se souvenir pour la suite de l'enquête, notamment que l'eau du bain n'était pas colorée.

— Il est mort hier soir, déclara Piers en se redressant. L'eau est froide. La chaleur aura certainement retardé la venue de la rigidité cadavérique, mais j'imagine que cela n'a guère d'importance.

Il recula d'un pas, très pâle, cherchant sa respiration.

— Il est assez facile de comprendre ce qui s'est passé : la tête a reçu un gros choc, en haut de la nuque. On sent la fracture de l'os occipital sous les doigts. Mon père a dû glisser en entrant dans son bain, ou plutôt en en sortant.

Il évitait de regarder la baignoire.

— À cause du savon, sans doute. Je ne vois pas de savonnette, mais elle a pu se dissoudre dans l'eau chaude. Sa tête a heurté le rebord de la baignoire et il s'est évanoui. Il arrive souvent que les gens se noient dans leur bain, hélas. Il faudra appeler un médecin pour établir le certificat de décès. Je n'ai pas le droit de le faire, n'étant pas encore diplômé.

— Je comprends, dit Pitt.

Il s'apprêtait à formuler une phrase de condoléances lorsque l'on toqua à la porte. Tellman entra, jeta un coup d'œil au cadavre dans la baignoire et se tourna vers Pitt.

Piers parut étonné de la présence d'un valet de chambre.

— Puis-je aller retrouver Justine et ma mère ? demanda-t-il poliment.

— Bien entendu, répondit Pitt. Je suppose que Mr. Doyle vous aidera à prendre toutes les dispositions nécessaires. Ah, encore une chose : prévenez-moi avant de contacter toute personne étrangère à Ashworth Hall.

— Pour quelle raison ?

— Votre père représentait le gouvernement dans une affaire politique des plus délicates. Le ministère de l'Intérieur doit être le premier informé.

Dès que Piers eut refermé la porte, Tellman se pencha sur le corps.

— Mort naturelle ou accident ?

Pitt prit une grande serviette dont il recouvrit le bas de la baignoire, par pudeur.

— À première vue, il a glissé et s'est cogné la tête sur le rebord.

— Et il s'est noyé ? Pourquoi pas... Curieux, tout de même.

Tellman s'approcha de l'étroite fenêtre et l'examina. La salle de bains était située au premier étage, à environ six mètres du sol. Il secoua la tête et retourna à la baignoire.

— Pouvons-nous déplacer le corps sans que cela pose de problème ?

— Il faudra bien que nous le fassions. Un médecin viendra constater le décès. Avant d'appeler Cornwallis, je veux réunir le maximum d'éléments.

Tellman renifla.

— Bon, plus besoin de jouer la comédie ?

— Restons discrets quelque temps encore. Pouvez-vous le soulever, afin que j'examine la blessure à l'arrière de la tête ?

— Des soupçons ?

— Disons que je suis prudent. Prenez-le par les aisselles et maintenez le buste hors de l'eau, légèrement penché en avant. Je veux voir la plaie.

Tellman s'exécuta, mouillant ses manches de chemise. Pitt tâta doucement les cheveux humides du bout des doigts. Il trouva la trace du choc, une longue fêlure à la base du crâne, assez large. Elle était droite, régulière, de la largeur du rebord de la baignoire.

— C'est bon ? Je peux le lâcher ? bougonna Tellman. Il est lourd, vous savez, raide comme un piquet, et il me glisse des mains. Il y a du savon dans l'eau.

— S'il y a du savon, cela veut dire que Piers Greville avait raison : il a glissé en sortant de la baignoire plutôt qu'en y entrant.

— Quelle importance ? grommela Tellman. Bon, je peux le lâcher ? Je suis tout mouillé ! Il ne pouvait pas se laver dans une cuvette, comme tout le monde ? Au moins, on ne se noie pas dans une cuvette.

— Elle n'a pas la bonne forme, murmura Pitt, songeur.

— Pardon ?

— La blessure. Le rebord de la baignoire est incurvé. Or la plaie est droite, regardez.

— Votre conclusion ?

— Il n'a pas heurté le rebord, dit Pitt en se retournant pour jeter un regard circulaire dans la pièce.

La salle de bains était assez grande, trois mètres sur cinq environ. La baignoire était placée au milieu, face à la porte ; deux porte-serviettes encadraient la table de toilette garnie d'une cuvette et d'une aiguière de porcelaine bleu et blanc. Au-dessus de la table était accroché un miroir. Sur une commode, un vase d'asters bleus. Un paravent destiné à protéger des courants d'air était replié près de la porte. Apparemment, Greville n'en avait pas eu besoin. À l'autre bout de la pièce, Pitt aperçut une table au dessus de marbre sur laquelle étaient disposés brosses, bocaux et flacons contenant sels et huiles de bain.

— Un de ces bocaux, peut-être ? suggéra Pitt. Le rose, là-bas.

Il se dirigea vers la table, laissant Tellman maintenir le corps hors de l'eau, et examina avec attention le bocal, sans y toucher. Il n'y vit aucune trace de savon indiquant qu'il aurait pu être utilisé depuis peu. Il le prit délicatement dans sa main. De la porcelaine, lourde, qui, assenée avec violence, aurait pu assommer quelqu'un. Il le rapporta jusqu'à la baignoire et le maintint à la hauteur de la nuque de Greville. Le rebord, droit, avait la forme et la longueur exacte de la plaie.

— Un meurtre ? fit Tellman en pinçant les lèvres.

— Je le crois. Lâchez-le lentement, afin que je vérifie si le rebord de la baignoire correspond à la blessure.

Tellman s'arc-bouta, les bras plongés dans l'eau jusqu'aux coudes.

— Alors ? s'impatienta-t-il.

— Non, il n'a pas pu se cogner contre le rebord. On s'est servi de ce bocal ou d'un autre à peu près identique.

— Des traces de sang ? Des cheveux ?

Pitt fit tourner le bocal sur lui-même.

— Non, mais cela n'a rien d'étonnant. On a pu l'essuyer avec une serviette.

Tellman lâcha enfin le corps, qui s'enfonça dans l'eau. Seuls les pieds dépassaient.

— Donc, d'après vous, quelqu'un est entré et l'a assommé par-derrière ?

— Il fait face à la porte. Ce qui veut dire qu'il n'a pas eu peur de la personne qui est entrée. Il n'a pas appelé au secours, il l'a laissée prendre un bocal de sels de bain et passer derrière lui.

Tellman émit une sorte d'aboiement sarcastique.

— C'est impossible, voyons ! Une personne prenant son bain laisse-t-elle quelqu'un s'approcher d'elle sans réagir ? C'est dangereux, et puis ce n'est pas décent.

— Les gentlemen sont moins prudes que vous, fit Pitt, amusé. Selon vous, qui amène l'eau chaude lorsque celle du bain refroidit ?

— Je ne sais pas, moi ! Un valet ! Vous n'allez pas me dire qu'il a été tué par un domestique !

— Ce sont souvent les bonnes qui apportent l'eau chaude. Rassurez-vous, ce n'est pas le cas, en ce qui me concerne, ajouta Pitt devant l'expression choquée de son subordonné. Je suis aussi prude que vous. Je préférerais rester assis dans l'eau glacée, plutôt que voir Gracie entrer dans ma salle de bains! Mais Greville avait peut-être l'habitude d'être servi par des femmes de chambre.

— Selon vous, une servante apporte un seau d'eau chaude et l'assomme avec un bocal de sels de bain? fit Tellman, incrédule.

— Les gens ne regardent pas le visage des domestiques, mon vieux, affirma Pitt. Pour eux, une servante ou une autre, c'est bonnet blanc et blanc bonnet, dès lors qu'elle est vêtue d'une robe noire et d'un tablier. Dans certaines grandes maisons, les petites bonnes sont censées tourner la tête vers le mur quand elles croisent un membre de la famille.

Tellman resta muet de colère. Il serra les lèvres, le regard sombre.

— Il aurait pu s'agir d'une personne déguisée en domestique, conclut Pitt.

Tellman releva le menton.

— Un assassin venu de l'extérieur?

— Je l'ignore. Il nous faudra interroger tout le personnel. À l'heure où Greville a pris son bain, la maison était fermée à clé et le garde-chasse faisait sa ronde dans le parc.

— J'interrogerai tout le monde, décida Tellman. Allez-vous enfin leur dire qui nous sommes?

— Oui, je n'ai pas le choix. Il ne nous reste plus qu'à emporter le corps, soupira Pitt. Il doit bien y avoir une chambre froide dans le manoir. Demandez à l'un des valets de vous aider à l'y transporter.

Quand Pitt ouvrit la porte, il se trouva nez à nez avec Jack. Celui-ci le regarda, grave et tendu.

— Je dois appeler le ministère de l'Intérieur, dit-il, saluant Tellman qui passait à côté de lui. Il nous faut leur avis. J'imagine que la mort de Greville signifie la fin de la conférence. Quelle malchance! On dirait que le diable se mêle aussi du problème irlandais, juste au moment où nous avions une lueur d'espoir. Greville était un brillant médiateur, vous savez. En sa présence, Doyle et O'Day discutaient des sujets les plus difficiles. Il y avait un espoir !

— Navré, Jack, dit Pitt en lui prenant le bras, mais il ne s'agit pas d'un accident. Greville a été assassiné.

— Quoi ?

— Oui, assassiné. Un homicide déguisé en accident. Le meurtrier ne s'attendait pas à ce que la police soit sur les lieux. Aux yeux du premier venu, Greville ne pouvait qu'avoir fait une chute mortelle en voulant sortir de sa baignoire

— Mais alors, que s'est-il passé ?

— Quelqu'un est entré et l'a frappé à la nuque, sans doute avec un gros bocal de sels de bain, et a enfoncé sa tête sous l'eau jusqu'à ce que mort s'ensuive.

— Êtes-vous absolument certain qu'il n'a pas glissé ?

— La blessure est rectiligne et le rebord de la baignoire est incurvé

— Est-ce une preuve suffisante ? insista Jack. La plaie doit-elle absolument correspondre à la forme de l'instrument ?

— Un objet incurvé aurait laissé une trace incurvée dans l'os occipital qu'il a fracturé.

— L'assassin serait l'un de nos hôtes ? s'interrogea Jack, imaginant le pire.

— Je l'ignore. Tellman est parti chercher de l'aide pour transporter le corps dans la chambre froide. Ensuite, il vérifiera si quelqu'un a pu pénétrer dans la maison hier soir. Mais c'est peu probable.

— Je n'imagine pas Greville laissant n'importe qui entrer dans sa salle de bains sans donner l'alarme, remarqua Jack. Quel motif peut-on invoquer pour déranger un homme dans son bain ?

— Si je voulais entrer sans éveiller les soupçons, je me déguiserais en domestique, réfléchit Pitt à voix haute. Un broc d'eau, une ou deux serviettes, et le tour serait joué.

— Vous avez raison. Donc, il peut s'agir de n'importe qui. Que comptez-vous faire ?

— M'habiller, appeler Cornwallis et commencer l'enquête. Où est le téléphone ?

— Dans la bibliothèque. Je vais prévenir Emily, dit Jack avant d'ajouter avec un sourire désabusé : Quand je pense qu'hier je croyais que le pire était arrivé...

Pitt retourna dans sa chambre ; Charlotte n'y était pas. Elle devait se trouver avec Kezia, ou Emily. Il se rasa en hâte, s'habilla, puis descendit dans la bibliothèque. Il décrocha le combiné du téléphone et demanda à l'opératrice de lui passer le bureau de Cornwallis.

— Pitt ? fit la voix de ce dernier, déjà inquiète.

— Monsieur, commença Pitt d'une voix hésitante, je crains que ce que vous redoutiez ne soit arrivé...

Il y eut un silence à l'autre bout de la ligne.

— Greville ? s'enquit Cornwallis dans un souffle.

— Oui. Il est mort dans son bain, hier soir. Nous l'avons découvert ce matin.

— Dans son bain ! Un accident ? Son cœur a lâché ?

— Non, monsieur.

— En êtes-vous sûr ? Vous voulez dire que quelqu'un...

— Oui, monsieur. Ce peut être n'importe qui.

— Je vois, fit Cornwallis. Qu'avez-vous fait ?

— Son fils a pratiqué un examen médical...

— Son fils ?

— Le fils de Greville, arrivé avant-hier à l'improviste, pour annoncer à ses parents qu'il allait se marier. La fiancée est arrivée hier.

— C'est terrible, compatit Cornwallis. Pauvre garçon. Dois-je comprendre qu'il est médecin ?

— Il termine cette année ses études de médecine à Cambridge.

— L'heure de la mort ? La cause du décès ?

— Hier soir. Un coup violent porté sur l'occiput par un instrument contondant, probablement un lourd bocal de sels de bain. On lui a maintenu la tête sous l'eau jusqu'à la noyade.

— Vous l'avez trouvé sous l'eau ?

— Oui.

— Je vois... Bon, reprit Cornwallis après un long silence, je vous charge de l'enquête. Inutile de vous envoyer un inspecteur, vous avez Tellman. Faites en sorte que la nouvelle s'ébruite le moins possible. L'affaire Parnell-O'Shea est à son paroxysme. Si un jugement est prononcé contre Parnell, sa carrière politique est ruinée. Les nationalistes irlandais n'auront plus de leader, jusqu'à l'élection du suivant, qui pourrait bien être l'un des hommes présents à Ashworth Hall. Que leur avez-vous dit ?

— Rien pour l'instant, mais il va bien falloir que je les tienne informés.

— Dites à Radley de me téléphoner. La conférence ne peut pas reprendre aujourd'hui, par respect pour le défunt. Mais s'il est possible de poursuivre les pourparlers, nous le ferons.

— Sans Greville ? s'étonna Pitt.

— Je vais contacter le ministre de l'Intérieur. Ne laissez personne quitter Ashworth Hall.

— Cela va de soi.

— Vous n'aurez pas à les contraindre de rester. Quitter Ashworth Hall équivaudrait pour eux à un suicide politique. Si vous avez besoin de la police locale, vous avez autorité pour la réquisitionner. J'attends l'appel de Radley dans une demi-heure.

— Bien, monsieur.

En raccrochant le combiné, Pitt se sentit soudain terriblement seul. On l'avait chargé de la protection de Greville ; il avait échoué. Il regrettait de ne pas être resté à Londres, pour mettre la main sur l'assassin de Denbigh.

Il quitta la bibliothèque et remonta à l'étage. Charlotte demeurait introuvable. Elle devait aider Emily à réconforter les invités, qui étaient tous au courant du décès de Greville, mais pensaient encore qu'il s'agissait d'un tragique accident. Tous, sauf l'un deux, peut-être.

Il aperçut le jeune valet de Lorcan McGinley, sortant

d'une chambre, un manteau et une paire de bottes à la main. Il était tout pâle.

— Savez-vous où je peux trouver le valet de Mr. Greville? lui demanda Pitt.

— Oui, monsieur. Je l'ai vu passer il y a deux minutes. Il allait préparer du thé. La deuxième porte à droite, dans le couloir.

Dans la petite pièce où les domestiques préparaient le thé à l'étage, Pitt trouva un homme d'une quarantaine d'années, le visage grave. Il paraissait très ému. Il sursauta en entendant la voix de Pitt, manquant de renverser le contenu de la bouilloire qu'il tenait à la main.

— Désolé de vous déranger, dit Pitt. Votre nom, s'il vous plaît?

— Wheeler, monsieur. Puis-je vous être utile?

— Commissaire Pitt. Le préfet de police adjoint m'a chargé de l'enquête sur la mort de Mr. Greville.

Wheeler posa la bouilloire. Ses mains tremblaient.

— Oui, monsieur?

— À quelle heure avez-vous préparé son bain, hier soir?

— Dix-heures vingt-cinq, monsieur.

— Mr. Greville est-il immédiatement entré dans la baignoire?

— Oui, monsieur. Il déteste... détestait les bains tièdes, et l'eau refroidit très vite dans une grande salle de bains.

— L'avez-vous vu?

Wheeler fronça les sourcils.

— Bien sûr. Y a-t-il un problème, monsieur? J'ai cru comprendre qu'il avait glissé en sortant de la baignoire.

Il serra les poings.

— C'est ma faute. J'aurais dû être là. Il ne m'a pas appelé, mais si j'avais été là, il n'aurait pas glissé.

— Il n'a pas glissé, Wheeler. Il a été assommé.

Le valet le dévisagea sans comprendre.

— Je vous demande pardon? Vous voulez dire que quelqu'un... Mais pourquoi? Pourquoi faire une chose pareille? Ah, encore un coup de ces maudits Irlandais! Ils l'ont assassiné! Qu'allez-vous faire? Il faut les arrêter, tout de suite!

— Pas tant que j'ignorerai ce qui s'est passé.

— Mais ils ont déjà essayé de le tuer, vous savez!

Wheeler ne parvenait pas à maîtriser sa voix. Pitt posa la main sur son bras.

— Calmez-vous. Nous allons démasquer son meurtrier et l'arrêter. Mais j'ai besoin de votre aide. Réfléchissez; votre témoignage est essentiel.

— Il faut les pendre, grinça Wheeler entre ses dents.

— C'est ce qui arrivera, fit Pitt avec tristesse. Mais il faut d'abord arrêter le meurtrier présumé et prouver sa culpabilité. D'ordinaire, combien de temps Mr. Greville passait-il dans sa baignoire avant de vous réclamer de l'eau chaude?

— Il n'était pas dans ses habitudes de réclamer de l'eau chaude supplémentaire, monsieur, surtout le soir. Il ne passait pas plus d'un quart d'heure dans son bain, sauf s'il revenait d'une longue promenade à cheval.

— Donc hier soir, il serait resté seul environ un quart d'heure, entre dix heures vingt-cinq et onze heures moins vingt...

— C'est cela, monsieur.

— Comment pouvez-vous en être certain?

— C'est mon travail, monsieur. Un valet se doit d'être précis et organisé.

— Mais n'avez-vous pas remarqué qu'il n'était pas sorti de la salle de bains?

Wheeler parut profondément malheureux.

— Non, monsieur. Il se faisait tard et j'étais fatigué. Comme je savais que Mr. Greville ne réclamerait pas d'eau, je suis descendu au rez-de-chaussée pour cirer ses bottes et brosser son manteau. J'avais déjà sorti ses habits du lendemain. Quand je suis remonté, je n'ai pas trouvé le plateau pour la tisane du soir. J'ai pensé que quelqu'un l'avait déplacé. Cela peut arriver dans une maison qui reçoit beaucoup d'invités. J'ai frappé à la porte de la salle de bains, mais il ne m'a pas répondu. Je suis allé dans sa chambre ; il n'y était pas. J'en ai conclu qu'il...

Il rougit légèrement.

— Qu'il était allé rejoindre Mrs. Greville dans sa chambre, monsieur.

Pitt sourit.

— C'est bien normal. Quelle heure était-il ?

— Onze heures moins dix, monsieur.

— Avez-vous croisé quelqu'un sur le palier ou dans le couloir ?

Wheeler réfléchit longuement.

— J'ai vu la petite bonne de Mrs. Pitt qui montait à sa chambre, dit-il enfin. Et aussi le valet de Mr. McGinley, devant la porte d'une des chambres qui donnent sur ce couloir. Je crois que c'était celle de Mr. Moynihan.

— Personne d'autre ?

— Si, Mr. Doyle, qui m'a souhaité une bonne nuit avant d'entrer dans sa chambre. C'est tout.

Pitt le remercia et partit à la recherche de Jack, pour lui demander d'appeler Cornwallis. Dans le vestibule, il vit Gracie, toute raide et inquiète, mais le menton fièrement relevé. Il lui sourit et elle lui rendit son sourire, comme si tout allait bien, et qu'elle était certaine qu'il allait résoudre le mystère. Derrière elle, il aperçut la mince silhouette de Finn Hennessey, le valet de McGinley.

Pitt poursuivit son chemin ; en passant devant la porte ouverte de la salle à manger, il entrevit Charlotte, en compagnie de Iona McGinley. Celle-ci arpentait la pièce, en parlant à voix basse, d'un ton précipité. Charlotte regarda Pitt, secoua discrètement la tête, puis reprit sa conversation avec Iona.

Pitt trouva Jack dans son bureau, assis derrière une pile de journaux. À peine avait-il refermé la porte qu'Emily entra, très agitée, et peignée à la va-vite, comme si elle n'avait pu attendre que sa femme de chambre finisse de la coiffer. À voir son expression furieuse et désolée, Pitt

105

comprit que Jack lui avait déjà annoncé que la mort de Greville n'était pas accidentelle.

— Cornwallis m'a officiellement chargé de l'enquête, expliqua Pitt. Pourriez-vous lui téléphoner dans un quart d'heure? Entre-temps, il a dû joindre le ministre de l'Intérieur. Nous avons ordre de garder tout le monde ici...

Emily alla se placer en bougonnant derrière le bureau, à côté de Jack.

— Je suis navré, dit Pitt. Je sais que cela ne sera pas facile, mais je n'ai pas le droit de les laisser partir. À moins qu'il n'y ait eu effraction — l'inspecteur Tellman se charge de le vérifier — l'assassin se trouvait déjà dans la maison.

— Même s'il y a eu effraction, il se peut que le meurtrier ait eu un complice à l'intérieur, soupira Jack, en posant sa main sur le bras d'Emily d'un geste rassurant. Ma chérie, nous n'avons pas le choix. Nous devons découvrir l'assassin au plus vite. C'est une consolation pour Mrs. Greville d'avoir son frère et son fils à ses côtés. Charlotte vous aidera à vous occuper des autres invités.

Il se tourna vers Pitt.

— Il n'y a plus d'autre... accident à craindre, je suppose?

À ces mots, Emily se raidit.

Pitt hésita. Les effrayer ne servirait à rien.

— Pas pour le moment. Le plus urgent est de mettre la main sur l'assassin.

— Par où allez-vous commencer? demanda Emily.

— Nous savons qu'il a été tué entre dix heures vingt-cinq et onze heures moins vingt, selon le témoignage de son valet...

— Vous le croyez? l'interrompit Jack.

— Cet homme était à son service depuis dix-neuf ans. Je demanderai à Tellman de vérifier l'heure à laquelle on l'a vu monter l'eau chaude à l'étage. Greville ne serait pas resté plus d'un quart d'heure dans sa baignoire sans réclamer de l'eau chaude supplémentaire.

— Mais pourquoi avoir tué ce pauvre homme dans son bain ? demanda Jack.

— L'assassin était sûr de le trouver seul, répondit aussitôt Emily, qui commençait à recouvrer ses esprits. Seul, et sans défense. Ailleurs, il aurait pu se trouver en compagnie d'un valet, d'un autre invité, ou de son épouse. Les portes de salles de bains ne sont jamais fermées de l'intérieur, afin que les domestiques puissent entrer avec l'eau chaude. Il n'y a pas eu effraction, n'est-ce pas, Thomas ? Le meurtrier a bien choisi son heure.

— Où étiez-vous, Jack ? demanda Pitt.

— Dans mon bain, moi aussi, avoua Jack en frissonnant.

— Et vous, Emily ?

— Dans ma chambre. J'avais verrouillé la porte. Après cette horrible journée... j'étais épuisée. Désolée, je ne peux pas vous aider.

— Bien. Jack, n'oubliez pas de joindre Cornwallis, lui rappela Pitt en quittant le bureau.

En sortant, il tomba sur Tellman.

— Pas de traces d'effraction visibles, confirma celui-ci d'un air lugubre.

Pitt lui répéta ce qu'avait dit le valet de Greville.

— Au moins, nous savons à peu près l'heure du décès, remarqua Tellman. Bon, par qui commençons-nous ? ajouta-t-il, heureux de retrouver son travail habituel.

— Laissons à Mrs. Greville le temps de recouvrer ses esprits avant d'aller l'interroger, proposa Pitt.

Questionner la famille du défunt était l'un des moments les plus pénibles d'une enquête criminelle. Au moins, cette fois, il n'avait pas à annoncer un décès. Et, s'agissant d'un assassinat d'ordre politique, l'épouse n'avait pas à redouter la découverte de sordides secrets d'alcôve, comme cela se produisait souvent.

— Voyez ce que vous pouvez apprendre des domestiques, ajouta-t-il.

— Oui, à la condition que je leur dise qui je suis ! répliqua Tellman, mettant Pitt au défi de l'en empêcher.

Pitt se borna à hocher la tête.

Il se mit en quête des autres invités, afin de les questionner sur leur emploi du temps. En passant devant la salle à manger, il vit que Charlotte et Iona ne s'y trouvaient plus. Il monta à l'étage et alla frapper à la porte de Lorcan McGinley.

Iona se trouvait dans la chambre, debout près de la fenêtre. Elle paraissait plus calme que lorsque Pitt l'avait vue en compagnie de Charlotte. Lorcan venait de terminer son petit déjeuner.

— Que puis-je faire pour vous, Mr. Pitt ? demanda-t-il assez sèchement.

Pitt songea qu'une lourde responsabilité pesait désormais sur les épaules des représentants des parties en présence. On ne manquerait pas de les critiquer, qu'ils parviennent à un accord ou non. Du fait de la disparition de Greville, leurs efforts de conciliation se voyaient réduits à néant.

— Je crains d'avoir à vous annoncer une mauvaise nouvelle, commença Pitt.

— Je suis au courant : Greville est mort, dit McGinley en se levant. La conférence est terminée. Un vrai désastre. Nous autres Irlandais avons l'habitude des catastrophes, mais cette nouvelle nous a causé un grand choc.

— Il se pourrait qu'un autre médiateur soit nommé, Mr. McGinley.

— Sornettes ! Ne me racontez pas d'histoires, Mr. Pitt. Il est impossible de retrouver un médiateur de la trempe de Greville.

— Il faudrait du courage en effet pour accepter cette mission, surtout quand l'on sait qu'Ainsley Greville a été assassiné.

Iona, pétrifiée, ouvrit de grands yeux apeurés. Lorcan leva lentement les yeux vers Pitt, cherchant ses mots.

— Qui vous a dit cela ? Et d'abord qui êtes-vous pour vous permettre de venir nous donner pareille information ?

— Je suis commissaire de police. Et j'ai moi-même constaté le décès.

— Que comptez-vous faire ? s'enquit Iona. Par où est entré l'assassin ? Je croyais notre sécurité assurée ! Je suis sûre que les protestants sont derrière tout cela. Ils ne veulent pas de l'autonomie de l'Irlande ! Quand la diplomatie ou la législation ne leur permettent pas d'être les plus forts, ils nous assassinent ! Le sol de l'Irlande est imprégné du sang de nos martyrs...

— Calmez-vous, ma chère, lui intima Lorcan. Si Mr. Pitt est policier, il est regrettable qu'il ne soit pas parvenu à assurer la sécurité de Greville, mais ce n'est pas à nous de porter des accusations gratuites. Gardez votre langue... à moins que vous n'ayez quelque chose à lui apprendre ? À propos de votre ami Moynihan, par exemple, conclut-il d'un ton sarcastique.

Iona devint rouge comme une pivoine, mais ne dit mot.

— À quelle heure vous êtes-vous retiré dans votre chambre, hier soir, Mr. McGinley ? demanda Pitt.

— Je n'ai entendu aucun bruit suspect, affirma Lorcan.

— Personne n'est entré par effraction, monsieur. Ainsley Greville a été tué par une personne résidant au manoir. À quelle heure vous êtes-vous couché ?

— Je suis monté dans ma chambre vers dix heures un quart, je crois, dit McGinley, en lançant à Pitt un regard glacial, plein de défi. Je n'en suis pas ressorti, n'est-ce pas, Iona ?

Il se tourna vivement vers son épouse, quêtant son approbation.

La réponse de cette dernière comptait peu aux yeux de Pitt, le témoignage d'un conjoint n'ayant aucune valeur légale.

— Étiez-vous seul, Mr. McGinley ?

— Non. Hennessey, mon valet de chambre, est resté un long moment avec moi.

— Jusqu'à quelle heure ?

— De dix heures un quart jusqu'à onze heures moins dix.

— Comment pouvez-vous être aussi précis ?

— Il y a une horloge sur le palier, expliqua Lorcan. Je l'ai entendue sonner onze heures moins le quart.

— Et qu'a fait votre valet pendant la demi-heure où il est resté en votre compagnie ?

Lorcan parut surpris.

— Nous avons parlé d'une vieille veste de chasse que j'affectionne particulièrement. Hennessey pense que je devrais la remplacer. Ensuite, nous avons discuté des mérites respectifs des fabricants de chemises de Londres et de Dublin. Ces renseignements peuvent-ils vous être utiles ?

— Oui, merci. Et vous, Mrs. McGinley ?

— Je suis restée dans ma chambre, fit-elle avec froideur. Ma caMériste m'a aidée à me préparer pour la nuit et a rangé ma robe.

— À quelle heure vous a-t-elle quittée ?

— Je ne m'en souviens pas. Mais si j'avais vu quelque chose, je vous l'aurais dit.

Pitt n'insista pas. Il n'avait aucune raison de mettre en doute son témoignage. Mais il irait interroger Hennessey. Il les remercia et partit à la recherche de Fergal Moynihan, qu'il finit par trouver dans la salle de billard. Ce dernier paraissait très malheureux et de fort mauvaise humeur.

— La police ? fit-il, furieux, dès que Pitt eut décliné sa profession. Vous auriez dû faire preuve de clarté, commissaire. La dissimulation n'était pas de mise.

Devant le léger sourire de Pitt, Fergal rougit, davantage par contrariété que par embarras. Certes, il avait été surpris dans les bras de sa maîtresse, mais il n'avait pas honte de ses sentiments à son égard, au contraire. Il était manifestement très épris de Iona.

Il put justifier d'une partie seulement de son emploi du temps entre dix heures vingt-cinq et onze heures moins le quart. Il aurait eu en effet le temps de sortir de sa chambre sans être vu pour se rendre dans la salle de bains de Greville, mais jura qu'il ne l'avait pas fait.

Pitt trouva ensuite O'Day dans le salon, debout devant la cheminée, les mains dans les poches. Il ne fit aucun commentaire sur le fait que Greville n'aurait pas été suffisamment protégé par la police, mais son opinion se lisait clairement sur son visage.

— Comment puis-je vous aider, commissaire ? Vous dites qu'il ne s'agit pas d'un accident, donc vous laissez entendre qu'il y a eu meurtre ?

— Je le crains, en effet.

— J'ignore qui l'a commis, commissaire. L'explication, en revanche, semble évidente : la conférence avait de grandes chances d'aboutir à un accord. Or, les factions nationalistes les plus radicales et les plus violentes sont opposées à cet accord.

— Vous parlez des gens que représentent Mr. Moynihan et Mr. McGinley ? Pensez-vous que leur personnel ait pu être infiltré ? L'un d'eux emploierait-il sans le savoir un Fenian se faisant passer pour un valet ?

— Je ne vois pas pourquoi un valet n'aurait pas d'opinion politique, commissaire.

— Pourquoi pas, en effet. Mais pour quelle raison souhaitent-ils voir la conférence échouer ?

O'Day sourit.

— Vous êtes naïf en politique, commissaire. Tout accord implique un compromis, alors que certains considèrent la moindre concession à l'ennemi comme une trahison.

— Dans ce cas, pourquoi ces messieurs sont-ils venus ici ? Leurs partisans doivent les considérer comme des traîtres ?

— Très juste, concéda O'Day. Mais qui est vraiment ce qu'il paraît être ? Je ferai tout ce qui est en mon pouvoir pour vous aider à arrêter l'assassin de Greville. Mais la conférence ne reprendra pas, hélas.

Il paraissait fatigué et déçu, comme si tous ses efforts avaient été vains.

— Pas nécessairement. Nous attendons des ordres de Whitehall, précisa Pitt.

O'Day eut un sourire amer, qui en disait long sur son passé d'homme politique.

— Si, elle est bel et bien finie, commissaire. Dites-moi, à quelle heure Greville a-t-il été assassiné ? Et de quelle manière ? Je croyais qu'il avait glissé en sortant de sa baignoire.

— Il a été frappé à la nuque pendant qu'il était encore dans son bain. Ensuite, on a sans doute maintenu sa tête sous l'eau. Nous savons de façon à peu près certaine qu'il était aux environs de dix heures et demie. Son valet a préparé son bain à dix heures vingt-cinq. Nous avons retrouvé du savon dans l'eau. Il a donc eu le temps de se laver.

O'Day réprima un sourire.

— Si je vous disais que je peux témoigner pour McGinley et son valet... C'est un comble, n'est-ce pas ? Je passais dans le couloir à ce moment-là et j'ai vu le valet sur le seuil. Il parlait à McGinley. Il a dû rester là une bonne vingtaine de minutes. J'avais laissé ma porte entrouverte et j'ai tout entendu. Ils parlaient de fabricants de chemises. J'avoue les avoir écoutés avec un certain intérêt. J'admire le linge de McGinley, mais pour rien au monde je ne voudrais qu'il le sache !

Ainsi, O'Day corroborait les dires de McGinley. Cela éliminait d'emblée trois suspects que l'on ne pouvait soupçonner de se protéger mutuellement !

— Merci, Mr. O'Day. Votre témoignage m'a été précieux.

Kezia Moynihan fut effarée par l'annonce du meurtre de Greville. Elle marchait aux côtés de Pitt dans l'allée de gravier. Le vent apportait des odeurs de terre fraîchement retournée, de feuilles ratissées et d'herbe coupée.

112

Elle se tourna vers lui, pâle, les yeux brillants.

— N'y a-t-il pas d'erreur possible ? Êtes-vous sûr qu'il ne s'agit pas d'un accident ?

— Certain. J'ai examiné la plaie. Elle n'a pu être causée par une chute sur le rebord de la baignoire. On a utilisé un objet contondant.

Kezia se détourna.

— Je suis désolée de ne pouvoir vous aider. Je suis restée seule dans ma chambre toute la soirée. Ma camériste est entrée et sortie à plusieurs reprises.

Alors que Pitt rentrait dans la maison, Tellman vint à sa rencontre.

— Hennessey dit qu'à l'heure du crime, il parlait avec McGinley. Il a vu O'Day, aussi, qui n'a pas quitté sa chambre. Voilà trois suspects éliminés. Un valet et une bonne ont confirmé l'heure à laquelle Wheeler, le valet de Greville, a monté l'eau chaude dans la salle de bains.

Ils gravirent les marches qui menaient à la terrasse ceinturée d'une magnifique balustrade de pierre.

— Et les autres domestiques ? Où étaient-ils ?

Tellman regarda droit devant lui.

— Les caméristes étaient toutes à l'étage. On dirait que ces dames sont incapables de se déshabiller toutes seules.

Pitt sourit.

— Si vous étiez marié, Tellman, vous sauriez à quel point il est difficile de déboutonner et délacer une robe du soir... Cela relève de l'exploit !

— Elles n'ont qu'à porter des vêtements faciles à ôter, marmonna celui-ci.

— Rien d'autre ? demanda Pitt en poussant la porte d'entrée.

— Votre Gracie était sur le palier. Elle a vu Moynihan entrer dans sa chambre vers dix heures dix. Elle a vu aussi Wheeler descendre chercher de l'eau chaude. En remontant à l'étage vers dix heures et demie, elle a croisé une femme de chambre qui portait des serviettes.

— Qui était-ce ?

— Elle ne l'a vue que de dos. Mais toutes les femmes de chambre étaient occupées, à ce moment-là. Non, c'est quelqu'un d'extérieur à la maison qui a tué Greville. Ce ne peut pas être un domestique.

Pitt ne répondit pas. À présent, il ne pouvait retarder le moment d'aller parler à la famille de Greville. Laissant à Tellman le soin de poursuivre l'interrogatoire du personnel, il monta à l'étage voir Justine Baring.

Il la trouva dans le petit salon de l'aile nord du manoir. Piers, assis à ses côtés, paraissait soucieux. Il bondit sur ses pieds en voyant Pitt.

— Je suis désolé de vous déranger, fit ce dernier. Mais j'ai des questions à vous poser.

— Bien entendu, répondit Piers en se dirigeant vers la porte. Allons nous installer dans une autre pièce. Inutile de troubler Miss Baring avec des détails pénibles.

Pitt resta sur le seuil de la porte, lui barrant le passage.

— Nous n'évoquerons pas de détails médicaux, Mr. Greville. J'ai aussi besoin du témoignage de Miss Baring.

Piers plissa les yeux, inquiet.

— Mais pourquoi?

— Navré, Mr. Greville, votre père n'est pas mort accidentellement, fit Pitt à voix basse. Tout à l'heure, j'ai omis de vous dire que je suis commissaire de police.

— La police! s'écria Justine en sursautant, avant de porter sa main à sa bouche. Oh, pardonnez-moi!

Piers se rapprocha d'elle.

— J'avais pour mission d'assurer sa protection, poursuivit Pitt. J'avoue que j'ai échoué. À présent, je dois découvrir ce qui s'est passé et qui est responsable de sa mort.

Piers suffoqua.

— Vous voulez dire que mon père... a été assassiné? Mais c'est impossible! Il s'est cogné la tête contre le rebord de la baignoire! J'ai vu la plaie!

— On a voulu faire croire à une chute, précisa Pitt.

Il jeta un coup d'œil en direction de Justine. Pâle, immobile, elle ne quittait pas Piers des yeux.

— Vous... vous saviez que mon père était menacé? balbutia Piers. Mais pourquoi est-il venu ici? Pourquoi ne l'avez-vous pas...

Justine se leva et posa la main sur son bras.

— Mr. Pitt ne pouvait pas suivre votre père jusque dans son bain, Piers. Par où l'assassin est-il entré? ajouta-t-elle à l'adresse du policier.

— Il s'agit d'une personne qui se trouvait déjà dans la maison, Miss Baring. Les portes étaient verrouillées, les fenêtres fermées et des rondes assurées en permanence, jour et nuit. Le garde-chasse avait lâché ses chiens.

— Vous pensez que... l'un des invités aurait... bredouilla Piers, affolé. Vous vous attendiez à une tentative d'assassinat? Je me rends compte à présent que tous les invités sont irlandais... Je suis donc arrivé à l'improviste au beau milieu d'une réunion politique?

— En effet, Mr. Greville. Où étiez-vous hier soir, vers dix heures et demie?

— Dans ma chambre. Je n'ai rien entendu.

Pas une seconde, il ne lui vint à l'esprit que l'on pouvait le soupçonner. Pitt les remercia tous deux et alla frapper à la porte d'Eudora Greville. Ce fut Doyle qui lui ouvrit, les cheveux emmêlés et la cravate de travers. Il paraissait épuisé.

— Je n'ai encore appelé personne pour établir le constat de décès, murmura-t-il. Je demanderai à Radley de faire venir un médecin. Nous enverrons un message au pasteur de la paroisse; Ainsley sera enterré dans le caveau familial. Je crains que sa mort ne marque la fin de nos tentatives de conciliation... Il nous faut prendre les dispositions nécessaires pour que chacun retourne chez soi. Je me charge d'accompagner ma sœur.

— Pas tout de suite, Mr. Doyle. J'ai le regret de vous annoncer que votre beau-frère a été assassiné. Le préfet de police adjoint m'a chargé de l'enquête.

— Mais qui êtes-vous donc, monsieur? s'enquit Doyle, sur ses gardes.

— Commissaire Pitt, du commissariat de Bow Street.

Les traits de Doyle se durcirent.

— J'imagine que vous étiez là pour assurer sa protection?

Il n'en dit pas davantage, mais son regard traduisait son mépris et sa colère devant l'échec de la police.

— Oui. Je suis désolé, répondit Pitt simplement.

— Êtes-vous certain de ce que vous affirmez?

— Oui.

Ils se trouvaient toujours sur le pas de la porte. Les rideaux étaient tirés, plongeant la pièce dans une semi-pénombre. Eudora, qui était assise dans un fauteuil, se leva et s'approcha d'eux. Son teint était d'une pâleur de cire; elle avait le regard vide d'une personne qui vient de subir un choc et qui ne comprend pas ce qui lui arrive.

— Que se passe-t-il? demanda-t-elle, n'ayant apparemment rien entendu de leur conversation. Padraig?

Il se tourna vers elle.

— Tu dois être forte, ma chérie. Mr. Pitt est commissaire de police. Il est ici pour assurer notre protection. Il prétend qu'il ne s'agit pas d'un accident, comme nous l'avons tous cru. Ainsley aurait été... assassiné.

Il passa un bras autour de ses épaules.

— Il nous faut faire face à l'adversité. Ainsley se savait menacé.

Eudora le dévisagea avec de grands yeux effarés. Padraig la serra contre lui.

— Merci d'être venu nous prévenir, commissaire, ajouta-t-il. Si nous pouvons vous aider en quoi que ce soit, nous ferons de notre mieux, mais pour l'instant, ma sœur désire être seule. Vous comprenez, n'est-ce pas?

— Je comprends, acquiesça Pitt, sans bouger. Je ne la dérangerais pas si je ne m'y voyais obligé. Personne ne doit quitter le manoir tant que nous n'aurons pas mis la main sur le coupable. Plus tôt cela sera fait, plus vite

Mrs. Greville pourra rentrer chez elle. La mort de votre mari, madame, est un assassinat politique. Je suis tenu d'agir en conséquence. Vous m'en voyez désolé.

Eudora releva légèrement le menton. Des larmes brillaient dans ses yeux.

— Je comprends, dit-elle d'une voix rauque. J'ai toujours su qu'Ainsley mettait sa vie en danger, mais je refusais de croire à la possibilité d'une fin aussi tragique. J'aime mon pays, mais parfois je le hais.

— L'Irlande est une maîtresse exigeante, soupira Doyle ; cependant nous avons payé trop cher pour l'abandonner maintenant. Et nous étions si près du but !

— Que vouliez-vous savoir, Mr. Pitt ? demanda Eudora.

— À quelle heure avez-vous vu votre mari pour la dernière fois, Mrs. Greville ?

Elle réfléchit.

— Je ne m'en souviens pas exactement. Vers dix heures, je crois. Ainsley lisait souvent tard le soir et moi, je me couchais tôt. Vous devriez poser la question à Doll, ma camériste. Elle s'en souviendra mieux que moi. Elle était là quand Ainsley est venu me souhaiter bonne nuit.

— Merci, Mrs. Greville. Et vous, qu'avez-vous fait, Mr. Doyle ?

— Je suis allé lire dans ma chambre. Souvenez-vous, le dîner n'avait pas été des plus agréables. Personne n'avait envie de s'attarder au salon. Les querelles entre les deux Moynihan sont des plus pénibles.

Pitt hocha la tête.

— Je vous serais reconnaissant de n'informer personne des circonstances du décès, pour le moment.

— Comme vous voudrez.

— Votre valet de chambre était-il avec vous, Mr. Doyle ?

Un sourire dur et amer effleura les lèvres de son interlocuteur.

— Vous me soupçonnez, commissaire ? Oui, il est resté

quelque temps avec moi. Il est parti vers dix heures et demie. Ensuite je suis resté seul. Je ne peux donc justifier de mes mouvements...

— Padraig! s'écria Eudora, affolée. Ne dis pas une chose pareille!

Il la tenait toujours par les épaules.

— Si Mr. Pitt veut mener correctement son enquête, il se doit d'être impitoyable, n'est-ce pas, Mr. Pitt?

— Le terme est impropre, Mr. Doyle. J'ai besoin de connaître des faits précis.

— Bien sûr. Je vous précise alors que je n'ai pas tué mon beau-frère. Nos opinions divergeaient sur beaucoup de sujets, mais c'était le mari de ma sœur. Allez donc interroger ces protestants si fiers et si prompts à juger les autres, Mr. Pitt. Vous trouverez l'assassin dans leurs rangs... Il affirmera que Dieu a guidé sa main. Tout le problème de l'Irlande est là: trop de gens accomplissent l'œuvre du diable au nom de Dieu!

Emily eut une journée éprouvante. À l'annonce du décès de Greville, sa première pensée fut que l'échec de la conférence d'Ashworth Hall allait nuire à la carrière politique de Jack. Puis elle eut honte d'elle-même en pensant à la douleur de la famille, et en particulier à celle d'Eudora. Elle ne savait que trop bien, hélas, ce que signifiait perdre brutalement un être cher: sa sœur aînée et son premier mari avaient tous deux succombé à une mort violente [1]. Eudora avait, dans son malheur, la chance d'avoir son fils et son frère à ses côtés. À ce propos, Emily se demanda pourquoi Ainsley Greville avait caché son lien de parenté avec Padraig Doyle. Sans doute pour ne pas laisser croire qu'il risquait de se laisser influencer par les idées politiques de ce dernier? Ou peut-être ne voulait-il

1. Voir *L'Étrangleur de Cater Street*, 10/18, n° 2852, et *Meurtres à Cardington Crescent*, 10/18, n° 3196.

pas que l'on s'imagine qu'Eudora, originaire du sud de l'Irlande, était une fervente catholique ?

Emily décida, dans un premier temps, de laisser à Doyle le soin de réconforter sa sœur ; elle allait avoir beaucoup à faire pour calmer l'agitation des domestiques. La nouvelle qu'un meurtre avait été commis au manoir se répandrait comme une traînée de poudre. Elle devrait faire face à des crises de nerfs, des évanouissements, des pleurs et des grincements de dents ! Si l'un d'entre eux décidait de rendre son tablier, Emily serait obligée d'avertir que personne n'était autorisé à quitter Ashworth Hall avant la conclusion de l'enquête. C'était à elle, et non à Jack, qu'incombait cette tâche ; le personnel était sous sa responsabilité. Elle avait hérité du manoir et des propriétés environnantes à la mort de son premier mari et en gardait l'usufruit jusqu'à la majorité de leur fils Edward. Le personnel traitait Jack avec respect mais, par habitude, voyait toujours en elle la véritable source de l'autorité en ce qui le concernait.

Elle descendit à l'office et pria le majordome de réunir au plus vite toute la domesticité dans le salon de la gouvernante. Ils furent bientôt tous rassemblés devant elle, le visage grave et solennel.

— Vous savez que Mr. Ainsley Greville a trouvé la mort dans son bain hier soir, annonça-t-elle, jugeant inutile d'user d'euphémismes tels que « a rendu son âme à Dieu » ou « nous a quittés pour l'au-delà », pour parler d'un homme venant d'être assassiné.

— Oui, milady, répondit Mrs. Hunnaker, qui continuait à donner à Emily son ancien titre de vicomtesse Ashworth. Une bien triste nouvelle. Devons-nous en conclure que les invités vont s'en aller ?

— Non, pas encore. J'ignore combien de temps ils resteront au manoir. Cela dépendra des circonstances et, d'une certaine manière, de la décision de Mr. Pitt...

Elle prit une profonde inspiration avant d'ajouter, devant leur expression polie et attentive :

— Comme la plupart d'entre vous le savent, Mr. Pitt fait partie de la police. Il craint que la mort de Mr. Greville ne soit pas accidentelle, comme nous l'avons tout d'abord supposé. Il aurait été assassiné...

Mrs. Hunnaker blêmit et chercha appui sur le dossier de la chaise la plus proche. Dilkes, le majordome, ouvrit la bouche pour dire quelque chose, mais ne trouva pas ses mots.

Le valet de Jack hocha la tête.

— Je comprends pourquoi Mr. Pitt nous a demandé à tous où nous étions et ce que nous faisions hier soir. Et ce Tellman qui a vérifié l'état de toutes les portes et fenêtres du manoir !

— Quelqu'un est rentré dans la maison ? s'écria la cuisinière, affolée. C'est-y pas Dieu possible !

— Non, affirma Emily, personne n'est entré, rassurez-vous.

Puis elle se rendit compte de ce que sous-entendait sa phrase et regretta de s'être montrée aussi sûre d'elle.

— Non, reprit-elle, il s'agit d'un assassinat politique, en relation avec le problème irlandais. Mr. Pitt va mener l'enquête. Nous n'avons qu'à faire comme si de rien n'était...

— Comme si de rien n'était ? s'indigna la cuisinière. Alors qu'on risque tous de se faire trucider dans notre lit !

— Dans la baignoire, corrigea la gouvernante. Les employés de maison ne prennent pas de bain, Mrs. Williams. Ils se lavent dans une cuvette, eux. On ne risque rien en se lavant dans une cuvette.

— En tout cas, pas question qu'un Irlandais mette les pieds dans ma cuisine ou à l'office ! s'insurgea la cuisinière. C'est moi qui vous le dis !

Emily savait d'expérience que si elle faisait preuve de la moindre faiblesse, elle ne pourrait plus diriger sa maison. Mais elle devait se montrer conciliante avec la cuisinière. Qu'adviendrait-il si celle-ci rendait son tablier ?

— Ils n'ont aucune raison d'entrer dans votre cuisine,

Mrs. Williams, l'apaisa-t-elle. Il ne faut tout de même pas confondre les innocents et les coupables.

— Ils sont coupables de se haïr, bougonna Mrs. Williams, l'œil mauvais. Et la Bible dit que la haine est aussi terrible que le meurtre.

— Nous sommes anglais, Mrs. Williams, rétorqua Emily. Et nous n'allons pas nous affoler sous prétexte que quelques Irlandais se disputent sous notre toit. Montrons-leur que nous sommes courageux.

La cuisinière se redressa.

— Nous ferons notre devoir, poursuivit Emily, sentant qu'elle avait touché la corde sensible. Mais si vous préférez que le personnel étranger à la maison prenne ses repas à part, faites comme vous l'entendez. Je vous laisse le soin de rassurer les plus jeunes d'entre vous : dites-leur qu'ils ne craignent rien et qu'ils doivent se comporter le plus naturellement possible. Nous avons une position à maintenir.

— Bien, milady, murmura Mrs. Williams en relevant le menton. Faut pas qu'on laisse croire à ces Irlandais qu'on a peur d'eux.

— Vous avez raison, acquiesça le majordome. Ne vous inquiétez pas, Madame, je veillerai à ce que tout se passe au mieux.

Mais les choses ne se passèrent pas, hélas, comme il l'avait souhaité : l'une des petites bonnes, au bord de la crise de nerfs, renversa un seau d'eau dans l'escalier principal, trempant le magnifique tapis du vestibule. On dut l'aliter. Un jeune valet distrait faillit mettre le feu à la bibliothèque en surchargeant l'âtre de charbon. Dans l'arrière-cuisine, le cireur de chaussures en vint aux mains avec le valet de Fergal Moynihan. Résultat : de beaux coquarts, des assiettes brisées et la fille de cuisine hurlant à pleins poumons. L'une des petites blanchisseuses remplit une lessiveuse au point de provoquer le débordement de l'eau bouillante ; la responsable de la lingerie la prit violemment à partie et la fille rendit son tablier.

L'un des valets, ayant bu plus que de raison, buta sur le chat de la cuisine et s'affala par terre. Mrs. Williams était hors d'elle, mais se contint. Comme les invités ne regardaient même plus ce qu'il y avait dans leur assiette, personne ne remarqua, à part Emily, que les carottes n'avaient pas été pelées et que les gâteaux avait un goût de brûlé.

La seule qui gardait la tête sur les épaules dans ce chaos domestique était Gracie. Et pourtant, avait remarqué Emily, chaque fois que Finn Hennessey, le séduisant valet de McGinley, passait à ses côtés — ce qui arrivait fort souvent — Gracie perdait tous ses moyens et se montrait d'une rare maladresse !

Et, pour ne rien arranger, l'inspecteur Tellman ne cessait d'interroger tout le monde avec l'air dégoûté de quelqu'un qui vient de casser un œuf pourri !

En fin d'après-midi, Cornwallis rappela Jack au téléphone.

— Alors ? s'inquiéta Emily, dès que Jack eut reposé le combiné. Qu'avez-vous convenu ?

Ils se trouvaient tous deux seuls dans la bibliothèque. Jack tortilla le cou, comme si son col de chemise l'étranglait, et s'éclaircit la gorge.

— Eh bien... le ministre de l'Intérieur souhaite que je remplace Greville.

— Quoi ? Mais c'est impossible, voyons ! s'écria-t-elle, affolée. Vous ne pouvez pas...

Jack parut choqué par sa réaction, s'imaginant sans doute qu'elle ne le croyait pas à la hauteur de la situation.

— Je... je voulais dire que c'est trop dangereux ! se reprit-elle aussitôt. Rappelez Cornwallis et dites-lui que la conférence ne reprendra pas tant que Thomas n'aura pas arrêté le coupable. Ces gens des ministères ne se rendent donc pas compte de ce qui vient de se produire ? Un assassin vit sous notre toit !

Elle posa les mains sur ses épaules. Jack la saisit par les poignets et ne la lâcha pas.

— Je sais tout cela, Emily. Et je prends le risque. On ne refuse pas une mission sous prétexte qu'elle est dangereuse. Qu'arriverait-il à notre pays si, chaque fois qu'un général perd la vie au cours d'un combat, l'officier en second refusait de prendre le commandement du bataillon?

— Mais vous n'êtes pas à l'armée!

— Cela revient au même. Emily, ne discutez pas, dit-il avec une autorité qu'elle ne lui connaissait pas.

Elle comprit qu'elle ne le convaincrait pas. Un frisson de peur la parcourut.

— Merci, murmura-t-il, prenant son silence pour un acquiescement. Je vous préviens, vous aurez beaucoup de travail. Plus jamais, je l'espère, vous n'aurez à organiser un week-end tel que celui-ci. Charlotte vous aidera de son mieux. Je suis désolé.

Emily s'efforça de sourire. Elle se sentait coupable de l'avoir mal jugé et surtout d'avoir sous-estimé son courage.

— Très bien, dit-elle avec davantage d'assurance qu'elle n'en éprouvait. Si vous présidez la conférence, je dois bien être capable de m'occuper du reste. Ce ne sera pas une sinécure, mais j'essaierai d'éviter le pire.

Il lui lâcha les poignets et sourit.

— Avec Iona McGinley dans le lit de Moynihan, et Greville mort dans son bain, nous avons un brelan et une paire en main, non? plaisanta-t-il. À moins que l'un des joueurs ne décide de tricher aux cartes.

— Je vous en prie, ne plaisantez pas sur ce sujet, murmura-t-elle.

Elle présida au dîner en parfaite maîtresse de maison. Eudora avait gardé la chambre, mais les autres convives se comportèrent dignement, pour une fois, et échangèrent des propos courtois.

Plus tard dans la soirée, Emily retrouva Pitt dans la bibliothèque et lui confia son inquiétude.

— Thomas, où en est l'enquête ?

Le cheveu en bataille, la cravate de travers, les poches débordant de bouts de papier, Pitt paraissait épuisé.

— J'ai plusieurs suspects, dit-il d'un ton las. Padraig Doyle, Fergal Moynihan, les deux femmes, et Piers Greville.

— Mais Doyle est son beau-frère ! s'exclama Emily. Quant à Piers, pourquoi aurait-il souhaité la disparition de son père ? Non, il s'agit d'un assassinat politique. Ce doit être Moynihan. Et pourquoi pas McGinley ou O'Day ?

— Ils ont été vus à l'heure du crime.

— Alors, c'est Moynihan. On l'a surpris au lit avec l'épouse de McGinley. Pourquoi n'irait-il pas jusqu'au meurtre ? Arrêtez-le ! Au moins la vie de Jack ne serait plus en danger.

— Je n'en ai pas le droit, Emily. Je n'ai aucune preuve de sa culpabilité.

— Ce ne peut être que lui ! s'écria-t-elle. Ou son valet. Que fait Tellman ? Il a interrogé tous les domestiques, non ? Ils doivent pouvoir dire où ils se trouvaient au moment du meurtre !

La porte de la bibliothèque grinça sur ses gonds, mais Emily ne se retourna pas, emportée par sa diatribe.

— Qu'avez-vous donc fait toute la journée ? Si vous n'êtes pas parvenu à assurer la sécurité de Greville, comment comptez-vous vous y prendre pour protéger Jack ? Vous auriez dû l'empêcher d'accepter cette mission ! C'est une folie ! Pourquoi n'avez-vous pas dit à Cornwallis à quel point elle était dangereuse ? Arrêtez donc ce Moynihan avant qu'il ne tue Jack !

Charlotte, qui était entrée dans la pièce, prit le vase de chrysanthèmes posé sur le guéridon, jeta les fleurs et vint se placer devant sa sœur, rouge de colère, les yeux étincelants.

— Reprends-toi, Emily, dit-elle d'une voix tremblante, sinon je te jette l'eau à la figure.

— Toi, ne t'avise pas de faire ça ! Mon mari court un grand danger et Thomas ne veut pas lever le...

Dans la seconde qui suivit, elle fut trempée de la tête aux pieds.

Pitt tendit les mains pour calmer le jeu, puis laissa retomber ses bras, d'un geste résigné.

— Cesse de ne penser qu'à toi ! s'indigna Charlotte. Thomas ne peut arrêter personne sans preuve. Réfléchis un peu, voyons ! Sers-toi de ta cervelle !

Emily ouvrit la bouche, mais aucun son n'en sortit. Elle quitta la pièce comme une furie, se précipita dans l'escalier, entra dans sa chambre, claqua la porte à toute volée, se jeta sur son lit et se mit à pleurer. Elle s'était montrée injuste vis-à-vis de Jack et voilà qu'elle venait d'en faire autant avec Pitt ! Il devait se sentir malheureux et coupable. Comment aurait-il pu prévoir qu'un meurtre serait commis par l'un des invités ? Et pour couronner le tout, elle s'était mis sa sœur à dos, au moment où elle avait le plus besoin d'elle.

Cette journée avait été l'une des pires de son existence. Et celle du lendemain ne s'annonçait pas sous de meilleurs auspices...

CHAPITRE V

Pitt s'éveilla avec un mal de tête lancinant. Le manoir était silencieux. Immobile dans le noir, il écouta le discret claquement de talons d'une petite bonne sur le parquet du couloir, signe qu'il était un peu plus de cinq heures du matin.

À ses côtés, Charlotte dormait profondément, pelotonnée sur elle-même. Il l'avait sentie s'agiter dans son sommeil pendant une bonne partie de la nuit, se tournant et se retournant, repoussant les oreillers. Elle avait peur pour lui, sans le lui dire, bien sûr, mais Pitt connaissait cette manière bien à elle de jouer avec ses bagues et de redresser les épaules quand elle était soucieuse.

Il se glissa hors du lit. Le feu était éteint. Il faisait froid. Et ce matin-là, plus question de compter sur Tellman pour lui apporter de l'eau chaude ! Pieds nus, il passa dans le dressing et s'habilla, remettant son rasage à plus tard. Il avait besoin de réfléchir. Une tasse de thé bien chaud l'aiderait à se réveiller et à clarifier ses idées.

Il se rendit dans la petite pièce où l'on préparait le thé à l'étage et fit bouillir de l'eau. Le jour commençait à poindre quand Wheeler, le valet de Greville, entra dans la pièce.

— Bonjour, monsieur, dit-il à voix basse, pour ne pas

126

éveiller les invités qui dormaient encore. Puis-je vous servir le thé ?

— Oui, volontiers, répondit Pitt, se doutant que Wheeler se sentirait plus à son aise s'il faisait son travail.

— Mrs. Pitt désire-t-elle une tasse de thé ? s'enquit celui-ci en préparant le plateau.

Pitt s'appuya contre le chambranle de la porte.

— Non, je pense qu'elle dort encore.

— Je suis content de pouvoir vous parler seul à seul, monsieur. Savez-vous que Mr. Greville avait été victime d'une tentative d'assassinat voilà quatre ou cinq semaines ?

— Oui, il m'en a parlé. Un attelage s'est jeté contre le sien, je crois. Mais on n'a jamais retrouvé le conducteur, ni la voiture.

Wheeler versa l'eau frémissante dans la théière.

— Il avait également reçu des lettres de menaces. Elles se trouvent à Oakfield House, dans l'un des tiroirs de son bureau. Mrs. Greville n'entrait jamais dans cette pièce et les domestiques n'avaient pas le droit de déplacer les papiers.

— Merci du renseignement, Wheeler. Je me rendrai aujourd'hui même à Oakfield House. Je pourrai y trouver quelques indices. Mr. Greville m'avait décrit son agresseur : un homme avec des yeux bleus très clairs, largement écartés. Personne dans cette maison ne correspond à ce signalement.

— En effet, monsieur. D'après moi, c'est un coup des Fenians. Mais Hennessey soutient que ce n'est pas Mr. McGinley. J'aurais tendance à ne pas le croire, mais Mr. O'Day confirme ses dires. Sachant ce que les protestants pensent des catholiques, je ne vois pas pourquoi Mr. O'Day aurait cherché à protéger Mr. McGinley...

Pitt hocha la tête et but son thé en silence.

Il descendit ensuite prendre son petit déjeuner. Jack ne tarda pas à le rejoindre et ils purent discuter librement.

— Pensez-vous vraiment découvrir des indices chez

Greville? demanda Jack, sceptique. Si les lettres de menaces révélaient l'identité de leur auteur, ne croyez-vous pas qu'il vous les aurait montrées?

— Dans une enquête criminelle, des éléments séparés n'ont aucune signification, mais, mis bout à bout, ils permettent de reconstituer le puzzle, souligna Pitt. À Oakfield House, il se peut que je trouve des papiers intéressants et que j'obtienne une description plus précise du conducteur de l'attelage. Le cocher se souviendra peut-être de quelque chose.

À ce moment, Doyle entra dans la salle à manger et les salua d'un sourire. C'était le genre d'homme qu'aucun événement, fût-il aussi tragique que la mort de son beau-frère, ne parvenait à déstabiliser; une attitude respectable, certes, mais parfois irritante. Était-ce la marque d'un manque de sensibilité et de compassion ou, au contraire, la preuve d'une dignité et d'un courage exceptionnels?

Quand Carson O'Day les rejoignit, Pitt s'excusa et partit à la recherche de Tellman. Il le rencontra, revenant de l'office, le visage sombre, le front plissé.

— Du nouveau? chuchota Pitt, de façon à ne pas être entendu par la bonne qui portait un balai et un seau empli de feuilles de thé humides utilisées pour raviver les couleurs des tapis.

— Oui, je sais maintenant comment faire briller l'argenterie, grogna Tellman. Entre nous, l'office ressemble à un asile de fous! Six domestiques au moins menacent de donner leur démission. La cuisinière goûte au madère chaque fois que le majordome en remonte une bouteille de la cave, la fille de cuisine hurle de terreur dès qu'on lui adresse la parole. Pour tout l'or du monde, je ne voudrais m'occuper d'une maison pareille!

— Je vais me rendre à cheval chez Greville, expliqua Pitt. Oakfield House est à une quinzaine de kilomètres d'ici. J'examinerai ses papiers personnels, en particulier les lettres de menaces qu'il a reçues il y a un mois ou deux.

— Et vous pensez trouver une piste ?

— C'est possible. Si Moynihan est coupable, ce dont je ne suis pas sûr, il n'a certainement pas agi seul. Je veux savoir qui est derrière tout ça.

— Moynihan n'a besoin de personne ! Il a assez de haine en lui pour tuer quelqu'un sans qu'on lui en donne l'ordre. D'ailleurs, il aura de la chance si McGinley ne lui règle pas son compte avant la fin de la conférence. Si vous les voyiez là-bas, à l'office, ils se regardent tous en chiens de faïence. Tiens, ils sont précisément en train de faire leurs prières, chacun de leur côté, bien sûr. J'ai envie d'allumer un grand feu de joie au milieu de la cour, comme ça ils n'auraient plus qu'à se jeter les uns les autres dans le bûcher. Je peux comprendre que l'on s'entre-tue par jalousie, par désir de revanche ou sous l'emprise d'une folie furieuse. Mais ces gens-là sont normaux, enfin, si l'on peut dire...

— Essayez de prévenir tout acte de violence en mon absence, lui recommanda Pitt. Ne vous éloignez pas de Mr. Radley. C'est lui qui court le plus grand risque, à mon avis. Pendant les réunions, restez devant la porte de la bibliothèque. Je reviendrai à la tombée de la nuit.

Tellman se redressa imperceptiblement.

— Bien, monsieur. Faites bonne route. J'espère que vous savez monter à cheval ?

Pitt sourit devant son air inquiet.

— Oui. Rappelez-vous que j'ai grandi à la campagne.

Tellman grommela et poursuivit son chemin.

Pitt chercha Charlotte pour la prévenir de son départ. Il l'avait à peine vue depuis leur arrivée. Elle passait ses journées en compagnie des autres femmes, tentant d'aplanir les conflits et d'entretenir un semblant de conversation courtoise.

Au bout d'une demi-heure, il finit par la trouver, en compagnie de Gracie, dans la pièce où l'on gardait les plats au chaud avant de les porter à table, la salle à manger étant fort éloignée des cuisines. Il y avait là, à côté de la cheminée, un meuble spécial servant à réchauffer les plats à la vapeur, ainsi qu'une table de service sur laquelle était disposé un superbe assortiment de tire-bouchons et de carafes à décanter les vins.

Charlotte et Gracie bavardaient avec animation; en voyant Pitt, elles s'interrompirent brusquement. Gracie cligna des yeux et s'éclipsa.

— Que se passe-t-il? demanda Pitt en la regardant s'éloigner.

Charlotte sourit.

— Nous échangions des petits secrets féminins.

Pitt comprit qu'elle ne lui en dirait pas plus. Il n'imaginait pas Gracie avec des « secrets féminins » et pourtant elle avait vingt ans, bien qu'elle n'en parût que treize ou quatorze.

— Je pars à cheval à Oakfield House, chez les Greville, pour examiner certains papiers, lui annonça-t-il. J'espère ne pas rentrer trop tard.

Elle hocha la tête, un peu inquiète.

— Soyez prudent... Demain vous serez tout moulu, ajouta-t-elle en penchant la tête de côté avec un petit rire.

Elle se mit sur la pointe des pieds et l'embrassa tendrement.

— Comment allez-vous trouver votre route?

— Piers Greville m'indiquera le chemin à prendre. Mais je dois d'abord demander à Eudora l'autorisation de consulter les papiers de son mari.

Il trouva cette dernière dans le boudoir du premier étage, en compagnie de Piers et de Justine. Eudora avait revêtu une robe marron foncé, n'ayant évidemment pas emporté avec elle une toilette susceptible d'être portée pour un deuil. Malgré le chagrin qui marquait ses traits, elle demeurait très belle. Justine, assise à ses côtés, avait choisi une toilette d'un vert profond qui mettait en valeur son teint mat et sa chevelure noir de jais. Pitt fut encore frappé par l'intelligence de son regard.

Piers se tenait debout derrière les deux femmes, l'air

farouche, bien décidé à leur éviter tout chagrin supplémentaire.

Pitt s'adressa à Eudora avec gravité.

— Bonjour, madame. Je suis navré de vous déranger à nouveau, mais je souhaite me rendre chez vous pour chercher les lettres de menaces qu'avait reçues votre époux. Votre permission m'est indispensable.

Eudora parut presque soulagée ; s'était-elle attendue à ce qu'il lui annonçât une autre catastrophe ? Que pouvait-il lui arriver de pire que le décès de son époux ?

— Bien sûr, Mr. Pitt. Voulez-vous que je vous fasse une lettre d'introduction ?

— Oui, si cela ne vous dérange pas. J'aurais aussi besoin des clés de son bureau ; pouvez-vous m'indiquer la route à suivre ? Je pense couper à travers bois afin d'arriver au plus vite, car j'aimerais être revenu avant la nuit.

— Je peux vous accompagner, proposa aussitôt Piers. Cela sera beaucoup plus simple et nous évitera d'interminables explications.

Pitt accepta sans hésitation ; il serait plus agréable de voyager à deux, et, surtout, cela lui donnerait l'occasion de parler librement à Piers et d'en apprendre peut-être davantage sur la personnalité d'Ainsley Greville.

Justine les regarda successivement tous les trois.

— Mr. Pitt, vous allez prendre connaissance de papiers confidentiels, peut-être des secrets d'État, remarqua-t-elle d'une voix émue. N'est-il pas préférable d'éviter d'attenter à son intimité ?

— Seul Mr. Pitt aura accès à ces papiers, ma chère, dit Eudora, surprise de la voir si soucieuse. Ainsley ne gardait pas de documents secrets à la maison. Quant aux lettres de menaces, elles pourraient nous apprendre qui souhaitait le voir disparaître.

Elle dévisagea Pitt de ses grands yeux marron.

— Il doit y avoir plusieurs personnes dans le complot, reprit-elle en serrant ses mains l'une contre l'autre. Après l'incident de l'attelage...

Justine se leva et prit son fiancé par le bras.

— Piers, votre père n'est plus là pour protéger ses dossiers les plus personnels. Il se peut qu'il ait gardé des papiers qui ne devraient pas tomber entre toutes les mains ; un haut fonctionnaire traite d'affaires importantes. Certaines lettres, si elles étaient rendues publiques, pourraient mettre leurs auteurs en difficulté. Nous avons tous... commis des erreurs...

Elle ne termina pas sa phrase et tourna vers Pitt un regard interrogateur.

— Je serai discret, Miss Baring, la rassura ce dernier. J'imagine en effet que Mr. Greville avait accès à des dossiers sensibles, mais je doute qu'il ait ramené chez lui des documents les concernant. N'oubliez pas qu'il a été victime il y a quelques semaines d'une tentative d'assassinat...

Justine se tourna vers Piers.

— Ah ? Que s'est-il passé ?

— Un attelage s'est jeté sur le sien dans l'intention de le renverser, expliqua-t-il. Je me trouvais à Cambridge et maman était à Londres.

Il la prit tendrement par les épaules.

— Ma chérie, voyez-vous un inconvénient à ce que j'accompagne Mr. Pitt à Oakley House ?

Elle lui sourit.

— Non, bien sûr. Je m'occuperai de votre mère. Mrs. Radley a beaucoup à faire avec les autres invités...

Une lueur amusée passa dans son regard.

— J'ai cru comprendre la raison de certaines tensions entre les McGinley et les Moynihan, mais je ferai semblant de ne rien savoir !

— J'espère que les participants à cette conférence sauront faire abstraction de leurs différends personnels, remarqua Piers. L'espoir de paix en Irlande pourrait être gravement compromis si Mr. Radley ne pouvait assurer la direction des débats. Après ce qui vient de se passer, comment peut-on continuer de se quereller pour un sujet aussi futile comparé à l'avenir de l'Irlande ?

Justine lui effleura la joue.

— Nous sommes capables de ne penser qu'à nos problèmes personnels alors que le monde s'effondre autour de nous ! Le jour du Jugement dernier surprendra certains d'entre nous à chipoter sur le prix d'un ruban ou à chercher qui a pu oublier de moucher une chandelle ! Envisager la fin du monde est une chose beaucoup trop compliquée pour le commun des mortels.

Elle se tourna vers Pitt.

— Ne vous inquiétez pas, commissaire, nous survivrons à cette journée, même en votre absence !

Pitt se surprit à trouver cette jeune femme sympathique ; elle avait un tempérament tout à fait hors du commun. Il se demanda ce qui l'attirait chez Piers, elle qui avait tant de maturité d'esprit et d'humour, alors que lui paraissait si jeune et si sérieux.

Il remercia Eudora, donna rendez-vous à Piers un quart d'heure plus tard dans les écuries, et prit congé.

Il faisait froid mais beau lorsqu'ils enfourchèrent leurs montures, deux magnifiques chevaux qu'ils mirent au petit galop pour traverser le parc. Pitt n'était pas monté en selle depuis des années, mais l'odeur de l'animal et le craquement du cuir lui parurent soudain étrangement familiers. Il savait que le lendemain il souffrirait de courbatures et imaginait déjà les commentaires acides de Tellman et le sourire amusé de Jack en le voyant clopiner.

Piers Greville montait avec l'élégance d'un cavalier confirmé qui pratiquait régulièrement l'équitation et aimait les chevaux.

En entrant dans les bois, ils mirent leurs montures au pas et purent enfin converser.

— Pensez-vous ouvrir un cabinet en ville ? demanda Pitt.

— Oh non! Je n'aime pas la capitale. Et Justine préférerait vivre à la campagne.

— J'imagine que la disparition de votre père va changer vos projets...

Ils avançaient lentement sur un chemin sinueux. Piers précéda Pitt dans la traversée d'un gros ruisseau; en remontant sur la berge, les chevaux provoquèrent la chute d'une cascade de petits cailloux dans l'eau. Le vent soulevait les feuilles mortes; au loin, on entendait un chien aboyer.

— Je n'y ai pas encore réfléchi, répondit Piers. Maman restera à Oakfield House. Ce n'est pas un domaine aussi grand et difficile à gérer que celui d'Ashworth Hall. Elle n'a pas besoin de ma présence. Justine et moi nous installerons dans les environs de Cambridge. Bien sûr, je n'aurai pas de soucis d'argent...

— Vous n'aurez même pas besoin de pratiquer la médecine, remarqua Pitt.

— Mais je tiens à exercer! Mon père, lui, souhaitait me voir embrasser une carrière parlementaire. Entre nous, la politique ne me passionne guère. Ce qui m'intéresse, reprit-il avec un soudain enthousiasme, c'est la santé publique, en particulier les maladies liées à la malnutrition. Savez-vous combien d'enfants souffrent de rachitisme dans ce pays? Dans les manuels, on l'appelle « la maladie anglaise »! Et le scorbut! Il n'y a pas que les marins qui en sont atteints... Je veux aider les gens qui souffrent et non passer ma vie à argumenter avec des hommes politiques, à la recherche de perpétuels compromis.

Ils sortirent du sous-bois et débouchèrent dans un champ clôturé. Pitt descendit de cheval pour ouvrir la barrière; Piers passa avec les deux chevaux en main; Pitt referma la barrière et remonta lestement sur le sien.

— Vous me jugez sans doute prétentieux, reprit Piers. Je sais qu'il faut parfois faire des compromis. Mais je n'ai pas l'âme d'un diplomate. Mon père était un brillant médiateur. Il parvenait à séduire les gens et à les convaincre de se ranger à ses avis. Si quelqu'un pouvait trouver une solution au problème irlandais, c'était bien lui. Il possédait un grand pouvoir de persuasion lié à l'absolue certitude d'avoir raison. Et il ne craignait personne. Il obtenait toujours ce qu'il voulait, en sachant ce qu'il était prêt à céder.

Tandis qu'ils repassaient au petit galop sur le chemin qui longeait une pâture, Pitt réfléchissait : il avait en effet remarqué l'assurance de Greville, la tranquille inflexibilité d'un homme qui, s'étant une fois pour toute fixé un objectif, n'en déviait jamais. Une qualité nécessaire dans le métier qu'il exerçait, mais parfois pénible à supporter pour ses interlocuteurs. Piers, d'ailleurs, l'avait laissé entendre ; il y avait peu de chaleur et de regret dans sa voix quand il évoquait son père.

Oakfield House était en effet un bâtiment de proportions plus modestes qu'Ashworth Hall, mais c'était malgré tout la résidence de campagne d'un homme de goût, discret et fortuné.

Ils se dirigèrent vers les écuries et laissèrent leurs montures au palefrenier. Le majordome apparut, manifestement surpris de voir Piers.

— Monsieur Piers ! Nous ne vous attendions pas. Mr. et Mrs. Greville se sont absentés quelques jours...

S'apercevant que le fils de la maison était accompagné d'un inconnu, il reprit d'un ton déférent, en s'adressant à Pitt :

— Bonjour, monsieur, en quoi puis-je vous être utile ?

Piers prit le majordome par le bras.

— Thurgood, j'ai une mauvaise nouvelle à vous annoncer : mon père a été assassiné. Heureusement, l'oncle Padraig est aux côtés de maman. J'accompagne le commissaire Pitt...

Il désigna Pitt d'un geste de la main, tout en retenant le majordome qui vacillait sur ses jambes.

— Nous devons examiner les papiers de mon père, en

particulier les lettres de menaces qu'il avait reçues ces derniers temps. Si vous savez quoi que ce soit susceptible de nous aider, je vous en prie, dites-le-nous.

— Assassiné? murmura, abasourdi, le majordome qui paraissait avoir soudain vieilli de plusieurs années.

— Dites au personnel de ne pas s'inquiéter; il n'y aura aucun changement dans la maison, reprit Piers. En revanche, il est important que ce malheur ne soit pas divulgué pour le moment. Les journaux ne l'ont pas encore annoncé et la famille n'a pas été avertie.

Pitt se rendit compte qu'il serait impossible à Thurgood de garder cette nouvelle pour lui; le pauvre homme était tellement sous le choc que les autres domestiques s'apercevraient très vite de son état et lui demanderaient la raison de sa mine défaite.

— Pouvez-vous nous faire préparer un grog bien chaud et nous servir un repas léger vers une heure, dans la bibliothèque? s'enquit Piers. De la viande froide et une salade feront l'affaire.

— Bien, Monsieur. Je suis désolé... Je... je me permets de vous présenter mes condoléances, au nom de tout le personnel, bredouilla Thurgood. Mrs. Greville doit-elle rentrer bientôt? Il faudra prendre des dispositions...

— Je l'ignore, répondit Piers en fronçant les sourcils. Comprenez-moi bien, Thurgood, il s'agit là d'un secret d'État. Seule la gouvernante peut être mise au courant.

Le majordome hocha la tête, mais son expression reflétait la plus totale incompréhension.

Piers précéda Pitt dans la bibliothèque. La pièce était froide, mais un feu avait été préparé. Piers l'alluma, sans prendre la peine de sonner un valet. Dès que le feu eut pris, il se redressa, se dirigea vers le grand bureau de son père et prit les clés qui ouvraient les tiroirs. Dans le premier, Pitt découvrit des factures de tailleurs et de chemisiers; des reçus indiquant l'achat de bottines coûteuses, de boutons de col de chemise en onyx, d'un éventail en ivoire sculpté, d'une boîte à pilules émaillée et de trois petits flacons d'eau de lavande. Ces reçus dataient de moins d'un mois. Pitt songea que Greville était un mari plus attentionné qu'il ne l'aurait cru.

Il resta là, les papiers à la main, à observer la bibliothèque, dont les étagères étaient couvertes de livres reliés de cuir. Aux murs étaient accrochés des tableaux de scènes de chasse en Afrique et une aquarelle représentant la célèbre montagne de la Table dominant la ville du Cap sur laquelle flottait un immense nuage.

Piers, qui fouillait dans un autre tiroir, se releva, plusieurs lettres à la main.

— Je crois que j'ai ce que nous cherchons, dit-il en les tendant à Pitt. Trois sont anonymes et ont un caractère politique.

Pitt lut la première, écrite en majuscules.

NE TRAHISSEZ PAS L'IRLANDE OU VOUS LE REGRETTEREZ. NOUS GAGNERONS NOTRE LIBERTÉ. AUCUN ANGLAIS NE NOUS VAINCRA CETTE FOIS. VOUS TUER NOUS SERA TRÈS FACILE. SOUVENEZ-VOUS-EN.

Le message n'était ni signé ni daté.

La deuxième lettre, rédigée d'une main ferme sur un tout autre registre, était datée et portait l'adresse de l'expéditeur.

Le 20 octobre 1890

Greville,
J'ai horreur d'écrire à un gentleman sur un sujet aussi inconvenant, mais votre attitude ne m'en laisse pas le choix. Je vous prie de cesser immédiatement de courtiser ma femme. Vous savez parfaitement de quoi je parle, aussi n'entrerai-je pas dans les détails.

Si vous la revoyez, en dehors des endroits où deux personnes de la bonne société sont amenées à se rencontrer, je me verrai dans l'obligation d'entamer une procédure de divorce au cours de laquelle votre nom sera cité. Je vous laisse réfléchir aux conséquences d'une action en justice sur votre carrière.

Je n'écris pas cela à la légère. Le comportement de mon épouse m'a fait perdre le respect que j'éprouvais pour elle, et, même si cela me déplaît, je n'hésiterai pas à ruiner sa réputation plutôt que de continuer à être trahi et ridiculisé de la sorte.

En toute franchise,
Gerald Easterwood

Pitt regarda Piers.

— Connaissez-vous une certaine Mrs. Easterwood ?

— Oui, de nom. Je crains que sa réputation ne soit plus à faire.

— Easterwood était-il un ami de votre père ?

— Non. Ils ne fréquentaient pas les mêmes cercles. Mon père...

Il hésita.

— Mon père était un ami loyal. Je ne l'imagine pas ayant une liaison avec la femme d'un homme qu'il estimait.

Pitt parcourut la lettre suivante. Des menaces émanant apparemment de protestants fortunés, voulant à tout prix conserver leurs terres et promettant des représailles au cas où Greville s'aviserait de trahir leurs intérêts.

La quatrième était personnelle.

Mon cher Greville,

Je ne vous remercierai jamais assez de votre générosité. Sans vous, je courrais au désastre, désastre peut-être mérité ; néanmoins, grâce à votre intervention, je survivrai, en essayant de montrer davantage de prudence à l'avenir.

Je reste pour toujours votre débiteur et votre humble et reconnaissant ami,

Langley Osbourne

— Vous le connaissez ? demanda Pitt.

— Non.

Il y avait encore trois lettres. Une de menaces venant d'Irlande, si mal rédigée qu'il était difficile d'en saisir le contenu, mis à part un désir de vengeance mal expliqué. Suivait une description détaillée et haute en couleur de la manière dont Greville serait exécuté s'il trahissait l'Irlande. Mention était aussi faite d'une vieille histoire d'amants irlandais trahis par les Anglais.

La sixième lettre, très longue, émanait d'un ami de longue date, évoquant en termes pompeux la loyauté qu'il convenait de conserver envers leur classe sociale, rappelant des souvenirs communs et assurant Greville d'une affection et d'une confiance inébranlables. D'instinct, Pitt se prit d'antipathie pour l'expéditeur, un certain Malcolm Anders.

La dernière lettre n'avait pas été décachetée ; elle datait de moins de deux semaines. Greville n'avait pas jugé utile de la lire. Il l'avait peut-être reçue un jour où, le feu étant éteint dans la cheminée, il n'avait pas voulu la laisser traîner dans la corbeille à papier ; un domestique trop curieux et sachant un peu lire aurait pu la déchiffrer.

Pitt l'ouvrit avec soin. Une lettre d'une certaine Mary Jane évoquant une relation intime à laquelle, selon l'auteur, Greville avait mis fin brutalement et sans autre explication que l'ennui que la dame lui inspirait. Il y avait dans les mots employés une dureté, un manque de cœur que Pitt trouva détestables.

Ils rendit les lettres à Piers.

— Je comprends pourquoi votre père ne tenait pas compte de ces menaces. Elles proviennent de tous les horizons politiques, catholiques nationalistes ou protestants unionistes. Elles ne nous aident guère. Néanmoins, nous allons les emporter.

— Seulement les lettres de menaces ? murmura Piers.

— Bien entendu. Remettez les autres dans le tiroir et fermez-le à clé. Vous les détruirez plus tard, si nous découvrons qu'elles n'ont aucun rapport avec le décès.

— Mais il n'y a rien de politique dans ces lettres ! Ce sont de... sordides affaires auxquelles apparemment mon père avait mis un terme. Ne voulez-vous pas les brûler tout de suite ? Ma mère n'a pas à connaître tout cela.

— Verrouillez le tiroir et gardez la clé, lui conseilla Pitt. Quand l'enquête sera terminée, vous reviendrez trier le courrier et détruire les papiers compromettants. Bien, occupons-nous des autres tiroirs.

Ils fouillèrent toute la bibliothèque, mais ne trouvèrent rien qui pût faire avancer l'enquête. Les livres rangés sur les étagères éclairaient un peu la personnalité de Greville ; on y trouvait toutes sortes d'ouvrages, allant de la peinture toscane de la Renaissance aux merveilleuses planches d'Audubon sur les oiseaux d'Amérique. C'était manifestement un homme intelligent, à l'esprit curieux. Sur le bureau étaient étalées les pages de brouillon d'une monographie sur la médecine de la Rome antique, écrite dans un style enlevé.

Le majordome leur apporta le déjeuner qu'ils prirent devant la cheminée, en silence. En deux heures, Piers venait d'en apprendre plus sur la vie privée de son père qu'au cours des dix années écoulées. Pitt ne voulut pas interrompre le fil de ses pensées.

À la fin du repas, il décida d'aller interroger le cocher à propos de l'incident qui s'était produit avec l'attelage inconnu.

Il trouva l'homme dans la sellerie, en train de cirer un harnais. La bonne odeur de cuir et de cirage rappela à Pitt sa jeunesse, l'époque où, fils du garde-chasse d'une grande propriété, il croquait des pommes assis dans un coin de l'écurie, en écoutant valets et palefreniers discuter de chevaux et de chiens, avant de monter se coucher dans sa minuscule chambre du pavillon du garde-chasse. Plus tard, après la disgrâce du père de Pitt, injustement accusé de braconnage, Sir Arthur Desmond, le propriétaire du manoir, l'avait recueilli, lui et sa mère.

Ce soir-là, il rentrerait à Ashworth Hall et dormirait

auprès de Charlotte dans un lit à baldaquin entre des draps de lin brodés, avec un bon feu brûlant dans la cheminée. Le lendemain matin, il n'aurait pas à se laver dans une cuvette d'eau glacée qu'il serait allé tirer à la pompe ; il sonnerait un valet, qui lui apporterait de l'eau chaude et lui préparerait un bain. Il descendrait ensuite prendre un copieux petit déjeuner, servi dans de la porcelaine, sur une nappe de lin, en compagnie de gens qui avaient vécu ainsi toute leur existence.

Mais, revers de la médaille, il avait la lourde charge de démasquer l'assassin d'un haut représentant du gouvernement, un homme qu'il n'était pas parvenu à protéger, alors que sa mission consistait précisément à assurer sa protection.

Il resta un instant appuyé contre le mur de l'écurie, respirant l'odeur familière de la paille, écoutant les chevaux hennir et s'ébrouer dans les stalles, puis se présenta au cocher et lui apprit la mort de Greville. Si l'homme était un serviteur loyal, il n'aurait en effet rien dit à un inconnu, sachant son maître en vie.

— Décrivez-moi les circonstances dans lesquelles s'est déroulée l'agression, le jour où un attelage a cherché à renverser celui de Mr. Greville.

Sans cesser de frotter le harnais, le cocher lui raconta l'épisode, d'une voix entrecoupée, cherchant ses mots. Tout comme Greville, il avait remarqué les yeux du conducteur de l'attelage.

— Des yeux de fou, conclut-il en hochant la tête. Très fixes.

— Clairs ou foncés ?

— Très clairs, presque transparents. Jamais vu un regard pareil. Et j'espère que je le reverrai jamais !

— Personne n'a trouvé la provenance des chevaux ?

L'homme baissa les yeux sur le harnais.

— Non. C'est vrai qu'on a pas beaucoup cherché. Si on les avait retrouvés, peut-être que Mr. Greville serait vivant, à l'heure qu'il est. Des malades, ces Irlandais.

Enfin, pas tous, remarquez. La petite Kathleen était une brave fille. Je l'aimais bien. J'ai vraiment été triste de la voir partir.

— Qui était-ce? demanda Pitt.

— Kathleen O'Brien. Elle était servante ici. Elle ressemblait un peu à Doll, en plus brune. Oui, des cheveux noirs, avec ces beaux yeux bleus qu'ont les Irlandaises. Et une voix douce, magnifique. Elle chantait drôlement bien.

— Quand est-elle partie?

Le visage du cocher se ferma.

— Il y a six mois.

— Pour quelle raison est-elle partie? demanda Pitt, qui ne pouvait laisser aucune piste de côté.

La jeune Irlandaise avait peut-être dans son entourage proche — père, frère ou amant — de fervents nationalistes.

— Elle était très bien, Kathleen, bougonna le cocher, tout en continuant à astiquer le harnais. Elle avait rien à voir avec tout ça.

Pitt réitéra sa question.

— Avait-elle une raison de garder rancune aux Greville?

— Désolé, monsieur, j'ai rien à vous dire là-dessus.

Pitt préféra changer de sujet.

— Conduisiez-vous souvent Mr. Greville à Londres?

— Oui, très souvent.

— Connaissez-vous une certaine Mrs. Easterwood?

L'hésitation du cocher, sa façon soudaine d'agripper le harnais ne laissèrent aucun doute à Pitt.

— Y avait-il d'autres femmes comme Mrs. Easterwood?

L'homme ne répondit pas.

— Je respecte votre loyauté, reprit Pitt. Mais il faut que vous sachiez que Mr. Greville n'est pas mort accidentellement. On l'a assommé et noyé dans l'eau de son bain. C'est Doll qui l'a trouvé au petit matin...

Le cocher releva vivement la tête et plissa les yeux.

— Vous n'avez pas à me dire ça ! fit-il d'un ton coléreux. Les gens honnêtes n'ont pas à le savoir...

— Personne n'est au courant, rassurez-vous, fit Pitt en lui tendant un chiffon propre. Mais je veux arrêter l'assassin. Celui-ci n'a pas agi seul ; votre conducteur d'attelage au regard fixe ne se trouve pas à Ashworth Hall. Et à Londres, un policier, père de famille, a été assassiné lui aussi parce qu'il s'intéressait de trop près au problème irlandais. Je veux retrouver ceux qui sont derrière ces deux meurtres, même si pour ce faire je dois apprendre de sordides détails sur la vie privée de Mr. Greville et de ses maîtresses ! Combien en avait-il ?

— Quelques-unes, à Londres, soupira le cocher. Mais jamais les femmes de ses amis. Il aurait jamais fait ça. Seulement celles...

Se souvenant du ton arrogant de la lettre de Malcolm Anders, Pitt termina la phrase à sa place.

— Seulement celles qui ne comptaient pas ?

— Il y a pas de femmes qui comptent pas, monsieur, dit le cocher en soutenant son regard.

— Même les putains ?

L'homme rougit.

— Vous avez pas le droit de traiter une femme de ce nom-là, monsieur. J'ai pas envie d'entendre parler de ça.

— Même les filles comme Kathleen O'Brien, qui couchent avec n'importe qui pour...

La rage et la douleur soudaine qu'il lut dans les yeux de son interlocuteur empêchèrent Pitt de finir sa phrase. Il sut qu'il était allé trop loin.

— Je suis désolé, s'excusa-t-il, comprenant enfin ce qu'avait voulu lui dire le cocher à propos du départ de Kathleen. Une jolie servante, et un maître souverain qui abuse de son pouvoir...

L'homme lui lança un regard noir.

— Kathleen était pas comme ça ! Vous avez pas le droit de dire des choses pareilles !

— Excusez-moi. C'était pure provocation de ma part,

pour vous obliger à dire la vérité. Qu'est devenue Kathleen?

Le cocher était toujours en colère. Il rappelait à Pitt celui de Brackley, le domaine où il avait grandi, un homme loyal et taciturne, honnête jusqu'à la brusquerie, mais très doux avec les enfants et les animaux.

— On l'a accusée de vol et renvoyée. En fait, c'est parce qu'elle avait refusé de se laisser toucher.

Pitt se détendit. Sans s'en rendre compte, il serrait les poings depuis le début de la conversation.

— Est-elle retournée en Irlande?

— Je sais pas. On lui a donné un peu d'argent pour l'aider, la cuisinière, Mr. Wheeler et moi.

— Bien. Tenez-vous toujours à protéger Mr. Greville?

— Non, monsieur, mais je veux pas que Mrs. Greville apprenne toutes ces choses. Y a des dames que ça dérangerait pas, mais elle, ça lui ferait quelque chose. Y a rien de sale en elle, vous comprenez? Vous allez pas lui raconter tout ça, hein?

— Je ne lui dirai que ce que je serai obligé de lui dire, le rassura Pitt, tout en songeant que sa phrase ne signifiait pas grand-chose.

Ils prirent le chemin du retour au crépuscule; le jour tombait rapidement et Pitt remercia le ciel de ne pas être seul pour chevaucher à travers bois. Le temps fraîchissait; le gel lui piquait les narines. Des branchages cassaient sous les sabots de son cheval dont l'haleine se devinait dans l'obscurité.

Une heure et demie plus tard, ils aperçurent les lumières d'Ashworth Hall et se rendirent directement à l'écurie. Dans le passé, Pitt dessellait lui-même son cheval, le promenait au pas dans la cour avant de le faire entrer dans sa stalle pour le bouchonner et lui donnait du foin et de l'eau. Il se sentit vaguement coupable de laisser les rênes au palefrenier et de quitter l'écurie aussi vite. Ce simple geste lui rappelait à quel point il était loin de ses origines. Piers, lui, laissa sa monture aussi simplement qu'un homme ôte sa veste en rentrant chez lui.

Pitt frotta les semelles de ses bottes sur le racloir de fer forgé avant d'entrer dans le manoir par une porte de côté. Un valet attendait dans le hall, prêt à le servir.

— Désirez-vous quelque chose, monsieur ? Une tasse de thé ? Un verre de whisky ? Un vin chaud à la cannelle ?

— Un thé fera l'affaire, je vous remercie. Mr. Radley est-il encore en réunion ?

— Non, monsieur. Elle est terminée pour aujourd'hui. Ces messieurs avaient l'air contents.

Le valet se tourna alors vers Piers.

— Et vous, monsieur ? Désirez-vous quelque chose ?

— Je voudrais bien du thé, moi aussi. Je vais aller voir Miss Baring. Savez-vous où elle se trouve ?

— Avec votre mère, monsieur, dans le boudoir bleu.

— Merci, dit Piers, en se précipitant dans l'escalier.

— Je boirai mon thé à l'étage, précisa Pitt au valet. Et je crois que je prendrai un bain avant de souper.

— Bien, monsieur. Je vais vous le faire préparer.

Quelle ne fut pas la surprise de Pitt de voir Tellman entrer dans la salle de bains avec des seaux d'eau chaude !

— J'ai appris des choses intéressantes, expliqua Pitt en défaisant sa cravate.

Tout en se déshabillant derrière le paravent, il lui parla des maîtresses de Greville, de Kathleen O'Brien et de son renvoi.

Tellman, les mains dans les poches, se tenait devant la table de marbre sur laquelle étaient disposés les sels de bain et les savons.

— Greville avait donc beaucoup d'ennemis, dit-il d'un ton pensif. Mais les servantes abusées ne reviennent pas assassiner leur maître. Si elles le faisaient, la moitié des aristocrates anglais seraient déjà morts...

— Une manière efficace de mettre un terme aux viols

des domestiques, remarqua Pitt qui entra dans l'eau en frissonnant.

Il se sentait las et courbaturé. L'eau chaude lui fit du bien et il s'enfonça avec délices dans la mousse parfumée.

— Si cette Kathleen O'Brien a des accointances dans les milieux nationalistes, elle a pu leur livrer des informations. Dieu sait qu'elle avait de sérieuses raisons de se venger de Greville.

Tellman ouvrit un flacon de sels de bain, respira par curiosité et fronça le nez d'un air dégoûté.

— C'est l'une des personnes qui résident actuellement dans ce manoir qui a tué Greville, souligna-t-il en reposant le flacon.

Pitt n'avait d'autre choix que d'aller voir Eudora. Il sortit de son bain, s'habilla et alla frapper à la porte de ses appartements. Ce fut Justine qui lui ouvrit.

— Entrez, Mr. Pitt.

Elle était vêtue d'une robe d'un violet profond ; en dépit de son extrême minceur, sa grâce fragile donnait une impression de force, comme en ont les danseuses, songea Pitt, qui comprenait aisément la fascination qu'elle exerçait sur Piers.

Eudora, assise dans une bergère, tout près de la cheminée, leva vers Pitt un regard vide, comme si elle s'attendait à cette visite, nécessaire mais ennuyeuse. Justine referma la porte et Pitt alla directement prendre place en face d'Eudora.

En revenant d'Oakfield House, il avait songé à la façon la moins pénible de lui annoncer ce qu'il avait appris et surtout à ce qu'il allait devoir lui cacher. Plus il observait son beau visage, éclairé par les flammes de la cheminée, plus il méprisait Greville pour ses misérables tromperies. Bien sûr, il ignorait tout d'elle : était-elle froide, critique, distante, murée dans son silence face à son époux ?

— Mrs. Greville, commença-t-il, j'ai parcouru les lettres que votre mari conservait dans le tiroir de son bureau. Je comprends pourquoi il ne nous les a pas mon-

trées. Il s'agit de menaces, vagues et anonymes.
N'importe qui peut les avoir écrites.

— Donc, vous n'avez rien trouvé d'important ?

Au son de sa voix, on n'aurait su dire si elle était déçue
ou soulagée.

— Dans ces lettres-là, non. Mais il y en avait d'autres.

— Ah ? Ainsley ne m'a pas parlé d'autres lettres...

— Il voulait certainement vous éviter des soucis, dit
Justine en s'avançant vers la cheminée.

Eudora lui sourit. Manifestement, des liens s'étaient
déjà créés entre les deux femmes. Elles ne se connaissaient que depuis peu, mais Justine semblait très affectée
par la disparition de Greville.

— Vous souvenez-vous d'une servante nommée Kathleen O'Brien ? demanda Pitt à brûle-pourpoint.

Eudora réfléchit.

— Kathleen ? Oui... Une jolie jeune femme. Irlandaise,
bien sûr.

Elle fronça les sourcils.

— Vous pensez... qu'elle pouvait avoir des relations
avec des Fenians ? Elle était originaire du sud de l'île. Elle
paraissait très douce, pas du tout enflammée par des idées
nationalistes. Vous croyez qu'elle leur aurait fourni des
informations nous concernant ? Vraiment, je n'y crois pas.
Et puis, elle nous a quittés depuis longtemps... Non, je
n'accuserai pas Kathleen, Mr. Pitt, avant d'avoir des
preuves de sa culpabilité.

— Pourquoi a-t-elle quitté votre service, Mrs. Greville ?

Eudora hésita. Pitt sentit qu'elle allait mentir avant
même qu'elle n'ait ouvert la bouche.

— Des problèmes familiaux, je crois. Elle est repartie
en Irlande.

— Non, Mrs. Greville. Elle a été accusée de vol.

Justine se raidit, mais son expression demeura impéné-
trable.

— Je ne crois pas qu'elle ait commis de vol, répondit

Eudora, évitant le regard de Pitt. Il s'agissait d'un malentendu. Je voulais...

Elle s'interrompit.

Était-elle au courant de ce qui s'était passé? Pitt devait-il la blesser davantage en salissant la mémoire de son mari? Elle paraissait si fragile, si sensible. Il jugea préférable de se taire.

Justine se rapprocha d'Eudora et fit face à Pitt.

— Vous ne pensez pas que cette fille puisse être mêlée à cette affaire, n'est-ce pas? dit-elle avec calme. Même si elle est retournée en Irlande et qu'elle partage les idées des nationalistes, qu'aurait-elle pu leur apprendre d'intéressant?

— Vous avez raison, concéda Pitt, avant de s'adresser à nouveau à Eudora. Mrs. Greville, connaissez-vous Mrs. Easterwood?

— Très vaguement.

Son expression démentait son ton prudent. Soit elle soupçonnait son mari, soit elle connaissait la réputation de cette femme. En tout cas, elle ne l'aimait pas.

Sentant sa nervosité, Justine posa la main sur le dossier du fauteuil d'Eudora, comme pour la protéger.

— Pensez-vous que cette personne ait pu donner des renseignements sur les allées et venues de Mr. Greville, Mr. Pitt? demanda-t-elle d'un ton poli, mais très ferme. Pourrait-elle vous mener jusqu'à l'assassin? Car le meurtrier n'est pas un intrus, n'est-ce pas? Ce crime, dont le but était de saborder la conférence, a été perpétré par des gens qui veulent imposer leurs idées, et qui ne sont pas favorables à la paix en Irlande.

— Je le sais, Miss Baring.

Il comprenait son désir de protéger Eudora. Avait-elle deviné que la vie privée de Greville n'était pas celle d'un bon père de famille et qu'Eudora souffrirait beaucoup d'entendre le récit de ses frasques?

Une nouvelle hypothèse, beaucoup plus complexe, lui vint à l'esprit : si Eudora soupçonnait la cause réelle du départ de Kathleen O'Brien et était au courant des multiples liaisons de son époux, elle avait de bonnes raisons de haïr celui-ci. Son frère, Padraig Doyle, pouvait voir là une nouvelle illustration de la trahison des Irlandais par les Anglais. Avait-il décidé de se venger et de venger sa sœur, sous couvert d'un acte politique ? Personne ne s'était introduit par effraction dans Ashworth Hall. Doyle avait-il servi de bras criminel aux Fenians ? Sa parenté avec Greville ne le mettait pas à l'abri des soupçons.

— Mrs. Greville, reprit-il d'une voix douce, j'ai découvert par certaines lettres, puis j'ai eu confirmation par votre cocher, bien contre son gré, que votre époux avait plusieurs maîtresses. Vous m'en voyez désolé. Je n'en dirai pas davantage, sauf si vous le souhaitez.

Justine se raidit et toisa Pitt avec dédain. Eudora, très pâle, cherchait ses mots. Mais, dans son regard, Pitt lut plus de crainte que de chagrin.

— Les hommes ont leurs faiblesses, Mr. Pitt. Surtout ceux qui ont une vie publique. La tentation croise souvent leur chemin ; ils ont besoin d'oublier le fardeau de leurs responsabilités. Ces brèves rencontres n'ont qu'une importance relative. Une épouse sensée apprend très vite à les ignorer. Ainsley ne m'a jamais mise dans une situation embarrassante. Il était discret. Il ne courtisait pas mes amies. Toutes les épouses n'ont pas cette chance.

— Et Kathleen O'Brien ? demanda Pitt, bien à contrecœur.

— Vous venez de dire qu'il s'agissait d'une domestique ! le coupa Justine avec mépris. Suggérez-vous que Mr. Greville se serait abaissé à courtiser une servante, Mr. Pitt ? Vous insultez sa mémoire !

Eudora tourna la tête et leva les yeux vers elle.

— Chère Justine, je ne vous remercierai jamais assez de l'aide que vous m'apportez dans ces moments difficiles, mais je pense que vous devriez aller retrouver mon fils. Il doit être bouleversé par tous ces événements. J'irais volontiers le voir, mais il préférera sûrement votre présence, ajouta-t-elle avec une pointe de regret. Veillez à ce qu'on lui monte une collation. Il doit avoir faim, après cette longue randonnée à cheval.

Justine inclina la tête, acceptant de se retirer avec grâce.

Après son départ, Eudora se pencha un peu plus vers la cheminée ; la lueur jaune des flammes éclairait son beau profil. Pitt voyait l'ombre de ses cils sur sa joue.

Il n'avait d'autre choix que de se montrer brutal.

— Kathleen O'Brien était-elle une voleuse, madame ?

— Non... je ne crois pas, chuchota-t-elle.

— Elle a donc été renvoyée parce qu'elle refusait de céder aux avances de votre époux ?

— C'est vrai... en partie... Elle avait un caractère... difficile.

Pitt sentit qu'elle n'en dirait pas plus. Curieusement, il lui trouvait une certaine ressemblance avec Charlotte, sans doute à cause de sa silhouette, de son teint, de ses cheveux ; mais elle était beaucoup plus fragile.

— Votre frère, madame, était-il au courant des frasques de Mr. Greville ?

— Je ne lui en ai jamais parlé, répondit-elle vivement. On ne parle pas de ces choses-là. Ce n'est pas correct.

Sa voix était rauque, proche des larmes.

Pitt pensa à tout ce qu'elle venait d'endurer au cours de ces derniers jours : la pression qui avait pesé sur Greville avant et pendant la conférence, les menaces de mort, puis l'arrivée de Piers venant annoncer ses fiançailles, sans avoir prévenu ni consulté ses parents. Le lendemain, Greville était assassiné. Aujourd'hui, Pitt l'obligeait à ouvrir les yeux et à admettre que son mari la trompait. Pourtant, elle demeurait calme et polie ; d'autres à sa place auraient pleuré, crié, tempêté, l'accusant de se montrer inutilement cruel. Il détestait l'idée d'être la cause de sa souffrance ; cependant, il n'était pas exclu que Padraig Doyle ait assassiné son beau-frère. La façon dont Greville traitait son épouse donnait à Doyle de bonnes raisons de se libérer des liens familiaux qui entravaient sa liberté d'action politique : Doyle était catholique, certes modéré, mais néanmoins favorable aux thèses nationalistes. Parmi toutes les personnes présentes à Ashworth Hall, il était certainement celle en qui Greville avait le plus confiance; ce dernier n'aurait pas été étonné de le voir entrer dans la salle de bains.

— Arrive-t-il à votre frère de séjourner à Oakfield House?

— Non. Voilà des années qu'il n'est pas venu.

— Et à Londres?

— Il nous rend parfois visite. Nous recevons beaucoup. Mon mari occupe... occupait un poste important au gouvernement.

— Vous-même, retournez-vous parfois en Irlande?

Elle hésita.

— Oui. C'est ma terre natale. J'y vais de temps en temps.

Pitt ne lui en demanda pas davantage. Elle avait très bien compris le sens de ses questions.

— Je suis navré de vous avoir parlé de tout cela, Mrs. Greville, reprit-il après un long silence. Je regrette de ne pas avoir simplement brûlé ces lettres. Mais je mène une enquête criminelle...

— Je comprends, murmura-t-elle. Enfin, je crois comprendre.

Elle releva brusquement la tête.

— Mr. Pitt, mon fils a-t-il lu ces lettres?

— Oui, madame. Mais il n'était pas présent pendant que je parlais au cocher. Il n'est au courant de rien pour Kathleen O'Brien.

— Je souhaiterais qu'il n'en apprenne pas davantage. Ainsley était son père...

— Bien entendu. Je n'ai aucun désir de salir la réputation de Mr. Greville, surtout aux yeux de son fils.

Elle eut un faible sourire.

— Je n'envie pas votre métier, Mr. Pitt. Vous avez une mission bien difficile.

Elle soutint longuement son regard, puis détourna la tête et se perdit dans la contemplation des flammes.

CHAPITRE VI

Emily, épuisée, eut un sommeil très agité et s'éveilla à l'aube, avant même le lever des bonnes ; elle resta allongée dans le noir pour calmer une migraine lancinante, à ressasser les événements des dernières journées, et redoutant celle à venir. Sa seule consolation était de savoir ses deux enfants, Edward et la petite Evangeline, bien en sécurité dans leur résidence londonienne, sous la garde de leur gouvernante.

Finalement elle se leva, but plusieurs tasses de thé et prit le bain chaud, parfumé à la lavande, que lui avait préparé Gwen, sa femme de chambre. Après que celle-ci l'eut habillée et peignée, Emily se regarda dans le miroir de sa psyché : le bleu canard de la robe rehaussait son teint clair et ses boucles blondes et sa coupe, du dernier cri, soulignait l'élégance de sa silhouette.

Tout en se préparant, elle pensait à Jack, qui avait accepté la présidence de la conférence, faisant fi du danger qu'il courait ; si des gens avaient été jusqu'à tuer Greville pour empêcher les pourparlers d'aboutir, ils seraient certainement prêts à éliminer son remplaçant à la première occasion.

Et Pitt qui ne faisait rien pour le protéger, sinon coller cet inspecteur au visage lugubre toute la journée sur ses talons. Comme si cela pouvait servir à quelque chose !

Selon elle, la seule initiative à prendre aurait dû être la suspension des débats jusqu'à la fin de l'enquête criminelle, et le renforcement de la présence policière au manoir. Étant donné la gravité de l'affaire, Cornwallis aurait tout de même pu se déplacer jusqu'à Ashworth Hall!

Emily sentit la panique la gagner. Elle se représenta Jack mort, livide, paupières closes; sa gorge se noua, les larmes lui vinrent aux yeux et elle fut prise de nausée. À quoi bon se dire que cela n'arriverait pas? Aujourd'hui, Eudora Greville était veuve. Demain, le serait-elle à son tour? D'une main tremblante, elle piqua une broche à sa robe, réalisant à quel point elle aimait Jack. Elle l'aimait pour son charme, sa gentillesse, son humour, son courage. Et elle le maudissait d'avoir accepté ce rôle de médiateur, tout en sachant au fond d'elle-même qu'à sa place elle aurait agi comme lui. Mieux, elle l'aurait sans doute méprisé s'il avait refusé la proposition de Cornwallis.

À peine Gwen eut-elle quitté la pièce que Jack apparut sur le pas de la porte. Il s'approcha d'elle, croisa son regard dans la glace et lui sourit, puis se pencha et l'embrassa dans le cou en prenant soin de ne pas déranger sa coiffure.

Emily se retourna vivement.

— Jack... promettez-moi d'être prudent. Je sais que la présence permanente à vos côtés de l'inspecteur Tellman vous est pénible, mais il faut la supporter.

Elle se leva et, d'un geste mécanique, lissa les revers de sa veste, enlevant un grain de poussière imaginaire.

— Cessez de vous inquiéter inutilement, Emily. Personne ne va attenter à ma vie.

— Qu'en savez-vous? Ne peut-on pas repousser la tenue de cette conférence à plus tard, à Londres?

— Pour qu'un autre que moi en obtienne la présidence? dit-il d'un ton amusé, mais Emily lut dans son regard que ses paroles l'avaient blessé.

— Non, mais votre sécurité y serait mieux assurée, se reprit-elle.

— Thomas se chargera tout aussi bien de ma protection ici. Ne vous faites pas de souci pour moi. Tâchez d'empêcher Kezia et Iona de se crêper le chignon et occupez-vous de cette pauvre Eudora... Charlotte vous aidera, bien entendu.

— Bien entendu, répéta-t-elle en écho, avec un frisson d'inquiétude, en songeant que sa sœur n'était pas toujours un modèle de tact et de doigté !

Curieusement, le petit déjeuner se passa plutôt bien, en dépit de la tension régnante. Les hommes, pressés de retourner à leurs discussions, quittèrent la table au moment où les femmes arrivaient, ce qui permit à Kezia d'éviter son frère ! Fergal et Iona échangèrent un long regard en se croisant sur le seuil, sans prononcer un seul mot. Eudora était restée dans sa chambre. Par bonheur, Justine, très maîtresse d'elle-même, parvint à entretenir une conversation agréable, au grand soulagement d'Emily.

À l'office, celle-ci eut, en revanche, fort affaire avec le personnel : Dilkes, le majordome, se plaignait de ne pouvoir se faire obéir des domestiques des invités, qui prenaient désormais leurs repas à part. Les lingères se disaient débordées, car l'une d'entre elles était au lit avec des vapeurs. La camériste de Miss Moynihan s'était querellée avec la femme de chambre de Mrs. McGinley ; au cours de la dispute, un seau d'eau savonneuse avait été renversé sur le parquet de la lingerie. Doll, la camériste d'Eudora Greville, était tellement bouleversée qu'elle oubliait ce qu'elle avait à faire, contraignant Gracie à tout reprendre après elle — quand bien sûr cette dernière n'était pas occupée à regarder, écouter ou chercher Finn Hennessey !

Mais ce fut la cuisinière, Mrs. Williams, qui se montra la plus virulente.

— C'est pas mon travail, la cuisine ordinaire ! s'indigna-t-elle. Je suis payée pour faire de la grande cuisine, moi! Vous voulez une oie rôtie et un diplomate pour le dîner? Comment voulez-vous que je m'en occupe, puisque je suis obligée de courir après les deux nigaudes qui sont supposées m'aider? Y en a une qui n'arrête pas de larmoyer et l'autre se cache dans le placard sous l'escalier parce qu'elle croit voir des diablotins partout! Et ce majordome qui veut m'apprendre à maintenir l'ordre dans ma propre cuisine! Ça va pas se passer comme ça, Mrs. Radley, c'est moi qui vous le dis!

— Qui se cache dans le placard sous l'escalier? demanda Emily.

— Georgina. C'est pas un nom pour une fille de cuisine, ça! Je lui ai dit que si elle sortait pas de son trou dans la minute, j'irais la chercher moi-même et que c'était pas ses diablotins qu'elle aurait à craindre, mais mon martinet! C'est pas à moi de m'occuper des légumes, des gâteaux de riz et de la crème anglaise, alors que j'ai du chevreuil, du turbot, des tartes aux pommes à préparer! Ah, on peut dire que vous mettez une honnête cuisinière dans un beau pétrin, Mrs. Radley!

Emily se retint à grand-peine de lui dire son fait. Avec une dizaine d'invités sous son toit, elle ne pouvait se permettre de renvoyer la cuisinière; par ailleurs, il était hors de question de perdre la face devant elle; la moindre faiblesse de sa part ouvrirait la porte à toutes sortes d'ennuis.

— Nous sommes tous dans un beau pétrin, comme vous le dites, Mrs. Williams, répliqua-t-elle en s'efforçant de garder une expression aimable. Nous avons tous peur. Mais je tiens à ce que la maison se sorte honorablement d'une situation aussi délicate; nos invités doivent se souvenir du bon accueil qu'ils ont reçu à Ashworth Hall. Le reste demeurera associé aux problèmes politiques de l'Irlande...

Mrs. Williams renifla.

— Bon... Puisque vous le dites... Encore que je me demande quels bons souvenirs ils vont garder d'Ashworth Hall.

— Votre cuisine, par exemple, Mrs. Williams. Elle est excellente ! C'est à l'épreuve du feu que l'on distingue un vrai cordon-bleu d'une cuisinière ordinaire et que l'on remarque les gens courageux, inventifs et disciplinés, comme vous.

Mrs. Williams se redressa, flattée.

— Vous avez marqué un point, Mrs. Radley. Nous n'abandonnerons pas le navire par mauvais temps. À présent, si vous voulez bien m'excuser, le travail m'attend. Surtout s'il faut que je fasse celui de cette bonne à rien de Georgina.

— Oui, je comprends, fit Emily. Encore merci.

Elle monta dans le salon, à l'étage, et y trouva Justine parlant avec Kezia et Iona. L'atmosphère était tendue, mais demeurait courtoise. Kezia concentrait sa colère sur son frère. Charlotte avait expliqué à Emily les causes de ce ressentiment et Emily s'était dit que, dans les mêmes circonstances, elle aurait éprouvé la même fureur que Kezia.

— Je pensais aller me promener, fit Iona en regardant par la fenêtre. Mais le ciel est gris et il fait froid.

— Quelle excellente idée ! s'exclama Justine en se levant. L'air frais nous fera du bien et nous serons de retour avant le déjeuner.

Iona regarda la pendule posée sur la cheminée : elle indiquait onze heures moins vingt.

— Mais nous avons deux heures devant nous ! Nous aurions presque le temps d'aller jusqu'à Londres !

Justine sourit.

— Il y a beaucoup de vent et nos longues robes nous empêchent de marcher vite.

— À propos, avez-vous essayé ces *bloomers*[1] ? demanda Kezia avec vivacité. J'adorerais le faire. Ils ont l'air si pratiques, bien qu'un peu indécents.

1. Sorte de pantalon large s'arrêtant aux genoux, mode lancée au milieu du XIXe siècle par une féministe américaine, Amelia Bloomer. (*N.d.T.*)

— Êtes-vous déjà montées sur un vélocipède, mesdames ? s'empressa de renchérir Emily, voyant là un sujet de conversation sans danger. Il en existe plusieurs modèles. Ce doit être très excitant !

Quel cauchemar que de devoir se creuser la cervelle pour trouver un banal sujet de conversation ! On parla donc durant quelques minutes des vertus des vélocipèdes, puis Justine et Iona quittèrent le salon pour aller chercher un châle et une canne. Emily demeura seule en compagnie de Kezia ; au bout d'une demi-heure, elle s'excusa et partit à la recherche de sa sœur. Pourquoi Charlotte n'était-elle pas là au moment où l'on avait besoin d'elle ? Elle devait pourtant savoir qu'Emily comptait sur son aide. Cette idiote était sans doute allée réconforter Eudora Greville, comme si on pouvait réconforter une femme dont le mari vient d'être assassiné !

En entrant dans le boudoir qu'elle avait réservé à Eudora, Emily fut surprise d'y trouver, non Charlotte, mais Pitt, occupé à ranimer les braises de la cheminée. Eudora était assise dans un fauteuil.

— Bonjour, Mrs. Greville, fit Emily avec douceur. Comment allez-vous ? Bonjour, Thomas. Vous auriez dû appeler un valet pour entretenir le feu.

Pitt se redressa en grimaçant, encore tout courbaturé par son équipée équestre.

— Bonjour, Mrs. Radley, répondit Eudora avec un faible sourire.

Elle paraissait avoir dix ans de plus que le jour de son arrivée à Ashworth Hall. Son teint et ses cheveux avaient perdu leur éclat, ses paupières étaient gonflées par le manque de sommeil.

— Avez-vous un peu dormi ? s'inquiéta Emily. Ma camériste vous préparera ce soir un bain à la lavande et vous apportera une tisane de camomille...

— Merci, dit Eudora d'un ton absent, sans cesser de regarder Pitt, qui semblait épuisé et soucieux.

— Voulez-vous une verveine ? reprit Emily. Ou une infusion de sauge ? J'aurais dû y penser plus tôt.

— Merci, Doll s'en occupera, répondit Eudora, les yeux toujours fixés sur Pitt. C'est très gentil à vous de me l'avoir proposé. Vous avez tant à faire...

— Y a-t-il autre chose que je puisse vous offrir ? insista Emily.

Eudora se tourna enfin vers elle.

— Pardonnez-moi. J'ai subi un tel choc, je ne parviens pas à fixer mes idées. Tant de choses ont changé si brutalement...

— Je comprends, murmura Emily. J'ai moi aussi subi pareille épreuve à la mort de mon premier mari. Je vais vous faire monter une tisane et des toasts beurrés. Il faut vous restaurer un peu.

Elle prit congé, se demandant pourquoi Pitt préférait réconforter Eudora plutôt que mener son enquête. Charlotte aurait pu le faire à sa place. Mais où diable était-elle ? Dans le jardin d'hiver, peut-être. Alors qu'elle descendait l'escalier, Emily vit le majordome entrer dans le grand salon, un plateau à la main et, par la porte entrouverte, entendit des éclats de voix passionnés. Les débats avaient repris.

En traversant le hall, elle tomba sur Charlotte, qui revenait du jardin, les cheveux ébouriffés et les joues rosies par le vent.

— Mais que faisais-tu donc ? lança Emily sèchement. Je te cherche partout !

— Je suis allée me promener. Pourquoi, c'est interdit ?

— Seule ?

— Oui, pourquoi ?

— Comment cela, pourquoi ? explosa Emily. Greville a été assassiné par Dieu sait qui, Thomas passe son temps à réconforter la veuve au lieu de s'occuper de la sécurité de

Jack ou de chercher le meurtrier, nos invités sont à deux doigts d'en venir aux mains, la cuisinière menace de rendre son tablier, les bonnes se cachent sous l'escalier, et, pendant ce temps, madame se promène dans le jardin ! Après ça, elle ose me demander pourquoi je ne suis pas contente ! As-tu perdu l'esprit ?

Charlotte pâlit, puis rougit sous l'affront.

— J'avais besoin d'être seule pour réfléchir, dit-elle avec froideur. Réfléchir est parfois plus utile que s'agiter en tous sens pour donner l'impression de faire quelque chose.

— Ah, parce qu'en plus tu penses que je m'agite inutilement, avec tout ce que j'ai à faire dans cette maison ! Quel toupet ! Je croyais pouvoir au moins compter sur toi pour t'occuper de Kezia et de Iona.

— Justine se trouvait avec elles.

Emily brandit la main en direction de l'escalier.

— Et Thomas qui est là-haut, avec Eudora Greville, au lieu de protéger Jack, tu trouves cela normal ?

— Il doit être en train de l'interroger, riposta Charlotte, glaciale.

— Pour l'amour du ciel, il ne s'agit pas d'un crime passionnel ! Si Eudora savait quelque chose, elle l'aurait dit. Non, l'assassin est l'un des participants à la conférence.

— Oui, mais lequel ? Pourquoi pas Padraig Doyle ? Si c'est lui, il est normal qu'Eudora cherche à le protéger, puisque c'est son frère. Y avais-tu pensé ?

Emily, prise au dépourvu, éluda la question.

— Écoute, reprit-elle d'un ton radouci, va parler à Kezia. Elle est seule dans le petit salon. Tu pourrais peut-être la persuader de se réconcilier avec son frère. Lui faire la guerre ne la mènera nulle part.

Sur ces paroles, Emily redressa les épaules et marcha d'un air digne vers la grande porte matelassée de vert qui séparait le vestibule du quartier des domestiques.

Gracie eut une matinée chargée. Elle commença par donner un coup de fer aux toilettes de Charlotte, puis emprunta le dédale de couloirs qui menaient à la blanchisserie, pour y laver son propre linge. Elle y trouva Doll, qui examinait la semelle d'un fer à repasser tout en marmonnant entre ses dents.

— Comment va Mrs. Greville ? demanda Gracie.

Doll soupira.

— Elle ne sait plus trop où elle en est, la pauvre. Mais comme on dit, ça ne va faire qu'empirer avant d'aller mieux. Peux-tu me passer la cire d'abeille et la pierre ponce ?

— La quoi ?

— La pierre ponce. Et du gros sel, aussi. Il faut que je nettoie ce fer avant de repasser une combinaison.

Elle regarda le fer d'un œil critique. Le second fer chauffait sur le poêle.

— Mr. Pitt est très intelligent, dit Gracie, cherchant à la réconforter. Il découvrira tout ce qu'on peut savoir, il arrêtera l'assassin et il le mettra en prison.

Doll leva vivement les yeux vers elle, le regard inquiet, la main crispée sur la poignée du fer.

— Il n'a pas besoin de tout savoir, dit-elle en allant chercher le second fer sur le poêle.

Elle commença à repasser un jupon, d'un lent mouvement de va-et-vient, en pesant de tout son poids sur le tissu pour bien effacer les plis.

— Il devine beaucoup de choses, rien qu'en regardant faire les gens. Tu verras, il finira par attraper l'assassin.

Doll frissonna et détourna les yeux. Elle cessa de repasser.

— Faut pas avoir peur, murmura Gracie en s'approchant d'elle. Mr. Pitt est très gentil. Il a jamais fait de mal à quelqu'un qui le mérite pas et il a pas l'habitude de répéter ce qu'on lui raconte. Oh, attention...

Doll baissa les yeux vers la table à repasser et se rendit

compte qu'elle avait laissé le fer brûlant sur le jupon. En voyant le coton tout bruni, elle se mit à pleurer.

Gracie lui prit le fer des mains et le posa sur le poêle.

— Il doit y avoir moyen de faire disparaître la tache, déclara-t-elle avec plus d'assurance qu'elle n'en éprouvait. Y a toujours une solution à tout.

— Mr. Wheeler, le valet de Mr. Greville, m'a dit que Mr. Pitt était allé à Oakfield House hier, reprit Doll en reniflant. Pour quoi faire? Je ne comprends pas. C'est quelqu'un d'ici qui l'a tué.

— Oui, je sais, répondit Gracie. Alors, comment on fait pour enlever une tache de brûlé? Faut se dépêcher, avant qu'il soit trop tard.

— Du jus d'oignon, de l'argile savonneuse, du savon blanc et du vinaigre, récita Doll d'un ton absent. Le mélange doit déjà être prêt. Tiens, regarde là-haut...

Elle désigna un grand pot sur l'étagère, rangé au milieu de bocaux de son, de riz pour l'amidon, de borax, de savon en paillettes. Il y avait aussi des chandelles de suif, utilisées pour ôter les taches d'encre. Gracie attrapa le pot à deux mains et le lui tendit. Il était très lourd. Les brûlures au fer devaient être fréquentes!

Quelque chose dans la tristesse de Doll l'intriguait. Gracie ressentit le besoin d'en savoir davantage, pour aider cette jeune femme qu'elle aimait bien, et aussi parce qu'elle savait peut-être quelque chose d'important. Mais elle en fut empêchée par l'arrivée d'une petite lingère venue repasser une nappe en lin pour le dîner. Celle-ci entreprit de leur raconter ce que le chef palefrenier avait dit à Maisie et ce qu'en avait pensé Tillie, qui s'était confiée au cireur de chaussures qui s'était empressé de le raconter à tout le monde.

Au milieu de la matinée, Pitt monta se changer. Gracie avait pensé à cirer ses bottes, Tellman étant occupé ailleurs; de toute manière, ce grand dadais était incapable de faire ces choses-là correctement! Pour rien au monde,

Gracie n'aurait laissé Pitt sortir du manoir moins bien habillé que ces messieurs.

Il prit un pardessus et un chapeau, emprunté à Mr. Radley, et monta dans le fiacre qui devait le conduire à la gare pour prendre le train de dix heures quarante-huit. Gracie savait qu'il ne s'agissait pas d'un voyage d'agrément : Pitt se rendait à Londres pour rencontrer le préfet de police adjoint et lui expliquer les circonstances de l'assassinat de Mr. Greville.

Elle voulut lui dire un mot gentil, mais il ne lui vint à l'esprit que des phrases creuses ou déplacées. Et Madame qui n'était même pas là pour lui dire au revoir ! Elle devait encore s'occuper de cette Kezia Moynihan, celle qui faisait tout le temps des histoires, avec son caractère de cochon. Si toutes les réceptions à la campagne ressemblaient à celle-ci, conclut Gracie en son for intérieur, c'était bien étonnant que les gens continuent à s'y rendre !

Elle décida de jeter le bouquet du dressing, dont les fleurs commençaient à piquer du nez, sans doute à cause de la trop grande chaleur qui régnait dans la pièce. Ensuite elle alla demander au jardinier l'autorisation d'en cueillir quelques-unes au jardin. N'importe quelles fleurs feraient l'affaire, même des feuillages, pourvu qu'ils fussent verts et brillants.

Elle obtint la permission de cueillir une douzaine de tiges dans la serre froide. Cette sortie fut pour elle l'occasion de mettre pour la première fois le joli manteau que Charlotte venait de lui offrir.

Elle traversait le jardin d'herbes aromatiques quand elle aperçut Finn Hennessey, de dos, qui observait un chat blanc et roux rampant silencieusement sur le mur du jardin, vers la branche d'un pommier dans lequel il avait repéré un moineau.

Gracie redressa le menton ; elle voulait attirer l'attention de Finn, mais sans en avoir l'air. Elle ne savait pas minauder, comme le faisaient les autres bonnes, qui jouaient des hanches et faisaient les yeux doux aux garçons le plus naturellement du monde ; mais elles, elles n'avaient rien à faire de sérieux. Des bêtasses qui pouffaient de rire pour un rien et auraient été bien en peine de résoudre une énigme, même si elles avaient eu la solution sous leur nez !

Elle arriva à la hauteur de Finn, frustrée de passer à côté de lui sans dire un mot ; mais, pour rien au monde, elle ne se serait abaissée à faire un numéro qui n'aurait même pas trompé un enfant de six ans.

À ce moment, le chat prit son élan, fit un grand bond et s'agrippa à l'écorce de l'arbre, glissa, mais parvint à se raccrocher par les griffes et à ramper sur la branche où était posé l'oiseau. Trop tard, celui-ci s'était envolé.

Gracie poussa un petit cri involontaire ; en l'entendant, Finn se retourna. Son visage s'éclaira à la vue de la jeune fille.

— Bonjour, Gracie Phipps. Vous êtes venue chercher du persil et de la ciboulette ?

— Non, Mr. Hennessey. Je suis venue cueillir des fleurs. J'ai dû jeter les nôtres, qui étaient fanées.

— Je les porterai pour vous, dit-il en lui emboîtant le pas.

— Oh, mais j'en prendrai pas beaucoup. Le jardinier a dit que je pouvais en cueillir une douzaine dans la serre froide. Mais vous pourrez quand même les porter, si vous voulez.

— Cela me ferait très plaisir, dit-il en souriant.

Ils marchèrent côte à côte dans l'allée, passèrent le portail, longèrent la haie de buis et se dirigèrent vers les serres, dont les panneaux vitrés reflétaient le gris du ciel.

La terre était sombre et humide, bien fumée, prête à recevoir les plantations d'automne qui fleuriraient au printemps. Les toiles d'araignées scintillaient entre les branchages des haies. Un aide-jardinier coupait les hampes mortes de grands lis et les déposait dans sa brouette. Il faisait un froid sec et Gracie se réjouissait d'avoir mis son joli manteau bien chaud.

— On sent venir l'hiver, déclara Finn d'un air heureux. J'aime les feux de bois dehors, les brindilles qui craquent sous vos pieds, le givre qui rend votre haleine toute blanche...

Il la regarda de côté, se maintenant à sa hauteur.

— Ce serait agréable de se promener par un beau matin d'hiver avec l'air glacé qui vous pique le nez, les branches des arbres dénudées qui se balancent au vent, le long d'un chemin bordé de haies toutes pleines de baies bien rouges, et de marcher aussi longtemps qu'on en a envie...

Gracie aimait entendre sa voix chantante au doux accent irlandais.

— Ce sont des choses dont tout le monde peut profiter, Gracie ; si vous savez vous battre, personne ne peut vous les enlever. Mais il vous faut lutter pour les conserver et les transmettre à vos enfants et à vos petits-enfants. C'est ainsi que nous survivrons. Ne l'oubliez jamais.

Gracie ne répondit pas, se contentant de marcher, heureuse d'être à ses côtés.

Arrivé devant la serre, Finn ouvrit la porte et s'effaça pour la laisser passer.

— Merci, murmura-t-elle, ravie d'une telle attention.

Elle entra dans la serre et s'arrêta, émerveillée, devant les rangées de pots alignés sur des bancs et des étagères. Elle ne connaissait pas les noms de ces fleurs aux couleurs chatoyantes, excepté les chrysanthèmes et les asters. Elle poussa un long soupir de bonheur.

— Voulez-vous une douzaine des mêmes ou toutes différentes ? demanda Finn qui se tenait debout derrière elle.

— J'ai jamais rien vu d'aussi beau ! s'extasia Gracie. Même les marchands de fleurs du marché de Bloomsbury en ont pas d'aussi jolies.

— Oui, mais bientôt elles seront flétries.

— Eh bien, en attendant, elles sont magnifiques !

— Vous êtes une jeune fille pleine de sagesse, Gracie Phipps.

Il posa la main sur son épaule. Gracie en sentit le poids et crut en deviner la chaleur.

— Vous parlez de l'hiver? demanda-t-elle. Après l'hiver vient le printemps. C'est normal.

— Je parlais de la froideur des cœurs, Gracie, de l'hiver des affamés. Beaucoup ne vivent pas assez longtemps pour revoir le printemps.

— Vous parlez encore de l'Irlande? demanda-t-elle sans cesser de regarder les fleurs.

— Quelle tristesse, Gracie! Voir toutes ces fleurs me fait penser au rire, à la danse et puis à des tombes. La mort arrive si vite.

— Ça arrive à Londres aussi, lui rappela Gracie, se souvenant de Clerkenwell, le quartier où elle était née.

Là aussi, les gens mouraient de faim, de froid, du choléra, du typhus dans des taudis infestés de rats, harcelés par des propriétaires et des usuriers sans scrupules. Combien avait-elle vu d'enfants rachitiques ou tuberculeux?

— Les rues de Londres sont pas pavées d'or, reprit-elle. J'ai vu des bébés morts gelés et des hommes si affamés qu'ils vous auraient tranché la gorge pour un morceau de pain.

Finn parut surpris.

— Oh, pas à Bloomsbury, bien sûr, mais à Clerkenwell, là où je vivais avant d'aller travailler chez Mrs. Pitt.

— La pauvreté existe partout, soupira-t-il. Mais c'est l'injustice qui vous fait pleurer.

Gracie se retint de le contredire. Tant de choses la rendaient triste et furieuse, mais elle se sentait impuissante à les soulager. À cette minute, elle n'avait qu'une envie, admirer les fleurs avec Finn, respirer l'odeur de la terre humide et parler de l'avenir et non du passé.

— Quelles fleurs voulez-vous? demanda-t-il.

— J'arrive pas à me décider! Qu'est-ce que vous en pensez?

Elle se tourna vers lui et le regarda. Comme il était

beau, avec ses cheveux noirs, ses grands yeux noirs et profonds ! Elle en perdait la respiration.

— Ils vous plaisent, ces gros chrysanthèmes ?

Gracie essaya de se souvenir du motif de la tapisserie du dressing. Mieux valait peut-être faire un bouquet uni.

— Je crois que je vais prendre les gros blancs, là-bas. Ils sont encore en bouton. Ils dureront plus longtemps que les rouges, qui sont déjà bien ouverts. Oui, je prends les blancs.

— Je vais les cueillir, dit-il en se penchant pour choisir les plus beaux. Quelle coïncidence que Padraig Doyle et Carson O'Day soient réunis sous le même toit ! ajouta-t-il, sautant du coq à l'âne.

Il cueillit une fleur, la respira en soupirant et la lui tendit.

— Leurs noms sont liés à une histoire tragique... Neassa Doyle était une jeune catholique, gaie, pleine de vie. Elle avait dix-neuf ans, comme vous.

Gracie ne l'interrompit pas pour lui dire qu'elle venait de fêter ses vingt printemps.

— Elle a rencontré Drystan O'Day par hasard. Un protestant, issu d'une famille très rigoriste qui considérait le pape comme un envoyé du diable et les pompes de l'Église catholique comme la marque du péché. Ils sont tombés amoureux l'un de l'autre. Ils aimaient chanter les mêmes chansons, danser jusqu'à l'épuisement, rêvaient de vivre ensemble, en paix, d'avoir une petite maison, d'élever leurs enfants... Ils se moquaient bien que leurs familles fussent ennemies...

Il cueillit une autre fleur et la lui tendit.

— Et... que s'est-il passé ? demanda Gracie, bouleversée.

Il la regarda droit dans les yeux.

— Les Anglais ont eu vent de cette histoire. À l'époque, catholiques et protestants irlandais étaient sur le point de trouver un accord, mais les Anglais préféraient nous voir divisés. Diviser pour régner, telle est leur devise.

Finn serra les lèvres. Sa voix devint rauque

— Ils les ont utilisés...

— Mais comment? murmura Gracie.

— Un lieutenant des régiments anglo-irlandais, qui s'appelait Alexander Chinnery, a fait semblant de se lier d'amitié avec Drystan O'Day. Il avait promis d'aider les deux amoureux à s'enfuir en leur procurant un bateau. C'était l'été; Drystan était bon marin. Ils avaient prévu de faire voile jusqu'à l'île de Man.

Gracie ne le quittait pas des yeux, fascinée. Elle n'entendait pas les rafales de vent qui faisaient tourbillonner les feuilles mortes autour de la serre.

— Qu'est-ce qui s'est passé?

— Neassa était très belle... Chinnery est allé la chercher, comme il l'avait promis. Elle lui faisait confiance. Elle l'a suivi jusqu'à l'endroit où elle devait retrouver Drystan. Une jeune fille ne pouvait marcher seule en pleine nuit, c'était trop dangereux. Il l'a emmenée là où le bateau était supposé les attendre...

Sa voix se brisa.

— Il l'a violée et tuée. Et il a coupé ses beaux cheveux et l'a abandonnée là.

— Oh Finn, c'est terrible! haleta Gracie, horrifiée. Et le pauvre Drystan, qu'est-ce qu'il a fait?

— Il l'a trouvée, murmura-t-il, en serrant les poings. Il est devenu fou de douleur. Il n'a jamais voulu croire que Chinnery était coupable.

Des moineaux sautillaient sur le toit de la serre, faisant un vacarme de tous les diables, mais ils ne l'entendaient pas.

— Qu'est-ce qu'il est devenu? reprit Gracie.

— Il a perdu la tête. Il s'est mis à attaquer tous les catholiques qu'il rencontrait. Il a tué deux des frères de Neassa et blessé un troisième avant d'être arrêté par l'armée anglaise. Il a été passé par les armes.

Finn s'arrêta pour reprendre sa respiration.

— Le 7 juin 1860, il y a trente ans de cela. Les gens

ont fini par comprendre ce qui s'était passé. Les Anglais ont rapatrié Chinnery et ont étouffé l'affaire. Personne n'a plus entendu parler de lui.

— C'est terrible, fit Gracie d'une voix étranglée, sentant les larmes lui monter aux yeux.

— C'est l'Irlande, Gracie, dit-il en se penchant pour cueillir une autre fleur. Même l'amour ne peut gagner là-bas.

Il souriait, mais ses yeux reflétaient la souffrance. Il se pencha en avant et déposa un baiser sur ses lèvres, très lentement, comme s'il désirait savourer chaque seconde de ce moment. Puis il lui prit les fleurs des mains, les posa sur un banc, passa ses bras autour d'elle, l'enlaça tendrement et l'embrassa à nouveau.

Le cœur de Gracie battait à tout rompre ; quand elle rouvrit les yeux pour le regarder, il souriait toujours.

— Emportez ces fleurs, Gracie Phipps, murmura-t-il, et prenez garde à vous. La mort a déjà frappé dans cette maison et il se pourrait qu'elle frappe encore. Je ne supporterais pas l'idée qu'il vous arrive malheur.

Il tendit la main, caressa ses cheveux, puis tourna les talons et s'éloigna rapidement. Gracie cueillit encore quelques chrysanthèmes puis repartit vers la maison. Ses pieds touchaient à peine le sol. Elle sentait encore le goût des lèvres de Finn sur les siennes.

Charlotte trouva Kezia dans le grand salon, assise sur un petit tabouret rembourré, à côté de la cheminée, ses jupes étalées autour d'elle. Elle alla directement s'asseoir devant l'âtre, faisant mine d'avoir froid.

— Pensez-vous que le ciel va s'éclaircir ? demanda-t-elle en jetant un coup d'œil vers la fenêtre où se découpait un carré de ciel bleu.

— Parlez-vous vraiment du temps ? répondit Kezia avec un sourire ironique.

Charlotte se laissa aller dans son fauteuil.

— Entre autres choses, oui, acquiesça-t-elle. Tout ce qui arrive ici est épouvantable, non ?

Kezia haussa légèrement les épaules.

— Oui, et je n'imagine pas que cela puisse s'arranger. Avez-vous lu les journaux ?

— Non. Qu'y a-t-il d'intéressant ?

— Les derniers échos de l'affaire Parnell-O'Shea. La carrière politique de Parnell ne survivra pas à ce procès, quel qu'en soit le verdict.

Charlotte savait que Kezia pensait à son frère et à sa liaison avec Iona. Comme si elle lisait dans ses pensées, Kezia serra les poings.

— Quand je pense à tout ce qu'il est en train de gâcher... fit-elle avec amertume. Je comprends pourquoi les hommes aiment se battre, ajouta-t-elle. Ce doit être un soulagement de rouer de coups quelqu'un qui vous exaspère !

— Je suis d'accord avec vous. Mais une fois votre colère assouvie, vous devez en payer les conséquences.

— Vous êtes une femme très raisonnable, commenta Kezia.

— Détrompez-vous, répliqua Charlotte, contenant son agacement. J'ai souvent scié la branche sur laquelle j'étais assise. Et croyez-moi, le jeu n'en vaut pas la chandelle.

Kezia s'empara du tisonnier et se mit à remuer rageusement les braises.

— J'ai du mal à vous imaginer dans ce genre de position, ironisa-t-elle.

— C'est parce que vous jugez les gens d'emblée, sans chercher à vous mettre à leur place, riposta Charlotte. Vous avez les mêmes défauts que ceux que vous reprochez à votre frère.

Kezia se raidit, puis se tourna vers son interlocutrice, les joues en feu.

— Voilà la phrase la plus stupide que vous ayez jamais prononcée devant moi ! Tout nous oppose, Fergal et moi : je suis fidèle à ma religion et loyale envers ma famille. Je crois en avoir payé le prix, en renonçant à l'homme que j'aimais, sur l'ordre de ce frère, qui, lui, a tout renié et nous a trahis en commettant l'adultère avec une femme mariée et catholique !

— Fergal n'avait sans doute pas compris que vous aimiez réellement Cathal. C'est pourquoi il vous a demandé de renoncer à lui.

— Et j'ai obéi ! Que Dieu me le pardonne !

— Peut-être Fergal n'avait-il jamais été vraiment et sincèrement amoureux, comme il l'est aujourd'hui ?

— Est-ce une excuse ? demanda Kezia dont les yeux pâles étincelaient.

— Non, c'est un manque de compréhension, ou d'imagination, si vous préférez.

— Je ne vous suis pas...

— Vous qui avez été si amoureuse, ne pouvez-vous comprendre ses sentiments à l'égard de Iona, même si vous ne pouvez le lui pardonner ?

Kezia ne répondit pas et se plongea dans la contemplation des flammes.

— Répondez-moi honnêtement : seriez-vous aussi en colère contre lui, s'il ne vous avait pas obligée à renoncer à l'homme que vous aimiez ? Votre rage n'est-elle pas simplement de la souffrance ?

— Et alors ? répliqua Kezia, le poing crispé sur le tisonnier qu'elle tenait comme une épée. N'est-ce pas normal ?

— Si. Mais qu'en résultera-t-il ? Je ne demande pas que vous approuviez sa conduite. Iona est mariée. Mais de là à couper toute relation avec lui... Serez-vous plus heureuse pour autant ?

— Non... fit Kezia d'un ton hésitant. Vous posez vraiment d'étranges questions, Mrs. Pitt. C'est... c'est trop injuste, vous comprenez ? Mon frère est tellement hypocrite ! Je hais l'hypocrisie !

— Moi aussi. Mais parfois, j'avoue trouver l'hypocrisie plutôt comique. Pas vous ?

Kezia la dévisagea, bouche bée. Mais dans ses yeux turquoise, Charlotte décela une lueur d'amusement.

— Vous êtes décidément la personne la plus étrange que j'aie jamais rencontrée, Mrs. Pitt.

Charlotte haussa légèrement les épaules.

— Je suppose que je dois prendre cela pour un compliment.

— D'une certaine façon, oui. Vous voyez que je ne suis pas hypocrite !

Charlotte jeta un coup d'œil au journal posé sur la table basse.

— Si Mr. Parnell perd la direction de son parti, qui va le remplacer, d'après vous ?

— Carson O'Day, j'imagine. Il a toutes les qualités requises. Et une famille qui le soutient. Son père, maintenant âgé, était un brillant politicien. Il n'avait peur de rien. Mon père nous emmenait souvent, Fergal et moi, l'écouter dans des réunions politiques. Papa était l'un des meilleurs prédicateurs du nord de l'Irlande. Si vous l'aviez vu dans sa chaire... Sa voix puissante vous emportait, qu'il évoquât le paradis, les anges de Dieu, la joie infinie, ou l'enfer, les ténèbres et le péché.

Charlotte, en l'entendant, éprouva le besoin de se rapprocher de l'âtre. Cette ferveur passionnée lui faisait peur ; elle ne laissait place ni à la réflexion, ni au doute.

— C'était un homme merveilleux, reprit Kezia. Il nous emmenait souvent écouter Liam O'Day. Le frère de celui-ci, Drystan, a été tué par les Anglais — du moins c'est ce que l'on dit —, parce qu'il aimait Neassa Doyle.

— Neassa Doyle ? Qui était-ce ?

— Une papiste. C'est une histoire vieille de trente ans. Neassa Doyle et Drystan O'Day étaient amoureux l'un de l'autre. Un soldat anglais nommé Alexander Chinnery, ami de Drystan, l'a trahi. Il a violé et assassiné Neassa puis a fui en Angleterre. Drystan est allé trouver la famille de la jeune fille. Il y a eu une rixe au cours de laquelle deux des frères de Neassa ont été tués. Drystan a été tué par les Anglais, pour couvrir le crime de Chinnery. Mais aucune des deux familles n'a jamais pardonné à l'autre. La famille de Doyle a accusé Drystan d'avoir séduit Neassa; elle s'en tient toujours à cette version. Les O'Day pensent de leur côté que c'est Neassa qui avait séduit Drystan. Et ils haïssent les nationalistes catholiques. Carson est le fils cadet; son aîné, Daniel, souffre de tuberculose. Avant sa maladie, il était destiné à prendre la tête du parti, mais à présent, tout repose sur les épaules de Carson. Malheureusement, celui-ci n'a pas le charisme de son frère. J'ai connu Daniel, avant qu'il ne tombe malade. Il était très séduisant, comme son père. Mais Carson a la tête sur les épaules. C'est un bon diplomate.

— Toutefois, vous ne prenez pas entièrement fait et cause pour lui... souligna Charlotte.

Kezia sourit.

— Bien sûr que non! Nous sommes irlandais, ne l'oubliez pas! Mais nous faisons front ensemble face aux papistes. Nous réglerons nos différends plus tard.

— Sage attitude, remarqua Charlotte.

Kezia lui lança un bref regard interloqué puis se mit à rire.

— Je crois comprendre ce que vous voulez dire...

Pendant ce temps, Pitt avait pris le train pour Londres, un voyage qu'en d'autres circonstances il aurait beaucoup apprécié. Il aimait regarder défiler le paysage en écoutant le halètement de la locomotive à vapeur et le grincement régulier des essieux. Mais aujourd'hui, il réfléchissait à ce qu'il allait dire à Cornwallis. Il avait échoué dans la mission dont celui-ci l'avait chargé et, trois jours après le meurtre, n'avait toujours pas découvert l'assassin.

— Bonjour, Pitt, dit gravement Cornwallis en lui désignant un siège, non pas devant son bureau, mais à côté de lui, près de la cheminée — un geste courtois, destiné à le mettre à l'aise, mais qui n'atténua en rien son sentiment de culpabilité.

« Que s'est-il passé ? reprit-il, en joignant l'extrémité de ses doigts.

La lueur des flammes faisait briller son crâne chauve, soulignant ses traits puissants.

Pitt lui raconta tout ce qu'il savait. Quand il eut terminé, Cornwallis le dévisagea d'un air pensif.

— Ce pourrait être Moynihan, évidemment, pour des raisons politiques. Son père était un fervent unioniste. Il doit être persuadé qu'un accord de paix réduirait l'influence de l'élite protestante, ce qui serait sans doute inévitable. Mais une meilleure répartition des terres et de la richesse ne serait que justice... Cependant la haine qui divise les deux camps est si profonde et tenace qu'elle ne cède ni à la raison ni à la morale, ni même à l'espoir d'un avenir meilleur.

Il se mordilla la lèvre.

— L'autre meurtrier possible est Padraig Doyle, qu'il ait agi pour des raisons politiques, ou pour venger sa sœur. Croyez-vous vraiment que les frasques de Greville soient un motif d'homicide ? Beaucoup d'hommes trompent leur épouse. Mrs. Greville n'était pas battue, que je sache ; son mari subvenait correctement à ses besoins et ne l'humiliait pas en public. Elle n'était pas au courant de ces aventures, dites-vous ?

Il se cala dans son fauteuil, croisa les jambes et secoua légèrement la tête.

— Si elle l'avait surpris au lit avec l'une de ses maîtresses, elle aurait pu le tuer sous l'emprise de la colère. Mais les crimes passionnels sont rarement le fait des femmes, surtout de celles qui ont reçu une bonne éducation. Eudora Greville aurait eu trop à perdre, et rien à gagner. À moins qu'elle n'ait désiré sa liberté afin de pouvoir se remarier ?

— Non, je ne peux imaginer Mrs. Greville capable d'une telle violence, répondit aussitôt Pitt. Elle est si... L'avez-vous déjà rencontrée ?

Cornwallis sourit.

— Oui, elle est très belle. Mais une femme très belle peut aussi éprouver le besoin de se venger, si elle se sent trahie ; peut-être même plus intensément qu'une autre, car elle ne s'imagine pas que cela puisse lui arriver.

— Mais Greville n'a eu aucun écart de conduite à Ashworth Hall, souligna Pitt. Ce dont nous parlons appartient au passé et ne menaçait pas la position sociale de son épouse. Il ne s'agissait que d'appétits à assouvir.

— Alors pourquoi Doyle aurait-il décidé de supprimer son beau-frère ?

Pitt ne trouva rien à répondre.

Cornwallis plissa les yeux.

— Il doit y avoir autre chose, Pitt, sinon vous n'auriez pas soulevé la question.

— Selon moi, Mrs. Greville craint que son frère ne soit l'assassin. Mais je me suis peut-être trompé sur le mobile. Il se peut qu'il soit politique. L'Irlande, toujours l'Irlande...

— À propos, l'affaire Parnell-O'Shea doit être jugée aujourd'hui, remarqua Cornwallis.

— Et selon vous, quelle en sera l'issue ?

— Au regard de la loi, je pense que le tribunal donnera raison au capitaine O'Shea. Sa femme est indubitablement coupable d'adultère. La seule question qui se pose est de savoir si O'Shea a oui ou non jeté son épouse dans les bras de Parnell.

— Qu'en est-il exactement ? demanda Pitt, qui n'avait suivi l'affaire que de loin, par manque de temps et d'intérêt.

— Dieu merci, ce n'est pas à moi d'en juger, répondit Cornwallis. Mais si j'avais à le faire...

Il hésita. Évoquer ce sujet le mettait manifestement mal à l'aise.

— J'aurais du mal à croire qu'il est aussi crédule qu'il le prétend. Toutefois... reprit-il avec un mélange d'ironie et de dégoût, il faut bien dire que Parnell s'est comporté de façon très inconvenante : s'échapper de la chambre de sa maîtresse par l'escalier extérieur quand le mari rentre à l'improviste et se présenter quelques minutes plus tard à sa porte comme si vous veniez d'arriver est une attitude indigne d'un homme qui se veut porte-parole d'un mouvement national unitaire et représentant de son peuple à la Chambre des communes.

— Pensez-vous que sa carrière politique sera ruinée[1] ?

— Oui, très certainement.

— Ainsi donc, le mouvement nationaliste chercherait un nouveau chef ?

— Oui, dans un délai assez bref. Parnell essaiera peut-être de rester en place, mais son heure a sonné, je le crains. Et je ne suis pas seul à le penser. De toute façon, l'affaire aura encore repoussé l'avènement d'une Irlande unie, à moins que la conférence d'Ashworth Hall n'aboutisse à un accord. Nous comptons sur les modérés des deux camps Doyle et O'Day, aidés ou empêchés par Moynihan et McGinley, pour trouver une issue favorable à celle-ci.

— À ce propos, le lendemain de notre arrivée, Kezia Moynihan a surpris l'épouse de McGinley dans le lit de Fergal Moynihan.

— Pardon ? fit Cornwallis, stupéfait.

Pitt répéta sa phrase. Cornwallis regarda longtemps le feu tout en passant sa main sur son crâne chauve.

— Désolé, Pitt, je ne peux vous envoyer de renfort. Dans un premier temps, nous tairons la mort de Greville. J'espère pouvoir annoncer la nouvelle de sa disparition en même temps que l'arrestation de son assassin.

— Où en est l'enquête sur la mort de Denbigh ? demanda Pitt.

Ce fut au tour de Cornwallis de se montrer désolé.

1. La carrière politique de Charles Parnell fut effectivement ruinée. Il mourut l'année suivante. (N.d.T.)

— Elle piétine. Nous avons retracé ses allées et venues dans les jours qui ont précédé son assassinat. Ce soir-là, il a passé la soirée dans un pub, le *Dog and Duck*, dans King William Street. On l'a vu s'entretenir avec un jeune homme blond ; puis ils ont été rejoints par un individu large d'épaules, aux jambes arquées, à la démarche étrange ; d'après le barman, il avait des yeux bizarres, très pâles et très brillants.

— Comme ceux du conducteur de l'attelage qui a cherché à renverser la voiture de Greville, soupira Pitt. J'ai à présent deux bonnes raisons de chercher à lui mettre la main au collet.

— *Nous* avons deux bonnes raisons de le retrouver, le corrigea Cornwallis. Nous enquêtons à Londres. De votre côté, trouvez lequel de ces quatre Irlandais a tué Ainsley Greville avant qu'ils ne quittent Ashworth Hall. La conférence ne durera pas plus de trois ou quatre jours.

— Bien, monsieur.

CHAPITRE VII

Gracie arrangea les chrysanthèmes blancs dans un vase qu'elle plaça sur la table du dressing, prit ensuite la robe que devait porter Charlotte pour la soirée et descendit d'un pas léger au rez-de-chaussée.

La robe était si longue que la jeune fille peinait pour empêcher l'ourlet de traîner sur les marches de l'escalier.

— Gracie ?

Perdue dans une sorte de rêve éveillé depuis qu'elle avait quitté Finn dans la serre, c'est à peine si Gracie s'entendit appeler.

— Gracie !

Elle s'arrêta et se retourna : Doll descendait l'escalier en courant, l'air inquiète.

— Que se passe-t-il ? demanda Gracie.

— Mais qu'est-ce que tu fais là ? fit Doll en la prenant par le bras. On n'a pas le droit d'emprunter cet escalier pour porter des vêtements ! Malheureuse, si quelqu'un te voyait ! Il faut passer par l'escalier de service. On n'emprunte celui-là que si on te sonne d'en bas !

— Ah, oui ? C'est vrai, j'avais oublié...

— Mais où tu as la tête ? Fais attention ! Tu bayes aux corneilles ou quoi ?

— Je quoi ?

— Tu bayes aux corneilles ! Regarde, la robe traîne par terre... Tiens, passe-la-moi.

Doll mesurant quinze bons centimètres de plus que Gracie, il lui était plus facile de soulever la longue robe.

— Viens, suis-moi. Il faut la repasser et nettoyer l'ourlet. Une belle robe comme ça... J'adore sa couleur.

Gracie, obéissante, la suivit dans un dédale de couloirs jusqu'à la lingerie. Doll accrocha la robe à un cintre et l'inspecta sous toutes les coutures ; puis elle humidifia un chiffon et tamponna l'ourlet soyeux.

— Bon, je crois que ça ira. Laisse-la sécher un peu et repasse-la. Mrs. Pitt ne s'apercevra de rien. Tu as bien de la chance de travailler pour des maîtres aussi gentils.

— Pourquoi tu dis ça ? On est pas bien au service des Greville ? demanda Gracie, oubliant un instant Finn Hennessey. Mrs. Greville a l'air bien gentille, elle aussi. Et Mr. Wheeler a pas l'air méchant.

Doll se raidit, mais ne répondit pas.

— Pourquoi t'es pas heureuse, là-bas ? insista Gracie.

— Tu as toujours été gentille avec moi, répondit Doll. Je ne voudrais pas que tu sois malheureuse Il ne faut pas que tu tombes amoureuse, Gracie. Un petit baiser de temps en temps, quelques caresses, mais ne les laisse pas aller plus loin. Tu souffrirais trop après. Oh pardonne-moi, je n'aurais pas dû dire ça. Ça ne me regarde pas, après tout.

— C'est pas grave, fit Gracie, rouge comme une pivoine.

Si Doll s'était aperçue de son état, tout le monde pouvait s'en apercevoir, même Finn !

— Ça t'est déjà arrivé, à toi, d'être amoureuse ?

Doll partit d'un rire amer, proche du sanglot.

— Amoureuse ? Non... Je n'ai jamais rencontré quelqu'un... enfin, quelqu'un qui me regarderait, moi...

— Pourquoi tu dis ça ? Y a pas plus jolie que toi !

Doll se détendit un peu.

— Merci. Mais il n'y a pas que la beauté. Un homme veut une femme respectable, qui a une bonne réputation...

— Oui, je suppose, mais y a pas que ça qui compte.

— Oh, si, répondit Doll, plutôt sèchement.

Gracie se dit qu'elle devait penser à quelqu'un en particulier.

— C'est pour ça que tu restes chez les Greville, même si c'est pas une bonne place ?

Doll se figea.

— Je n'ai jamais dit que c'était pas une bonne place !

— T'inquiète pas, je le répéterai à personne, la rassura Gracie. Mrs. Greville va peut-être changer, maintenant que son mari est mort, la pauvre âme...

— Ce n'était pas une pauvre âme !

— Je parlais d'elle. Elle a l'air terrifiée, comme si... comme si elle connaissait le meurtrier.

Doll pâlit et agrippa le bord de l'évier.

— Hé ! s'écria Gracie. Tu vas pas te trouver mal ?

Elle chercha une chaise des yeux, mais n'en vit pas.

— Assieds-toi par terre, doucement. Tu pourrais te faire mal en tombant sur le dallage.

Elle la prit par le bras et l'obligea à se laisser glisser au sol. Doll s'écroula, l'entraînant avec elle. Toutes deux restèrent par terre, assises sur les pierres glacées. Gracie prit la jeune femme dans ses bras pour la réconforter.

— Toi aussi, tu sais qui c'est, hein ?

Doll secoua la tête, cherchant à reprendre sa respiration.

— Non, non, je ne sais pas ! dit-elle en serrant la main de Gracie de toutes ses forces. Il faut me croire ! Je sais seulement que ce n'est pas moi !

— Évidemment que c'est pas toi, murmura Gracie sans relâcher son étreinte.

Doll tremblait de tous ses membres. Elle baissa la tête ; des mèches de cheveux s'échappèrent de son bonnet.

— Ça aurait pu être moi ! gémit-elle. J'ai si souvent souhaité sa mort !

Gracie sentit un frisson d'appréhension la parcourir.

— Ah ? Et pourquoi ? demanda-t-elle, songeant soudain à la femme de chambre qu'elle avait croisée dans le couloir ce soir-là, près de la salle de bains des Greville.

Doll ne répondit pas et se mit à pleurer, recroquevillée sur elle-même, terrorisée.

Gracie tenta de se souvenir de la silhouette de la femme de chambre. Comment prouver qu'il ne s'agissait pas de Doll ? Elle prit une profonde inspiration.

— Pourquoi tu voulais qu'il meure ? Qu'est-ce qu'il t'avait fait ?

— Mon... enfant... balbutia la jeune femme. Mon bébé...

— Qu'est-ce qu'il a fait à ton bébé ? chuchota Gracie.

Il y eut un long silence. Doll ne trouvait pas la force de s'expliquer.

Gracie répéta sa question, tout doucement.

— Il m'a... Il m'a obligée à le tuer avant qu'il naisse.

Que répondre ? Gracie la berça dans ses bras, comme une petite fille.

— C'était son bébé ?

Doll hocha la tête.

— Tu l'aimais, avant ça ?

— Non ! Je voulais garder mon travail. Il m'aurait jetée dehors si je lui avais dit non. Et si je gardais le bébé, il m'aurait mise à la rue aussi, sans références. J'aurais fini comme les autres, sur le trottoir... et le bébé serait mort de froid et de faim. Comme ça au moins, il n'aura pas souffert. Mais je l'aimais, ce bébé. Il faisait partie de moi.

— Bien sûr, acquiesça Gracie, qui sentit la colère lui nouer l'estomac. C'était il y a longtemps ?

— Trois ans. Mais ça fait toujours aussi mal.

— Qui est au courant ?

— Personne.

— Même pas Mrs. Greville, ou la cuisinière ? Elles ont bien dû s'apercevoir de quelque chose. Tu devais avoir l'air très malheureuse. D'ailleurs, tu as toujours l'air triste...

Doll poussa un soupir qui se termina en sanglot.

— Elles ont cru que j'avais un chagrin d'amour. J'aurais préféré. Ça ne peut pas faire aussi mal.

— Mais si c'est pas toi qui l'as tué, qui ça peut être ?

— Je ne sais pas, je le jure. Ces Irlandais, certainement.

— Moi, en tout cas, affirma Gracie, à la place de Mrs. Greville, si je savais ce que tu viens de me dire, je l'aurais tué.

Doll se redressa vivement. Ses yeux étaient tout rouges, son visage baigné de larmes.

— Elle n'était pas au courant ! s'écria-t-elle avec véhémence. Elle n'aurait jamais pu le cacher. J'étais avec elle tous les jours !

Gracie ne dit rien.

— Écoute, reprit Doll, toi aussi tu es femme de chambre. Tu sais tout sur ta maîtresse, n'est-ce pas ? Tu la connais mieux que tout le monde, mieux que sa mère, que son mari, non ?

Gracie préféra ne pas s'avancer. Comment comparer Charlotte à Eudora Greville ?

— Oui, je suppose, soupira-t-elle.

Doll lui saisit le bras.

— Tu ne diras rien à personne, hein ? Promets-le-moi !

Gracie secoua légèrement la tête.

— À qui je le dirais ? Ça peut arriver à tout le monde, des choses comme ça...

Gracie était bien décidée à ne rien dire ; mais cette promesse allait à l'encontre de sa loyauté envers Pitt. Elle croyait Doll, quand celle-ci lui disait qu'elle n'avait pas tué Greville et affirmait qu'Eudora n'était au courant de rien. Si elle avait eu vent de l'acte horrible commis par son mari, aurait-elle pu faire semblant de ne rien savoir, surtout devant la victime ?

Pitt revint de Londres en fin de journée. Il souffrait encore des courbatures consécutives à son voyage à cheval; il était si fatigué qu'il aurait préféré aller se coucher plutôt que d'être obligé de se changer pour le dîner.

Charlotte, qui avait revêtu une jolie robe de soie bleue, s'apprêtait à descendre dans la salle à manger quand Pitt entra dans le dressing. Elle l'embrassa, lui demanda comment s'était déroulé l'entretien avec Cornwallis, puis partit retrouver les invités.

Restée seule avec Pitt dans le dressing, Gracie l'observa tandis qu'il tentait de mettre en place ses boutons de col.

— Laissez-moi vous aider, Monsieur, lui proposa-t-elle.

— Merci.

Pitt lui tendit la chemise. Elle prit les boutons et les enfila habilement.

— Monsieur...

— Oui, Gracie?

Elle ne voulait pas parler, mais ce fut plus fort qu'elle. Haletante, elle lui raconta d'une traite sa conversation avec Doll dans la lingerie. Elle se sentait coupable d'avoir trahi Doll, mais il était trop tard pour revenir en arrière. Gracie n'avait jamais pu mentir à Pitt; or se taire en ces circonstances équivalait à lui mentir. Elle ne se pardonnerait jamais de lui avoir caché un indice qui lui aurait permis de découvrir la vérité.

Pendant le dîner, Emily, nerveuse, observa ses invités tout en surveillant les domestiques; Jack se montra gai et jovial, cachant son inquiétude. Pitt n'aurait su dire ce qu'il avait dans son assiette, tant il était préoccupé par ce que venait de lui raconter Gracie. Curieusement, il n'avait pas été surpris par ces confidences : elles concordaient avec l'image qu'il s'était faite d'Ainsley Greville, en lisant son courrier à Oakfield House. Un homme dur, bestial, qui abusait des femmes, en particulier des domestiques sans défense qu'il considérait comme sa propriété, puis les jetait à la rue ou les obligeait à avorter.

Avant que le porto soit servi, il s'excusa, quitta la table

et partit à la recherche de Wheeler, le valet de Greville. Dès qu'il l'aperçut, il lui fit signe de le suivre dans la pièce réservée au majordome et ferma la porte derrière lui.

— Oui, monsieur? fit Wheeler.

— Wheeler, j'ai une question à vous poser. Assez désagréable, je l'avoue, mais je ne peux faire autrement.

Wheeler parut inquiet.

— Je vous écoute, monsieur.

— Vous connaissez Doll, la cámeriste de Mrs. Greville...

Les traits du valet se crispèrent imperceptiblement.

— Doll Evans? Oui, monsieur, bien sûr. C'est une très brave fille, qui fait bien son travail et ne crée jamais d'ennuis.

Pitt sentit que l'homme était sur la défensive. Il avait répondu très vite. Éprouvait-il un tendre sentiment pour la jeune femme, ou cherchait-il à protéger la famille Greville?

— Vous souvenez-vous de l'avoir vue malade, il y a trois ans?

L'éclair de méfiance qu'il vit passer dans les yeux du valet lui confirma que celui-ci était au courant des malheurs de Doll.

— Oui, elle a été souffrante, en effet, monsieur.

— Connaissiez-vous la nature de son mal?

Wheeler rougit légèrement.

— Non, monsieur, elle n'a rien dit. Et ce n'était pas à moi de le lui demander. On ne parle pas de choses aussi personnelles.

— Avez-vous remarqué un changement en elle, après son rétablissement?

Le visage de Wheeler se ferma complètement.

Pitt réitéra sa question.

— Oui, monsieur. Elle a mis longtemps à se remettre, répondit Wheeler en le regardant droit dans les yeux. Elle a dû être très malade. Quand on doit travailler pour survivre, tomber malade est un grave problème. Elle n'avait personne pour s'occuper d'elle.

— Je m'en doute, dit Pitt. N'oubliez pas, Mr. Wheeler, que je suis policier. Je n'ai pas de fortune personnelle. Je dois moi aussi travailler pour assurer mon existence.

— C'est vrai, monsieur, je l'avais oublié, s'excusa celui-ci. J'ignore pourquoi vous me questionnez sur Doll, mais je peux vous affirmer que c'est une jeune femme honnête et droite. Elle vous dira la vérité, ou se taira, mais ne mentira jamais.

— Si, elle serait capable de mentir, lui fit remarquer Pitt. Pour protéger Mrs. Greville.

Wheeler soutint son regard. Pitt comprit que jamais il n'admettrait qu'il savait ce qui était arrivé à Doll ; il ferait tout pour la protéger.

Pitt hocha la tête, le remercia, puis il monta à l'étage par l'escalier de service et alla frapper à la porte d'Eudora. Il savait qu'elle se trouvait dans sa chambre, car elle avait quitté la table avant lui.

Il la trouva assise dans un fauteuil, près de la cheminée. Son visage se crispa à sa vue.

— Que se passe-t-il, Mr. Pitt ? demanda-t-elle d'une voix qui tremblait légèrement. Avez-vous appris quelque chose ?

Pitt prit place en face d'elle. Visiblement, Eudora avait peur, sans doute pour son frère. Pourquoi s'imaginait-elle que Padraig avait tué son époux ? Était-il plus nationaliste que Pitt ne le supposait ? À première vue, Doyle semblait le plus posé et le plus raisonnable des quatre hommes participant à la conférence, en tout cas davantage prêt au compromis que Moynihan ou McGinley.

— Mrs. Greville, commença-t-il un peu gauchement, lorsqu'une personne décède, il peut arriver que l'on découvre à son sujet des choses ignorées jusque-là, parfois pénibles pour son entourage...

— Je le sais, dit-elle avec vivacité, en tendant les mains en avant pour l'interrompre. J'apprécie votre délicatesse, mais j'ai bien compris que mon mari entretenait plusieurs liaisons. Je n'ai pas besoin d'en savoir davantage pour le moment. Je me sens si pleine de confusion... Vous me jugerez sans doute très faible, mais j'avoue que je ne sais plus très bien qui était l'homme que j'ai perdu.

Elle se mordit la lèvre et leva les yeux vers lui.

— Ce qui m'horrifie le plus, c'est que je ne me suis rendu compte de rien, tout au long de ces années. Ai-je délibérément fermé les yeux ? Qui était en réalité celui que je croyais aimer, l'homme qui m'avait choisie pour épouse ?

Elle cligna des yeux.

— M'a-t-il jamais aimée ? Était-ce ma faute ? Qu'ai-je fait, ou plutôt que n'ai-je pas fait, pour qu'il cesse de m'aimer ? En quoi ai-je manqué à mes devoirs d'épouse ? Non, ne mentez pas pour me rassurer, Mr. Pitt. La vérité viendra à moi, mais j'ai besoin d'un peu de temps, vous comprenez... Je ne connaissais pas vraiment Ainsley. Je l'aimais, peut-être sans passion, mais je l'aimais. Ce sentiment ne peut s'éteindre brutalement, quoi que j'apprenne sur lui. En quelques jours, toute ma vie a été bouleversée. Alors, je vous en prie, ne m'en dites pas davantage, pour le moment.

Pitt, ému, hésitait maintenant à lui parler de Doll ; Eudora paraissait si vulnérable, pour une femme de quarante ans ; son visage, son teint avaient gardé la douceur de la jeunesse. Il se dit qu'ils devaient avoir à peu près le même âge ; elle avait dû donner naissance à son fils Piers avant d'avoir vingt ans. Mais la compassion qu'elle lui inspirait ne devait pas lui faire oublier sa mission : découvrir le meurtrier du médiateur du gouvernement.

— Mrs. Greville, votre époux a été assassiné ; je ne dois négliger aucune piste, si pénible soit-elle pour vous ou pour moi.

— Vous savez aussi bien que moi, commissaire, que Ainsley aurait pu amener les deux camps à s'entendre. Or, certains Irlandais extrémistes refusent tout compromis.

Elle secoua la tête ; sa voix reprit de l'assurance.

— Ils préfèrent tuer et être tués plutôt que céder un pouce de leurs convictions. Voilà des décennies que cela dure. Cette façon de penser est devenue une partie de nous-mêmes. Nous nous répétons depuis des générations que nous sommes un peuple injustement traité et nous refusons d'en démordre. Il existe en Irlande beaucoup d'hommes et de femmes qui ne vivent que pour se battre pour une grande cause. S'ils gagnaient, ils ne seraient plus rien. À quoi sert d'être un héros en temps de paix ? Comment conserver le sentiment d'exister quand il n'y a plus de cause qui vaille la peine de mourir pour elle ? Qui êtes-vous, quand vous ne croyez plus en vous-même ?

Sans s'en rendre compte, Eudora venait de parler d'elle-même, de la perte, en quelques heures, de toutes les valeurs qui avaient fait son existence. Pitt aurait voulu la réconforter, la protéger, mais son devoir l'en empêchait ; et ce qu'il avait à lui dire ne ferait qu'aggraver ses souffrances. Peut-être allait-il même devoir lui arracher le seul homme dont elle était sûre qu'il lui était attaché, son propre frère, Padraig. Son fils, tout à son amour pour Justine, était trop jeune pour comprendre sa détresse.

Il lui posa la question la plus simple qui lui venait à l'esprit.

— Mrs. Greville, pendant que votre mari prenait son bain, vous étiez dans cette chambre, n'est-ce pas ?

— Oui, fit-elle, perplexe. Je crois vous l'avoir déjà dit.

— Et votre camériste, Doll Evans, était bien avec vous ?

— Oui, presque tout le temps. Pourquoi ces questions ? Même si j'avais été courant des... liaisons de mon mari, je ne lui aurais fait aucun mal. Je pensais que vous me connaissiez mieux que cela, Mr. Pitt, conclut-elle, désappointée.

— Je ne pensais pas à cela, Mrs. Greville. Je voulais seulement savoir où était Doll.

Eudora haussa ses fins sourcils.

— Doll? Pourquoi diable Doll lui aurait-elle voulu du mal? Elle est aussi anglaise que vous et m'est tout à fait fidèle. Nous nous sommes occupés d'elle quand elle est tombée malade et nous lui avons gardé sa place. Elle serait bien la dernière personne à nous vouloir du mal.

— Est-elle restée avec vous pendant le quart d'heure durant lequel votre époux était dans la salle de bains?

— Non, elle est sortie pour aller préparer du thé, je crois.

— Combien de temps s'est-elle absentée?

— Je ne sais plus. Peu de temps. Mais n'allez pas vous imaginer qu'elle ait pu attaquer mon mari dans son bain! C'est grotesque!

— Votre frère vient-il souvent vous rendre visite, à Londres ou à Oakfield House?

— Pourquoi cette question? Que cherchez-vous à me faire dire, Mr. Pitt? s'enquit-elle en fronçant les sourcils. Vos questions n'ont aucun sens. Vous me parlez de Doll, puis de Padraig...

— De quelle maladie souffrait Doll? Mr. Doyle était-il au courant?

— Je ne m'en souviens pas.

Ses poings se crispèrent sur ses genoux.

— J'ignore ce qu'elle avait. Est-ce important?

— Elle attendait un enfant, Mrs. Greville.

— Mon Dieu! Pas de Padraig! s'écria-t-elle, horrifiée.

— Non, Mrs. Greville. De votre époux. Et non de son plein gré.

— Doll... a eu un enfant?

Eudora porta sa main à sa gorge, comme si elle avait du mal à respirer.

— Non. Il l'a obligée à avorter. Que pouvait-elle faire? Elle se serait retrouvée à la rue, sans argent, sans références. Elle n'aurait pu subvenir aux besoins du bébé. Il l'a contrainte à s'en débarrasser.

Il vit les dernières couleurs quitter les joues d'Eudora et l'horreur assombrir ses yeux.

— C'est vrai... Doll semblait... différente... lorsqu'elle est revenue à la maison, balbutia-t-elle. Elle était triste, silencieuse. Ses gestes étaient ralentis, comme si elle n'avait plus de force, plus de volonté. J'ai pensé qu'elle n'était pas complètement guérie...

Elle tentait de chercher un argument susceptible de balayer les affirmations de Pitt, mais n'en trouvait pas.

— Pauvre Doll, murmura-t-elle. Pauvre, pauvre Doll. Que peut-il arriver de pire à une femme ?

— Je regrette d'avoir été contraint de vous le dire, Mrs. Greville, répondit Pitt, convaincu qu'Eudora ignorait tout de cette affaire avant cette minute. Qui pouvait être au courant, selon vous ?

Wheeler, lui, savait. Et il était le seul domestique des Greville présent à Ashworth Hall, à part Doll.

— Personne... Je croyais qu'elle avait contracté la tuberculose. Les personnes tuberculeuses ont souvent ces joues rougies, ces yeux brillants...

— Wheeler le savait, Mrs. Greville.

— Wheeler ? Mais... jamais il n'aurait fait de mal à mon mari ! Je voyais bien qu'il ne l'aimait pas beaucoup, mais il est trop stylé pour montrer quoi que ce soit. Oh, c'est seulement une impression... Il n'était pas obligé de rester à notre service. Il aurait aisément trouvé du travail ailleurs. C'est un excellent valet.

Pitt songea que c'était précisément à cause de Doll que cet homme était resté au service d'un maître qu'il méprisait, qu'il détestait peut-être, mais il n'en dit rien à Eudora. Il demanderait à Tellman de vérifier à nouveau l'emploi du temps de Wheeler le soir du drame.

À ce moment, on frappa à la porte.

— Entrez, fit Eudora d'un ton las.

Justine apparut, suivie de Charlotte. Elles avaient les joues rosies d'être restées trop longtemps près de la cheminée du salon. Charlotte, dans la robe de soie bleue prêtée par Vespasia, était resplendissante. Pitt regrettait de ne pas avoir les moyens de lui offrir d'aussi jolies toilettes.

Comme elle était à son aise, parmi ces gens, dans ce manoir ! Elle aurait mené ce genre de vie, songea-t-il, si elle ne l'avait pas épousé.

Justine ne tarda pas à remarquer la pâleur et la tension d'Eudora. Elle s'approcha d'elle, pleine de sollicitude. Charlotte resta sur le seuil de la porte, avec le sentiment qu'elles dérangeaient un moment d'intimité, à voir le regard de Pitt et l'expression de regret d'Eudora qui se tourna d'abord vers lui avant de s'adresser à Justine.

Plus tard, assise devant sa coiffeuse, Charlotte évoqua cette scène avec Pitt, alors qu'il s'était déjà déshabillé et mis au lit.

— Eudora semblait bouleversée, dit-elle en évitant de croiser son regard dans le miroir. Lui auriez-vous appris quelque chose de nouveau ?

Il lui avait brièvement raconté son entrevue avec Cornwallis, mais elle sentait qu'un nouvel élément était intervenu depuis son retour de Londres.

Pitt se redressa contre l'oreiller et murmura d'un ton rageur :

— Greville a abusé de Doll. Elle s'est retrouvée enceinte et il ne lui a laissé que le choix d'avorter ou de se retrouver à la rue.

Charlotte se figea sur son tabouret, la brosse en l'air, glacée d'horreur. Elle pensa à ses propres enfants, à la naissance de Jemima, au moment où, pour la première fois, elle l'avait prise dans ses bras, si fragile et si précieuse. Elle aurait donné sa vie pour la protéger, sans la moindre hésitation. Elle se promit intérieurement de tout faire, quitte à braver la loi, pour sauver Doll, si celle-ci s'avérait être la meurtrière d'Ainsley Greville.

Elle se tourna lentement vers Pitt.

— Pensez-vous qu'elle l'ait tué ?

— Doll ou Eudora ?

— Doll, bien sûr ! s'exclama Charlotte, avant de réaliser qu'Eudora, horrifiée par la barbarie de son époux, aurait tout aussi bien pu décider de le supprimer.

Était-ce pour cette raison que Pitt montrait tant de sollicitude à son égard? Elle était si belle, si vulnérable, elle avait tant besoin d'être soutenue... Aux yeux de Pitt, preux chevalier toujours prêt à venir au secours des plus faibles et à se mesurer aux dragons du mal, Eudora représentait la demoiselle en détresse, chose que Charlotte n'avait jamais été à ses yeux.

— Non, je ne crois pas que Doll ait tué Greville, répondit-il.

— Mais pensez-vous qu'il y ait une relation, directe ou indirecte, avec sa mort?

— Je l'ignore... soupira-t-il. J'espère que non.

Elle se retourna vers son miroir, prit un flacon de lait de rose, versa un peu de liquide crémeux dans sa main et massa son cou et son visage, longuement, en remontant vers les tempes.

Dix minutes plus tard, elle éteignait la veilleuse et se glissait sous les draps aux côtés de Pitt. Elle effleura légèrement son épaule, mais il ne réagit pas. Il dormait déjà.

Le lendemain, Charlotte fit l'effort de se lever tôt, pour ne pas laisser sa sœur seule avec les invités au petit déjeuner. Elle fut même la première à entrer dans la salle à manger, bientôt rejointe par Padraig Doyle, qui se servit dans les différents plats posés sur la desserte avant de s'asseoir à table. Comme chaque jour, il était impeccablement habillé, ses cheveux noirs lissés en arrière. Son visage long, aux yeux pétillants et à la bouche rieuse, reflétait la parfaite maîtrise qu'il avait de lui-même.

— Bonjour, Mrs. Pitt, annonça-t-il d'une voix chantante.

Cet homme était-il indifférent au malheur qui affectait cette maison ou bien était-ce son désir de le surmonter, le courage de mener la bataille, ou simplement la musicalité de son accent irlandais qui le lui rendait si sympathique?

Elle le préférait, de loin, à Fergal Moynihan, qui arborait toujours une expression sombre et maussade. À la place de Iona, elle serait tombée amoureuse de Padraig, malgré la différence d'âge qui les séparait. À ses yeux, il était mille fois plus intéressant et drôle.

— Bonjour, Mr. Doyle, répondit-elle en souriant. Avez-vous vu la belle journée qui s'annonce ? Je crois qu'une promenade dans les bois serait très plaisante.

— En effet ! Par temps de pluie, l'on ne sait comment s'occuper à la campagne, surtout lorsque l'on doit en permanence surveiller ses propos, de peur de déclencher une catastrophe !

Charlotte se mit à rire, tout en étalant de la confiture d'abricot sur ses toasts.

Iona entra dans la pièce, les salua et vint directement s'asseoir à table. Comme à son habitude, elle ne prit rien sur la desserte, se contentant de pain et de miel qu'elle grignota en silence. Elle était vêtue d'une robe d'un bleu profond qui soulignait le bleu de ses yeux. Elle était très belle, songeait Charlotte, mais sa beauté théâtrale la rendait froide et lointaine. Était-elle vraiment éprise de Fergal ? Avait-elle jamais aimé son mari, sans doute épousé trop jeune ? Quels étaient les sentiments de Lorcan à son égard ? Lorsqu'il l'avait vue dans le lit de Moynihan, il s'était montré furieux et embarrassé, mais n'avait pas paru bouleversé. Charlotte se dit que si elle avait surpris Pitt dans les bras d'une autre son monde se serait écroulé. Or, Lorcan ne paraissait guère perturbé, à moins que sa façon à lui de surmonter sa peine fût de la cacher, par fierté. Iona avait-elle pris Fergal pour amant afin d'exciter la jalousie de Lorcan, réveiller en lui un désir éteint, ou par goût du scandale ?

Tandis que Charlotte se posait toutes ces questions, Fergal entra dans la salle à manger.

— Bonjour, dit-il d'un ton poli, en s'adressant aux trois personnes présentes.

Iona leva un bref regard vers lui, puis baissa aussitôt les paupières.

Après s'être servi d'œufs au bacon, de champignons, de tomates et de rognons, Fergal alla s'asseoir en bout de table, à un endroit d'où il pouvait voir Iona. Dans la lumière du matin, son visage paraissait reposé. Si cet homme était déchiré par la passion, il le cachait bien, songea Charlotte, en se demandant ce que décidément Iona pouvait bien lui trouver d'attirant. Se montrait-elle injuste parce que Fergal ne lui était pas sympathique, ou parce qu'elle le jugeait en fonction de ce que lui avait dit Kezia ?

— Belle journée en perspective, déclara Padraig en regardant le ciel bleu. Nous pourrons peut-être aller nous promener après le déjeuner. Cela dit, je n'ai rien contre un peu de pluie en automne. L'odeur de la terre humide est plus agréable que l'atmosphère confinée d'une salle de conférence !

— Oui, mais les discussions, elles, seront toujours les mêmes, soupira Fergal, en évitant soigneusement le regard de Iona.

Celle-ci concentrait toute son attention sur son petit déjeuner, comme si étaler de la confiture sur une tartine était un exercice aussi compliqué que celui consistant à trier les arêtes d'un poisson.

Personne n'avait apporté les journaux du matin. Était-ce parce que l'on y rendait compte du jugement de l'affaire Parnell-O'Shea ?

L'atmosphère était tendue. Alors que Charlotte se demandait si elle devait essayer de relancer la conversation, Justine entra dans la pièce.

— Bonjour ! Comment allez-vous ? lança-t-elle à la cantonade.

— Très bien, et vous-même, Miss Baring ? répondit Padraig Doyle. J'imagine qu'en arrivant ici, vous ne vous attendiez pas à cette tragédie.

— L'ennui avec les tragédies, c'est qu'elles sont

imprévisibles, fit-elle simplement. Mais elles permettent parfois aux hommes de s'entraider.

Elle se servit à la desserte et prit place en face de Charlotte en lui adressant un sourire chaleureux.

— J'ai aperçu un magnifique massif d'aubépines, observa-t-elle. Au printemps, il doit dégager un parfum extraordinaire.

— Oui, merveilleux, assura Charlotte, bien qu'elle ne fût jamais venue à Ashworth Hall au printemps. Et les châtaigniers en fleur sont magnifiques, ajouta-t-elle pour faire bonne mesure. Avez-vous des châtaigniers en Irlande? ajouta-t-elle en regardant Iona.

— Oui, bien sûr, fit celle-ci, un peu surprise. Quel dommage que l'on ne puisse pas en avoir dans les maisons!

— Pour quelle raison? s'enquit Fergal, saisissant l'occasion de lui parler.

— Apporter des rameaux fleuris chez soi au mois de mai porte malheur, affirma Iona en le fixant de son regard bleu brillant.

— Ah? Pourquoi donc? murmura Fergal, comme hypnotisé.

— Pensez aux pauvres bonnes qui doivent balayer tous les pétales tombés! intervint Charlotte.

— Et faire la chasse aux insectes, renchérit Justine.

L'atmosphère se détendit imperceptiblement. Ils furent bientôt rejoints à table par Lorcan, Carson O'Day et Piers Greville, puis par Jack, Emily et Pitt.

O'Day était d'humeur optimiste, du moins tenait-il à le paraître.

— Avez-vous déjà visité l'Égypte? demanda-t-il à Jack. J'ai lu récemment un recueil de récits de voyages absolument fascinant. Je me demande pourquoi je ne l'ai pas lu auparavant! Des récits écrits par des femmes, mesdames, ajouta-t-il à l'adresse d'Emily et de Charlotte. L'une d'entre elles est Miss Florence Nightingale, que nous connaissons tous. Mais d'autres femmes tout aussi extraordinaires ont voyagé de par le monde et en ont rapporté des récits passionnants, Harriet Martineau et Amelia Edwards, pour ne citer qu'elles[1].

Tout le monde l'écoutait avec intérêt, en particulier Justine, lorsque Kezia fit son entrée dans la salle à manger, ravissante dans une robe vert pâle à parements de soie fleuries, qui rehaussait son teint clair et sa blondeur. Charlotte se demanda ce qu'il adviendrait de cette jeune femme intelligente et passionnée, qui approchait de la trentaine. Elle avait vécu un grand amour qu'elle avait sacrifié pour plaire à sa famille et se conformer à sa religion. Pensait-elle qu'un sacrifice aussi chèrement payé devait lui permettre d'obtenir une juste compensation en retour, ou bien alors que la trahison de Fergal la libérait de ses obligations vis-à-vis de sa famille et de sa foi ?

Charlotte, assise face à elle, comprit, à voir ses gestes brusques, sa façon de serrer sa fourchette, que sa rage à l'égard de son frère n'était pas apaisée ; Kezia évitait de le regarder et de lui adresser la parole, alors qu'elle conversait avec les autres convives.

La discussion, qui avait débuté par l'Égypte, le Nil, les temples, les tombeaux des pharaons et les hiéroglyphes, tournait à présent autour de l'opéra italien, en particulier de l'*Otello* de Verdi.

— Une œuvre très sombre, commenta Carson O'Day en passant la marmelade d'orange à Charlotte. Il faut, pour incarner le personnage, un chanteur à la voix et au physique exceptionnels.

— Et qui soit aussi un grand acteur, renchérit Justine.

— Tout à fait, tout à fait, convint O'Day, en se servant une autre tasse de thé. Pour Iago, aussi.

1. Harriet Martineau (1802-1876), journaliste et économiste anglaise, qui écrivit de nombreux articles en faveur de l'abolition de l'esclavage.
Amelia Blandford Edwards (1831-1892), égyptologue, romancière à succès, auteur de récits de voyages et d'histoires fantastiques. (*N.d.T.*)

Kezia regarda Charlotte sans mot dire. Tout ce qu'elle pensait de l'adultère, de la jalousie et des traîtres, se lisait dans ses yeux.

— Un grand rôle de baryton, fit Justine, quêtant l'approbation générale. Othello est un ténor, je crois?

— Naturellement, sourit Padraig. Le héros est toujours un ténor!

— Oui, mais dans *Rigoletto*, le ténor est un horrible personnage, souligna Emily.

— En effet, acquiesça Kezia, acide. Un coureur de jupons hypocrite, dépourvu de morale, d'honneur et de compassion, qui....

— Oui, mais il chante comme un ange, l'interrompit Padraig.

— À supposer que les anges chantent, remarqua Fergal. S'ils chantent, ils peuvent aussi peindre et danser.

— Y a-t-il des tableaux au paradis? demanda Lorcan. Je pensais qu'il était peuplé d'êtres spirituels, dénués de corps et de sentiments humains.

Il coula un regard de côté vers Fergal et Iona.

— J'appellerais cela l'enfer...

— Les anges sont des intermédiaires entre Dieu et les hommes, affirma Charlotte. Il leur serait difficile de transmettre des messages en dansant.

Justine éclata de rire. D'autres sourirent à l'idée de petits anges mimant les messages de Dieu.

Carson O'Day changea de sujet de conversation et demanda à Jack de lui parler de la campagne environnante. En les écoutant, Charlotte se demandait si cet homme allait bientôt diriger l'Irlande, au cas où Parnell serait contraint de donner sa démission. Il paraissait plus ouvert et raisonnable que Moynihan, mais lui aussi, comme les autres participants à cette conférence, avait un héritage économique et culturel à défendre. Et il devait prendre la relève de son père et celle de son frère aîné, frappé par une tuberculose qui avait brisé sa carrière politique.

Elle observa son visage à la mâchoire puissante, aux joues lourdes, qui reflétait un caractère complexe, bien différent de celui de Padraig Doyle, plein d'humour et d'imagination. O'Day possédait manifestement un franc-parler, une clarté d'esprit et une capacité de concentration qui pouvaient faire de lui un brillant homme politique.

Pendant tout le petit déjeuner, Pitt demeura silencieux, préoccupé par la mort d'Ainsley Greville et par le fait que, pensait-il, Eudora savait quelque chose qu'elle refusait obstinément d'avouer. Il observait cependant discrètement les convives : Doyle parlait d'abondance, en bougeant beaucoup les mains, pour souligner ses propos. Moynihan l'écoutait avec un certain intérêt, mais son regard revenait sans cesse vers Iona. Il ne cherchait pas à cacher ses senti-ments. Lorcan McGinley faisait-il semblant de ne pas s'en apercevoir ? Le plus souvent, ses yeux bleu foncé fixaient un point dans le lointain, puis, si Padraig faisait une remarque amusante, un brusque sourire illuminait son visage maigre ; ensuite il retombait dans une sorte de rêve-rie indifférente.

À plusieurs reprises, Pitt croisa le regard de Charlotte. Dans la pâle lumière matinale elle était ravissante, avec son teint de miel, ses cheveux aux reflets cuivrés, les joues rosies par le feu de la conversation qu'elle suivait atten-tivement, veillant à éviter les pièges de la controverse et surtout à ce que Kezia ne brisât pas d'une phrase venge-resse la fragile bonne humeur qui régnait pour la première fois à la table du petit déjeuner.

Dès qu'il le jugea convenable, il quitta la table et partit à la recherche de Tellman. Jack le rejoignit presque aussi-tôt dans le hall. En voyant les petites rides qui marquaient ses yeux et sa bouche, Pitt songea que l'homme qu'il avait devant lui n'était plus le dandy frivole et oisif dont Emily était tombée amoureuse quelques années plus tôt ; le jeune homme beau parleur, impécunieux, qui vivait naguère en parasite de la bonne société, occupait désormais un siège au Parlement et avait accepté ce rôle de médiateur avec grâce, sans jamais se plaindre. S'il craignait pour sa vie, il ne le montrait pas ; seule une ombre inhabituelle dans son regard trahissait son inquiétude.

— J'avais l'impression d'étouffer ! Ce doit être mon col de chemise qui m'étrangle, dit-il avec humour, en l'écartant pour respirer.

— La présidence de la conférence est-elle aussi difficile à assurer que celle d'un repas ? lui demanda Pitt.

Jack haussa les épaules.

— Oui. Il faut une patience infinie pour amener ces hommes à discuter calmement. Comment Greville comptait-il parvenir à un accord de paix, je me le demande ; chaque fois que je crois déboucher sur un compromis, il y en a toujours un pour relancer le débat, et tout est à recommencer.

Il s'appuya contre le pilastre de l'escalier.

— Je n'avais jamais réalisé la profondeur de la haine qui les divise. J'ai l'impression qu'elle coule dans leur sang ; on dirait que s'ils ne se raccrochaient pas à leurs anciennes querelles, ils perdraient leur identité. Que vais-je faire, Thomas ?

— Si je le savais, je vous l'aurais déjà dit ! plaisanta Pitt en posant la main sur son bras. Je ne pense pas que Greville eût mieux réussi que vous. Même Gladstone a échoué dans sa tentative !

Il aurait voulu dire quelque chose de mieux adapté à la situation, une phrase qui eût fait comprendre à Jack le respect qu'il lui inspirait, mais les mots lui manquaient. Ceux qui lui venaient à l'esprit n'étaient pas à la hauteur de la terrible responsabilité qui pesait désormais sur les épaules de Jack.

— Moi non plus, je ne sais plus où j'en suis dans l'enquête, avoua-t-il.

Jack partit d'un rire amer.

— Nous essayons de garder la tête hors de l'eau dans une mer en folie, tout en nageant à contre-courant ! Ah ! Je vais changer mon col de chemise ! À propos, le vôtre est tout de travers, mais surtout, n'y touchez pas; ne boutonnez pas vos manchettes et ne jetez pas les bouts de ficelle qui traînent dans vos poches! Vous êtes la seule personne qui me soit familière dans ce monde d'étrangers.

Avant que Pitt ait eu le temps de répondre, il avait monté l'escalier quatre à quatre et disparu à l'étage.

Pitt traversait le hall en direction de la porte matelassée qui donnait sur le quartier des domestiques quand il entendit des pas légers sur le parquet.

— Mr. Pitt! fit une voix féminine.

Il se retourna et aperçut Justine qui venait vers lui, l'air soucieuse. Aussitôt, il craignit qu'il ne fût arrivé quelque chose à Eudora, qui n'était pas descendue prendre son petit déjeuner.

— Mr. Pitt, puis-je vous parler un instant?

— Bien sûr, Miss Baring. Que se passe-t-il?

Elle désigna le salon qui se trouvait en face d'eux, à côté du bureau de Jack.

— Pouvons-nous entrer? Nous y serons plus tranquilles.

Pitt poussa la porte et s'effaça pour la laisser passer. Justine se mouvait avec grâce, la tête haute, le dos droit, avec une souplesse qui évoqua à Pitt une fois de plus l'image d'une danseuse.

— Que se passe-t-il? répéta-t-il en fermant la porte.

Elle lui fit face, l'air grave. Il décela sa tension, une brève hésitation, une crispation de la mâchoire. Mais à sa place, qui n'eût pas été tendu? Arrivée quelques jours plus tôt dans une maison pleine d'inconnus, invitée par son fiancé qui souhaitait lui présenter ses parents, elle s'était retrouvée au beau milieu de négociations politiques complexes et, à son réveil, le lendemain de son arrivée, avait appris que son beau-père venait d'être assassiné.

Pitt admirait sa force d'âme et sa générosité; il comprenait pourquoi Piers Greville était aussi déterminé à épouser cette jeune femme remarquable.

— Mr. Pitt, commença-t-elle, Mrs. Greville m'a rapporté ce que vous lui avez dit à propos de Doll, sa camériste...

— Je regrette d'avoir été obligé de le lui dire, soupirat-il. Il y a tant de choses qu'elle n'aurait pas dû apprendre...

Un très léger sourire effleura les lèvres de Justine.

— Il y a beaucoup de vérités qu'il vaudrait mieux cacher, Mr. Pitt. La vie est déjà suffisamment difficile avec celles que nous devons savoir...

— Que sous-entendez-vous, Miss Baring ? Je ne peux retirer ce que je lui ai appris. Je n'aurais rien dit si je n'avais pas été sûr de mes affirmations.

— Je comprends. Mais êtes-vous vraiment certain de ce que vous avancez ?

— Doll s'est confiée à la femme de chambre de mon épouse. Celle-ci s'est dit que l'on touchait peut-être là le cœur de l'affaire. Car il y avait un motif d'homicide.

— Oui, murmura-t-elle, très émue. Après ce que cet homme a fait à Doll, s'il l'a vraiment fait... je... je comprends qu'elle ait décidé qu'il méritait la mort. Apparemment, il entretenait plusieurs liaisons, mais, Mr. Pitt, aucune de ces femmes n'est ici ! Ne pouvez-vous pas laisser de côté les frasques de Mr. Greville, par égard pour son épouse, pour Piers, pour Doll aussi ? De plus...

Elle se raidit et serra les mâchoires.

— Qu'alliez-vous dire, Miss Baring ?

— Vous... vous ignorez si cette histoire est vraie. Bien sûr, Doll attendait un enfant... mais comment savoir s'il était vraiment de Mr. Greville, comme elle le prétend ?

Pitt la dévisagea, stupéfait.

— Voyons, qu'allez-vous insinuer ? Que Doll aurait accusé Mr. Greville à la place d'un autre ? Accuser son maître alors qu'il vient d'être assassiné la range parmi les premiers suspects ; alors que si elle s'était tue la police ne l'aurait jamais soupçonnée.

Justine soutint son regard avec une intensité qui fit penser à Pitt à une chatte prête à défendre ses petits. Était-elle à ce point amoureuse de Piers qu'elle défendait son père avec autant d'acharnement?

— Il fallait qu'elle se confie à quelqu'un, avant que le secret ne s'ébruite, si elle l'avait déjà fait auparavant en accusant Greville. Elle l'a donc dit à Gracie, sachant que ses propos vous seraient directement rapportés.

— Qu'en savait-elle? Gracie a beaucoup hésité avant de me le dire.

Justine sourit.

— Vraiment, Mr. Pitt! C'est méconnaître la fidélité de votre employée. Doll, elle, l'a estimée à sa juste valeur.

— Mais Doll ignorait si quelqu'un était au courant de ses malheurs. Elle n'en avait parlé à personne.

Justine haussa ses fins sourcils.

— En êtes-vous sûr?

— Il est possible qu'un valet ait deviné ce qui lui était arrivé, concéda Pitt, même si elle n'a rien dit ouvertement.

— Un valet? Non, elle s'est plus probablement confiée à une femme. À moins que celle-ci n'ait tout deviné; les femmes sont très observatrices, vous savez. Je serais étonnée que la cuisinière ou la gouvernante n'aient pas remarqué sa grossesse.

— Elle leur aurait dit que l'enfant était de Mr. Greville, alors qu'il était d'un autre? Mais pourquoi? Vous imaginez-vous la réaction de celui-ci, si on lui avait rapporté ces accusations?

— Quel domestique aurait rapporté cela? S'il s'agissait d'un des valets de la maison, les autres ne l'auraient pas trahi. Je suis certaine que Mr. et Mrs. Greville n'en ont jamais rien su. Mr. Pitt, insista-t-elle, voyant l'incrédulité sur son visage, pensez-vous qu'un homme politique de l'envergure de Mr. Greville aurait séduit l'une de ses bonnes? Permettez-moi d'en douter. Il a été assassiné pour des raisons politiques. Pour la première fois depuis des dizaines d'années, on pouvait espérer une amorce de solution au problème irlandais, et ce, grâce à ses qualités de diplomate

— Vous avez une très haute opinion d'Ainsley Greville, remarqua celui-ci.

— Bien sûr ! Je vais épouser son fils ! Cherchez le coupable parmi ceux qui enviaient son intelligence, craignaient sa réussite et, par-dessus tout, ont intérêt à ce que la question irlandaise ne soit jamais résolue.

— Miss Baring...

Pitt n'eut pas le temps de finir sa phrase. Une terrible déflagration retentit dans la maison, faisant trembler les murs et le sol. Le miroir au-dessus de la cheminée se brisa en mille morceaux ; l'air s'emplit de poussière. Les manchons en porcelaine des lampes à gaz s'écrasèrent sur le sol.

Dans le vestibule, une femme se mit à hurler.

CHAPITRE VIII

Le bruit cessa. Pendant quelques secondes, Pitt demeura immobile, trop abasourdi pour réagir. Puis il comprit qu'une bombe venait d'exploser et se précipita hors du salon.

Le vestibule était plein de fumée et de poussière. Pitt ne pouvait voir la personne qui criait. La porte du bureau de Jack pendait sur un gond ; les restes d'un guéridon étaient disséminés sur le parquet. Un vent froid s'engouffrait par les fenêtres qui avaient volé en éclats, soulevant des tourbillons de poussière.

Quand celle-ci fut enfin retombée, Pitt aperçut Finn Hennessey, hébété, recroquevillé sur le sol.

La femme hurlait toujours.

Jack !

Malade d'inquiétude, Pitt entra dans le bureau d'un pas hésitant. Il y avait des débris de bois partout, une odeur de gaz et de laine brûlée. Les rideaux déchirés battaient, gonflés comme des voiles, puis retombaient en claquant sèchement. Le tapis était couvert de livres épars. L'odeur de brûlé se fit plus forte : la déflagration avait dû projeter des boulets de charbon incandescents hors de la cheminée.

Un homme gisait, bras en croix sur le tapis, une jambe repliée sous lui, une tache de sang écarlate sur sa chemise blanche. Pitt, le cœur battant, s'avança parmi les décombres, les papiers éparpillés, les éclats de verre et de porcelaine, et se pencha sur lui : la mâchoire était brisée, la gorge ouverte, mais le haut du visage intact. Lorcan McGinley n'avait pas vu la mort venir. Il ne paraissait pas effaré, seulement vaguement surpris.

Pitt se redressa lentement et se retourna vers la porte ; Emily se tenait dans l'encadrement, le visage gris de terreur. Elle tremblait de la tête aux pieds.

— C'est McGinley, articula Pitt distinctement, en allant à sa rencontre.

Emily se mit à frissonner violemment, cherchant sa respiration.

— C'est McGinley ! répéta Pitt en la prenant par le bras. Ce n'est pas Jack !

Elle leva les poings et commença à le frapper aveuglément, terrifiée.

— Emily ! Ce n'est pas Jack ! Vous m'entendez ? C'est Lorcan McGinley !

Pitt ne voulait pas crier. La poussière et la fumée lui brûlaient la gorge. Il la prit par les épaules et la secoua avec force, pour la ramener à la réalité. Soudain, il se rendit compte que le tapis du bureau commençait à brûler.

— Emily ! Écoutez-moi ! Il faut que j'éteigne ce feu avant que toute la maison ne soit en flammes !

Il mit ses mains en porte-voix et se mit à crier :

— Vite ! Que quelqu'un aille chercher des seaux d'eau ! Vite !

Les gens commençaient à se regrouper dans le vestibule, apeurés, ne sachant trop que faire.

— Vous, là, cria Pitt à l'adresse d'un valet figé de stupeur, allez chercher de l'eau ! Le tapis est en feu !

L'homme parut soudain comprendre et partit en courant.

Emily, les cheveux défaits, continuait à trembler et à sangloter, mais avait cessé de le frapper.

— Où... où est Jack ? dit-elle d'une voix rauque. Vous étiez supposé le protéger ! Où est-il ?

Derrière eux, il y eut des piétinements, des éclats de voix.

— Que se passe-t-il? demanda O'Day d'une voix forte. Ô mon Dieu! Quelqu'un est-il blessé? Où est Radley?

— Je suis là, dit Jack, en se glissant entre Padraig Doyle et Justine.

Des gens arrivaient par le grand escalier, d'autres par la porte matelassée, à l'autre bout du vestibule.

Emily n'entendit même pas la voix de Jack. Elle était si furieuse contre Pitt que celui-ci dut la tenir par les poignets pour l'empêcher de se jeter à nouveau sur lui.

L'un des valets alla s'occuper de Hennessey. Celui-ci reprenait peu à peu ses esprits.

Jack, très pâle, contemplait les décombres de son bureau.

— C'est McGinley, lui expliqua Pitt. Une explosion, de la dynamite, je crois.

— Il... Il est mort?

— Oui.

Jack passa son bras autour d'Emily; elle se mit à pleurer doucement contre son épaule.

— Où diable est passé le valet qui devait apporter de l'eau? s'écria Pitt. Vous voulez que la maison prenne feu?

— Je suis ici, monsieur!

Le valet, un lourd seau d'eau dans chaque main, entra dans le bureau; on entendit un sifflement de vapeur au moment où l'eau se répandait sur le tapis. La fumée devint plus dense, puis s'éclaircit peu à peu. Le valet ressortit, écarlate, le visage cuit par la chaleur.

— Encore de l'eau, haleta-t-il.

Deux autres valets partirent en courant. Pitt se plaça dans l'embrasure de la porte, pour cacher en partie le bureau. Tout le monde lui faisait face, pâle, choqué et apeuré.

Pitt aperçut enfin Tellman.

— McGinley, lui dit-il.

— Dynamite?

— Je crois.

Iona se tenait entre Fergal et Padraig Doyle. Peut-être avait-elle deviné la vérité en constatant que Lorcan ne se trouvait pas parmi les personnes présentes dans le vestibule.

Eudora s'approcha d'elle. Iona demeura immobile, secouant la tête de droite à gauche. Padraig l'entoura de ses bras.

— Que s'est-il passé? Un feu? demanda Fergal, sourcils froncés, en tordant le cou pour voir derrière Pitt. Quelqu'un est-il blessé?

— Nom d'une pipe, vous n'avez donc pas entendu l'explosion? s'écria O'Day d'un ton coléreux. Au bruit de la détonation, je dirais que c'était de la dynamite.

Fergal parut stupéfait. Pour la première fois, il remarqua l'air inquiet de Iona et tourna vers Pitt un regard interrogateur.

— Je crains que Mr. McGinley ne soit plus de ce monde, fit ce dernier d'un ton grave. L'explosion semble être partie du centre du bureau de Mr. Radley. Le feu n'est qu'une conséquence de l'explosion. La déflagration a fait jaillir des boulets de charbon qui ont enflammé le tapis.

À ce moment, un valet revint avec deux seaux et Pitt s'écarta pour le laisser passer.

— Êtes-vous certain que je ne peux rien faire pour Mr. McGinley? s'enquit Piers Greville.

— Certain. Mais vous pouvez en revanche aider son épouse...

Piers s'approcha de Iona et lui murmura quelques mots à voix basse. Padraig Doyle rejoignit Pitt.

— Une bombe dans le bureau de Radley qui tue ce pauvre Lorcan, dit-il en tournant le dos de façon à ne pas être entendu. Sale histoire, Pitt. Qui diable a pu placer la charge?

— Mais que faisait McGinley dans ce bureau? lança O'Day à la cantonade.

Iona crispait nerveusement les poings. Fergal se rapprocha d'elle et glissa discrètement son bras autour de sa taille.

— Peut-être cherchait-il Radley? suggéra Padraig, les yeux plissés. Ou du papier, de l'encre, de la cire, que sais-je?

Il se tourna vers Finn Hennessey, qui se remettait péniblement sur ses pieds en clignant des yeux. Ses vêtements étaient couverts de poussière.

— Savez-vous pourquoi Mr. McGinley se trouvait dans ce bureau?

— Oui, monsieur, répondit Finn d'une voix rauque. À cause... de la dynamite...

— Quoi? Il savait qu'on avait placé de la dynamite dans cette pièce?

— Il... il est mort? bégaya Finn.

— Oui, répondit Pitt. Je suis désolé. D'après vous, Mr. McGinley savait qu'il y avait de la dynamite dans cette pièce?

Finn hocha lentement la tête, en passant sa langue sur ses lèvres desséchées.

— Mais, bon sang, pourquoi n'a-t-il pas appelé à l'aide? fit O'Day, logique. Et d'ailleurs, comment savait-il que de la dynamite était placée là?

— Je... je ne sais pas, monsieur, bredouilla Finn. Il m'a dit de monter la garde devant la porte, de ne laisser entrer personne. Il a ajouté qu'il devait être le seul à savoir désamorcer une bombe, dans cette maison.

— Mais qui l'a posée? fit Kezia d'une voix suraiguë.

— La personne qui a assassiné Mr. Greville, murmura Justine, très pâle. Cette bombe était destinée à Mr. Radley, qui a eu le courage de le remplacer. Quelqu'un est manifestement déterminé à commettre meurtre après meurtre pour empêcher la conférence d'aboutir.

Le feu qui avait enflammé le tapis était éteint, la fumée dissipée, mais le vent entrant par les fenêtres apportait une odeur de laine brûlée, de poussière et d'humidité.

— Bien sûr, Mr. Radley était visé, intervint Eudora.

Comment ce pauvre Lorcan a-t-il su que l'on avait posé de la dynamite dans le bureau, nous ne le saurons jamais. Quel homme courageux !...

Iona releva vivement la tête, les yeux pleins de larmes.

— Lorcan a été trahi, comme nous tous ! Il est un nouveau martyr de l'Irlande, mort en combattant pour la paix.

Elle fit face à Jack.

— Vous portez une terrible responsabilité, Mr. Radley, vous avez une dette d'honneur contractée dans le sang et le sacrifice. Vous ne pouvez nous abandonner.

— Je ferai tout ce qui est en mon pouvoir pour vous aider, Mrs. McGinley, fit Jack en soutenant son regard. Mais aucun sacrifice n'achètera ma conscience. Si seulement Lorcan était le seul homme mort pour la paix en Irlande... Mais il n'est qu'un parmi des milliers d'autres. À présent, nous devrions laisser le commissaire Pitt s'occuper des...

— Il n'a même pas été capable de découvrir le meurtrier de Greville, le coupa O'Day. Il faudrait appeler des renforts de police. Deux morts en trois jours, vous rendez-vous compte ?

— Non, trois en une semaine, précisa Pitt, sèchement. Un policier a été assassiné à Londres, alors qu'il tentait d'infiltrer les milieux nationalistes...

O'Day se tourna vivement vers lui, les yeux plissés.

— Vous ne nous en avez pas parlé ! Vous ne nous avez jamais dit que les Fenians avaient tout préparé ! Vous le saviez... et vous ne nous avez pas prévenus ?

— Vous êtes injuste ! s'exclama Charlotte, sortant de l'ombre où elle était restée tout ce temps en compagnie d'Emily. Personne n'est entré ici par effraction ! Celui qui a fait cela...

Elle s'interrompit pour désigner les décombres du bureau.

— ... est l'un d'entre nous. C'est vous, messieurs, qui avez introduit la mort dans cette maison.

— Je comprends votre point de vue, acquiesça O'Day

en hochant la tête. Je vous présente mes excuses, commissaire. J'attendais tant de cette conférence ! Il est difficile de voir ses rêves anéantis sans accuser quelqu'un. Venez, messieurs, ajouta-t-il à l'adresse de Padraig, de Fergal et de Jack. Laissons Mr. Pitt à ses devoirs ; pendant ce temps, nous réfléchirons à la façon de contrecarrer les plans de cet individu.

— Excellente idée, fit Padraig Doyle.

— Certainement, dit Jack, après avoir jeté un coup d'œil à Pitt pour quêter son approbation. Retrouvons-nous dans le salon, le feu y est allumé. Le majordome nous apportera un bon grog. Je crois que nous en avons tous besoin. Emily... pouvez-vous vous en occuper ?

— Oui... murmura celle-ci en s'éloignant d'un pas hésitant.

Justine prit Iona par le bras et lui proposa de l'accompagner à sa chambre et de lui faire porter une tisane ou un remontant. Charlotte parlait à voix basse avec Finn Hennessey, qui regardait tout autour de lui comme s'il ne savait plus où il se trouvait et ne comprenait pas ce qu'il faisait là. Gracie était aussi à ses côtés, blanche comme un linge.

Pitt regarda Charlotte avec admiration : elle se tenait la tête haute, le dos bien droit, si forte, si efficace. Elle n'avait besoin de personne. Si elle avait peur, elle savait le cacher ; son seul souci était de réconforter Finn et Gracie.

Tout le monde suivit Jack dans le salon, à l'exception d'Eudora Greville et de Tellman, restés debout près de la porte arrachée du bureau.

— Mr. Pitt, je suis désolée, dit Eudora en fixant Pitt de ses grands yeux marron. Ce qu'a dit Mr. O'Day est impardonnable. Il semblerait que le bien et le mal s'équilibrent sous ce toit : Lorcan a perdu la vie pour sauver celle des autres en essayant de désamorcer la bombe. Peut-être aurons-nous la volonté de poursuivre les pourparlers, si vous parvenez à découvrir qui a commis cet acte horrible. Le pourrez-vous ? Y a-t-il des indices ?

— Dans le bureau lui-même, je ne pense pas. Mais nous questionnerons tous les domestiques afin de savoir qui est entré dans le bureau et déterminer où se trouvait chacun d'entre nous ce matin. Il se peut que nous apprenions quelque chose.

— Mais... n'importe lequel d'entre nous a pu traverser ce vestibule ! protesta Eudora. Cela ne prouve rien...

Elle s'interrompit, la gorge serrée, secoua la tête et alla rejoindre les autres.

Tellman soupira et s'avança d'un pas hésitant dans le bureau au milieu des gravats. Il s'accroupit près du corps de Lorcan McGinley, l'examina attentivement puis observa les débris du bureau.

— Je pense que la dynamite a été placée dans le premier ou le deuxième tiroir de gauche, remarqua Pitt.

Tellman acquiesça en se mordillant la lèvre.

— On le dirait bien, à voir la façon dont les éclats de bois sont dispersés sur le sol, après avoir été projetés par la déflagration. Quel gâchis !... Le poseur de dynamite voulait vraiment se débarrasser de Mr. Radley. Il devait être juste devant le bureau, le pauvre diable, conclut-il en désignant le cadavre.

Pitt examinait la scène, mains dans les poches, front plissé.

— La dynamite devait être attachée avec du fil de fer, et non pas reliée à un système d'horlogerie, dit-il d'un ton pensif. Personne ne pouvait savoir de façon certaine à quelle heure Jack allait entrer dans son bureau. Le système aurait pu exploser alors que la pièce était vide, ou, s'il avait été placé sur le bureau sous des livres et des papiers, au moment où un domestique serait venu faire le ménage.

— Vous croyez que cette engeance-là s'en soucie ? fit Tellman d'un ton amer. Pour eux, un domestique anglais de plus ou de moins, quelle importance ?...

— C'est possible, mais cela ne servirait pas leur cause. Au contraire, ce serait prendre le risque de se mettre l'opinion publique à dos. Non, on a dû placer la dynamite dans un tiroir dont on savait qu'il ne serait ouvert que par Jack.

Pitt fouilla les décombres, à la recherche de morceaux de tiroirs ; il en trouva un, puis un second, qu'il tâta doucement du bout des doigts. Il restait un côté et un petit bout du fond, qu'il examina par-dessous : il y vit une ligne de petits clous de tapissier à tête plate. Sous l'un d'eux était coincé un bout de fil de fer.

— Je crois avoir trouvé, chuchota-t-il. Le mécanisme a été cloué sous le tiroir, afin que la charge de dynamite explose à son ouverture. Mais il a dû falloir plusieurs minutes pour vider le tiroir, enfoncer les pointes et remettre le tout en place.

Tellman se redressa.

— Dommage que McGinley soit mort, ironisa-t-il. Il aurait pu répondre à nos questions.

Pitt secoua la tête.

— C'était un homme courageux. Je donnerais cher pour savoir ce qui lui a permis de deviner qu'il y avait des bâtons de dynamite sous ce tiroir.

— Cet idiot aurait dû nous prévenir, grommela Tellman d'un ton coléreux. C'est notre travail, après tout !

Il rougit brusquement.

— Mais nous n'aurions rien pu faire d'efficace. Je ne connais rien à la dynamite. Et vous ?

— Pas grand-chose, confessa Pitt. C'est la première fois que j'ai affaire à ce genre d'homicide. Mais nous devrions être capables de découvrir le poseur de ce mécanisme mortel.

— C'est aussi l'assassin de Greville, à mon avis, répondit Tellman.

— Déterminons d'abord l'heure à laquelle la dynamite a été placée, reprit Pitt. De toute évidence, après la dernière fois que Jack a ouvert le tiroir. Interrogez tous les domestiques susceptibles de s'être trouvés dans le vestibule ou d'être entrés dans cette pièce. Vérifiez les allées et venues de tout le monde avec preuves à l'appui, en particulier celles que pourrait fournir Hennessey. Moi, je vais parler à Mr. Radley et aux invités. Mais avant toute chose, cherchez de l'aide et transportez le corps de McGinley dans la chambre froide. Placez-le sur la porte, elle ne tient plus que par un gond. Faites tendre un rideau à l'entrée du bureau, afin que l'on ne voie pas les décombres, et clouez des planches à l'emplacement des fenêtres, au cas où il pleuvrait.

— Quel gâchis ! répéta Tellman, en fronçant les sourcils.

Il méprisait la richesse, mais détestait voir la beauté abîmée.

Gracie était en train d'aider Gwen à préparer une lotion contre les taches de rousseur, quand elle entendit la déflagration. Tout d'abord, elle pensa qu'il s'agissait d'un accident domestique, puis comprit rapidement qu'il devait s'agir de quelque chose de sérieux. Elle posa le pichet d'eau qu'elle tenait à la main.

— Qu'est-ce que c'est, ce bruit ? s'inquiéta Gwen. On dirait pas des casseroles qui sont tombées par terre.

— Je sais pas, mais je vais aller voir, fit Gracie sans hésiter.

Elle se précipita dans le couloir qui menait au vestibule. Soudain, Tellman surgit de la pièce où l'on cirait les chaussures, tout pâle, les yeux brillants. Il la rattrapa juste avant la porte matelassée et la saisit par le bras, l'obligeant à s'arrêter.

— Gracie, n'y allez pas. Vous ne savez pas ce qui se passe.

— Justement ! C'est pour ça que j'y vais ! C'est un coup de feu ?

— Une arme à feu ne fait pas ce bruit-là, répondit-il sans la lâcher. Ça ressemble à de la dynamite. Attendez-moi ici. Je vais voir ce qui se passe.

— Non, j'attendrai pas ! Il est peut-être arrivé quelque chose à Mr. Pitt !

— Dans ce cas, vous ne pourrez rien faire. Attendez-moi ici, répéta-t-il. Je reviendrai vous...

Gracie s'arracha de son étreinte et poussa la porte de toutes ses forces. Aussitôt, elle vit la poussière, la porte du bureau qui pendait sur un gond. Son cœur fit une telle embardée qu'elle crut s'étouffer. Puis elle vit la haute silhouette de Pitt dans l'embrasure et le soulagement la fit défaillir. Sa tête se mit à tourner. Elle dut se cramponner à une table pour ne pas tomber.

Le fracas d'un miroir qui s'écrasait sur le sol la ramena à la réalité. Une horrible odeur flottait dans le vestibule. Il y avait de la poussière partout. Gracie songea qu'il faudrait des semaines pour nettoyer tout ça.

Des gens arrivaient de toutes parts. Dieu merci, Mr. Radley était là ! Mrs. Radley s'était jetée sur Mr. Pitt et criait en le frappant de ses poings. C'était compréhensible, mais tout de même, elle aurait pas dû !

Soudain, elle entendit la voix de Tellman derrière elle.

— Vous allez bien ?

— Évidemment que je vais bien ! Merci, se sentit-elle obligée d'ajouter.

— Ne restez pas ici. Il y aura beaucoup de travail plus tard, mais pour le moment nous devons comprendre ce qui s'est passé. Il ne faut toucher à rien.

— Je sais bien ! riposta-t-elle vertement. Je suis pas idiote !

Quelqu'un murmura le nom de Mr. McGinley.

Soudain, Gracie aperçut Charlotte auprès de Finn Hennessey, agenouillé. Son cœur se mit à battre la chamade. Elle se glissa entre Miss Moynihan et Miss Baring et rejoignit Charlotte.

— Il... va bien ? lui demanda-t-elle en regardant Finn.

— Oui, la rassura Charlotte.

— Mais qu'est-ce qui s'est passé ?

— Mr. McGinley est entré dans le bureau... et une bombe a explosé.

— Il est mort ?

— Hélas, oui. La déflagration a été très violente.

— C'est affreux! haleta Gracie. Ils sont malades, ces Irlandais!

— Hennessey dit que Mr. McGinley savait qu'il y avait de la dynamite dans le bureau et qu'il était venu pour désamorcer la charge. Malheureusement...

— Le pauvre... soupira Gracie, compatissante. Il a peut-être fait ça parce qu'il a vu Mrs. McGinley avec Mr. Moynihan...

Elle s'interrompit. Elle n'aurait jamais dû dire ça.

— Il était drôlement courageux, dit-elle en regardant Finn.

Charlotte lui donna un petit coup de coude encourageant. Gracie s'agenouilla auprès du jeune valet. Encore hébété, il ne paraissait pas savoir où il était. Son visage, ses vêtements étaient couverts de poussière.

— Mon Dieu, mon Dieu, murmura Gracie en lui prenant la main. Il faut être courageux, comme il l'était. Un vrai héros.

Finn serra sa main et la regarda, les yeux écarquillés.

— Je ne comprends pas, fit-il d'une voix désespérée. Ça n'aurait pas dû arriver! Il connaissait la dynamite. Il aurait dû être capable de...

— Vous savez qui l'a mise? chuchota Gracie.

— Quoi?

— La dynamite, vous savez qui l'a mise?

— Non, je ne sais pas. Sinon, je l'aurais dit, évidemment.

— Et comment le pauvre Mr. McGinley a su qu'elle y était?

Finn détourna la tête.

— Je ne sais pas.

Gracie eut honte de lui avoir posé toutes ces questions au lieu d'essayer de le réconforter.

— Je suis désolée, murmura-t-elle. Venez avec moi, vous allez rester assis un petit moment, pour reprendre vos esprits. Mr. Dilkes vous laissera boire un remontant. Vous en avez bien besoin.

— Vous êtes si gentille, Gracie.

Finn déglutit, prit une grande inspiration, avala à nouveau sa salive.

— Je ne comprends pas ce qui a pu arriver...

— Mr. Pitt trouvera, vous inquiétez pas, l'assura Gracie. Allez, venez vous reposer dans le salon de la gouvernante. Après, y aura du pain sur la planche pour nettoyer tout ça.

Elle l'aida à se mettre debout et le guida dans le hall, poussa la porte matelassée et le fit entrer dans le salon de Mrs. Hunnaker. La gouvernante et le majordome n'étant pas là, elle se précipita à la cuisine, ouvrit un placard et y trouva une bouteille de sherry dont se servait la cuisinière pour ses sauces ; elle en versa une bonne rasade dans un verre, l'apporta à Finn et s'assit en face de lui, s'efforçant de le réconforter de son mieux. Peu à peu, le sherry aidant, Finn recouvra ses esprits.

Un quart d'heure plus tard, ils virent la silhouette de Tellman se dessiner sur le seuil, raide comme un piquet.

— Je suis désolé de vous déranger, dit-il en jetant un regard désapprobateur à Gracie. Mr. Hennessey, je sais que vous venez de perdre quelqu'un de proche, mais nous devons comprendre ce qui s'est passé et démasquer le poseur de dynamite.

Finn leva les yeux vers lui.

— J'ignore de qui il s'agit.

Tellman sortit de sa poche un calepin et un crayon.

— Il se peut que vous en sachiez davantage que vous ne l'imaginez. Qu'avez-vous fait depuis sept heures ce matin ?

— Pourquoi sept heures ?

— Répondez à ma question, Hennessey, fit Tellman d'un ton cassant.

En voyant la veine bleutée qui battait à la tempe du policier, Gracie se rendit soudain compte à quel point il devait être soucieux et découragé : Pitt et lui-même avaient échoué dans la tâche qu'on leur avait confiée, veiller au bon déroulement de la conférence et assurer la protection de ses participants. Elle se dit qu'elle devait faire de son mieux pour l'aider, même s'il l'agaçait. Après tout, c'était l'adjoint de Mr. Pitt.

— Finn, vous voulez savoir qui a tué ce pauvre Mr. McGinley, hein ? On a tous pu remarquer un détail...

Décidée à donner l'exemple, elle se tourna vers Tellman et déclara :

— Je suis descendue un peu après sept heures. D'abord, j'ai vérifié que le feu était allumé dans la cheminée du dressing, ensuite je suis allée chercher de l'eau chaude. J'ai monté une tasse de thé à Mr. Pitt, vu qu'il a un valet qui sert pas à grand-chose...

Tellman darda sur elle un regard furibond, mais ne dit rien.

— Après, j'ai aidé Mrs. Pitt à s'habiller et à se coiffer...

— Et ça vous a pris combien de temps ? demanda-t-il avec une pointe de sarcasme.

— Je regarde pas la pendule, Mr. Tellman. Mais comme je fais le travail pour deux, ça prend du temps.

— Vous n'aidez tout de même pas le commissaire à s'habiller ! s'exclama-t-il, incrédule.

— Bien sûr que non. Mais je lui apporte de l'eau chaude, je brosse ses souliers, sa redingote, vu que son valet est jamais là quand on a besoin de lui. Après ça, j'ai descendu le linge sale à la lingerie ; dans l'escalier, j'ai croisé Doll, la femme de chambre de Mrs. Greville. On a parlé un peu...

— Ça ne m'avance pas beaucoup, bougonna Tellman.

— À neuf heures moins le quart, je suis remontée demander à Mrs. Pitt quelle robe elle porterait au dîner. J'ai vu Miss Moynihan descendre l'escalier principal et entrer dans le salon, et aussi Mrs. McGinley et Mr. Moynihan, dans le jardin d'hiver...

— Continuez, fit Tellman avec une grimace méprisante, qui en disait long sur ses pensées.

— J'ai aussi vu Mr. Doyle quitter le vestibule par la porte de service qui donne sur le jardin.

— Quelle heure était-il ?

— Je sais pas. Neuf heures moins dix, peut-être.

— Êtes-vous sûre qu'il s'agissait de Mr. Doyle ?

— Me regardez pas comme ça ! Je sais ce que je dis ! Je vous rappelle que je travaille chez Mr. Pitt depuis des années et que j'en sais autant que vous sur certaines de ses enquêtes, et peut-être même plus.

— Ne dites pas de bêtises.

— Oh, mais si ! Je sais tout ce que savent Mrs. Pitt et Mrs. Radley, donc j'en sais plus que vous.

Il lui lança un regard furieux.

— Vous n'avez pas à vous mêler des enquêtes de la police. Vous faites plus de mal que de bien et vous prenez des risques, espèce de petite idiote !

Gracie, ulcérée, ne trouva rien à répondre qui fût à la hauteur de la peine qu'elle ressentait. En tout cas, elle n'était pas près d'oublier ce qu'il venait de dire. Elle trouverait bien l'occasion de se venger.

Tellman se tourna vers Finn.

— Mr. Hennessey, je vous écoute. À votre tour de me dire ce que vous avez fait depuis sept heures du matin. Et ce qu'a fait Mr. McGinley, aussi...

— Je... je me suis levé, commença Finn d'une voix qui tremblait encore, je me suis rasé, habillé ; je suis descendu dans le dressing de Mr. McGinley pour vérifier que la bonne avait bien allumé le feu ; elle avait tout nettoyé et dépoussiéré. Les domestiques ici font bien leur travail.

Il n'entendit pas le soupir agacé que poussa Tellman.

— J'ai sorti les affaires de toilette, rempli l'aiguière d'eau chaude, placé les chaussons et la robe de chambre devant la cheminée. Ensuite, j'ai aiguisé le rasoir sur le cuir et je l'ai posé à côté de la cuvette. Mr. McGinley préférait se raser lui-même.

217

— Quelle heure était-il?

— Huit heures moins le quart.

Tellman notait tout sur son calepin.

— À quelle heure a-t-il quitté sa chambre?

— En général, il descend prendre son petit déjeuner vers huit heures un quart; je suis parti avant lui, car il fallait que je fasse le cirage pour cirer ses bottes.

— Faire du cirage? Vous ne l'achetez pas tout préparé?

Finn eut un rictus dédaigneux.

— Le cirage que l'on achète dans le commerce contient de l'acide sulfurique qui abîme le cuir. Un bon valet de chambre connaît la recette pour fabriquer du bon cirage.

— N'étant pas valet de chambre, je ne la connais pas, répliqua Tellman.

— C'est une sorte de pommade à base de noir d'ivoire, de mélasse, de blanc de baleine et de vinaigre de vin blanc.

— Et où préparez-vous ça?

— Dans la pièce où l'on cire les bottes.

— Avez-vous emprunté l'escalier de service?

— Bien sûr.

— Qui avez-vous croisé?

— Wheeler, le valet de Mr. Doyle, Dilkes, le majordome et deux autres valets dont je ne connais pas le nom.

— Avez-vous traversé le grand vestibule?

— Oui, pour aller chercher les journaux à repasser.

— Pardon?

— J'ai traversé le vestibule pour aller chercher les journaux à repasser, répéta patiemment Finn. Je voulais savoir s'il y avait du nouveau dans l'affaire Parnell-O'Shea. C'est là que j'ai vu Mr. Doyle descendre l'escalier.

— Seul?

— Oui.

— Où allait-il? Dans la salle à manger?

— Je n'ai pas fait attention.

— Et ensuite? s'enquit Tellman, le crayon en l'air.

Finn parut hésiter.

— Il faut le dire, le pressa Gracie. C'est important.

Elle mourait d'envie de lui prendre la main, mais n'osait pas, devant Tellman.

— Mr. McGinley m'a fait appeler. Je l'ai retrouvé sur le palier devant sa chambre. Il m'a dit de le suivre et de rester devant la porte du bureau de Mr. Radley. Quelqu'un avait placé une charge de dynamite dans la pièce et il allait la désamorcer.

— Je vois, fit Tellman. Je vous remercie, Mr. Hennessey. Mr. McGinley est mort en héros.

— On l'a assassiné, grinça Finn entre ses dents. J'espère que vous attraperez l'enfant de salaud qui a fait ça et que vous le pendrez haut et court.

Tellman regarda Gracie, comme s'il voulait ajouter quelque chose, puis se ravisa et quitta la pièce. La jeune fille se tourna vers Finn, se demandant ce qu'elle pouvait faire pour l'aider. Son maître étant mort, il se retrouvait sans travail. Il lui faudrait chercher un nouvel emploi. Elle lui sourit timidement, pour lui faire comprendre qu'elle compatissait.

Finn lui rendit son sourire et lui caressa la main.

Pitt retrouva Tellman une heure plus tard, au milieu des décombres du bureau. La porte n'avait pas été remplacée.

— Du nouveau?

Tellman lui rapporta le témoignage de Finn.

— Autre chose?

Tellman consulta son calepin.

— Voyons... Une servante est venue dans le bureau à sept heures. Elle a allumé le feu dans la cheminée, dépoussiéré le bureau, rempli l'encrier, ouvert le fameux tiroir pour vérifier qu'il y avait assez de papier, de bougies, de cire à cacheter et de sable pour sécher l'encre. Tout était normal. Et cette femme servait déjà au manoir du temps de Lord Ashworth.

— L'explosion s'est produite à dix heures moins vingt-cinq. Ce qui veut dire que notre homme a eu deux heures et demie pour opérer.

— J'ai interrogé les domestiques : ils étaient tous occupés, les uns à l'étage, d'autres à l'office, en train de prendre leur petit déjeuner ; d'autres encore, à la lingerie ou dans différentes parties du manoir. Je n'aurais jamais cru que loger et nourrir une dizaine d'invités donnât autant de travail.

Sa physionomie exprimait clairement sa façon de penser.

— L'un d'entre eux aurait-il eu le temps de placer la dynamite dans ce bureau ?

— À mon avis, non.

— Ces dames se trouvaient avec leur camériste ou prenaient leur petit déjeuner, excepté Mrs. Greville qui a préféré rester seule, dit Pitt. Et franchement, je n'imagine pas une femme en train de manipuler de la dynamite.

Tellman ne fit aucun commentaire.

— Il ne reste donc que Moynihan et Doyle. Piers Greville était avec Justine Baring.

— Moynihan se trouvait avec Mrs. McGinley dans le jardin d'hiver. Gracie les y a vus. Évidemment, on peut supposer qu'ils ont voulu se débarrasser de McGinley, afin de pouvoir se marier.

— Pour se marier, il faudrait d'abord qu'ils se mettent d'accord sur leur religion.

— Moynihan a l'air assez amoureux d'elle pour avoir voulu se débarrasser du mari, et je ne jurerais pas qu'elle ne l'a pas aidé. Reste Doyle. Il a été vu deux fois dans le vestibule, une fois par Hennessey, une fois par Gracie.

— Bon, je n'ai plus qu'à aller l'interroger, fit Pitt sans enthousiasme.

Depuis le meurtre de son époux, Eudora Greville avait peur pour son frère ; la mort de McGinley ne ferait-elle qu'aggraver ses soupçons ? Les deux hommes s'étaient-ils querellés, en désaccord sur les moyens à utiliser pour parvenir à leurs objectifs politiques ?

Il trouva Doyle et sa sœur dans le boudoir de l'étage.

— Oui, en effet, j'ai traversé le vestibule ce matin, admit Padraig, une lueur de colère dans les yeux. Mais je ne suis pas entré dans le bureau de Radley. Je suis sorti voir le temps qu'il faisait, puis je suis remonté à l'étage.

— Non, Mr. Doyle, corrigea Pitt. Finn Hennessey vous a vu dans le vestibule alors qu'il allait chercher les journaux, et plus tard, la femme de chambre de mon épouse vous a, elle aussi, vu dans le vestibule. Réfléchissez... Êtes-vous sûr de ne pas être entré dans le bureau?

Un instant Pitt crut que Doyle refuserait de lui répondre, mais celui-ci lâcha finalement, le rouge aux joues :

— C'est vrai, j'y suis entré... Mais je n'y suis resté qu'une minute, pour prendre quelques feuilles de papier blanc. Je jure devant Dieu qu'il n'y avait rien d'anormal dans ce tiroir. Celui qui a posé la dynamite l'a fait après mon passage.

Eudora se rapprocha de son frère et glissa son bras sous le sien, mais Pitt vit qu'elle tremblait.

— Êtes-vous passé près du jardin d'hiver? reprit Pitt.

— Oui. Pourquoi? demanda Doyle avec un sourire amer.

— Avez-vous vu Fergal Moynihan et Iona McGinley?

— Oui, mais je doute qu'ils m'aient remarqué.

— Que faisaient-ils?

— Voyons, mon vieux! Ce ne sont pas des choses à raconter devant une dame!

— Je veux savoir ce qu'ils faisaient exactement. Je suis sûr que Mrs. Greville comprendra...

Celle-ci regarda Pitt intensément et serra un peu plus le bras de son frère.

— En passant devant le jardin d'hiver avant d'aller dans le bureau, je les ai entendus se disputer, expliqua Padraig.

— Décrivez-moi la scène avec précision.

— Moynihan se tenait devant un camélia, les deux

mains tendues. Je n'entendais pas ce qu'il disait, mais il paraissait exaspéré. Il parlait lentement, comme quelqu'un qui se contrôle pour ne pas laisser éclater sa colère. En gesticulant, il a cassé une tige d'orchidée qu'il a ramassée et jetée derrière un palmier en pot. C'est tout ce que j'ai vu.

— Et au retour, après avoir pris les papiers dans le tiroir ?

— Visiblement, ils s'étaient réconciliés. Ils s'étreignaient avec fougue. Les vêtements de Mrs. McGinley étaient un peu... dérangés, en particulier son corsage.

Doyle évitait de regarder sa sœur, peut-être parce qu'il se disait qu'entendre parler d'adultère était un sujet douloureux pour elle.

— Je n'en dirai pas davantage, conclut-il.

— Je vous remercie, Mr. Doyle.

En voyant Eudora sourire, Pitt se prit à espérer que Fergal Moynihan corroborerait les propos de Doyle.

Il le trouva dans le salon, en compagnie de Carson O'Day. Quand Pitt évoqua la scène du jardin d'hiver, Moynihan parut embarrassé, mais réagit néanmoins de façon agressive.

— Oui, c'est vrai, j'ai cassé une tige d'orchidée, sans le faire exprès. Nous venions de nous disputer, mais rien de grave.

— Vous vous êtes très vite réconciliés, je crois...

— En effet. Mais qu'en savez-vous ? En quoi diable une orchidée cassée a-t-elle de l'importance ?

— Ce pourrait être très important, Mr. Moynihan. Combien de temps s'est-il écoulé entre le moment où vous avez cassé l'orchidée et celui où vous vous êtes réconcilié avec Mrs. McGinley ? Cinq minutes ? Dix minutes ?

— Pas du tout ! Deux ou trois minutes, tout au plus ! Mais pourquoi ces stupides questions, Mr. Pitt ?

Moynihan s'énervait, parce qu'il ne comprenait pas où Pitt voulait en venir et aussi parce qu'il était gêné d'évoquer cette scène devant Carson O'Day. Rouge comme une pivoine, il ne tenait pas en place, mourant d'envie de quitter la pièce.

— Pouvez-vous, s'il vous plaît, m'expliquer comment vous vous êtes réconciliés, Mr. Moynihan? demanda Pitt avec une pointe de satisfaction vengeresse, content de pouvoir rabattre un peu le caquet de cet homme toujours hautain.

Fergal lui jeta un regard furieux.

— Vraiment, Mr. Pitt! Je n'ai pas l'intention de satisfaire votre esprit lubrique! Je ne vous répondrai pas.

Pitt soutint son regard.

— Vous ne me laissez d'autre choix que celui de poser la question à Mrs. McGinley... Je pensais qu'étant donné les circonstances et l'affection que vous semblez lui porter, vous lui auriez épargné cette pénible nécessité.

— Vous... vous êtes méprisable, monsieur!

— Parce que je vous demande de décrire des faits et gestes qui pourraient innocenter des personnes soupçonnées de meurtre? N'êtes-vous pas aussi désireux que nous de découvrir la vérité?

Moynihan poussa une bordée de jurons à voix basse.

— Vous disiez? fit Pitt.

— Nous... nous nous sommes embrassés, fit Fergal entre ses dents. Je crois avoir déboutonné le... haut de sa robe...

— Vous croyez? N'y a-t-il donc rien dont vous vous souveniez avec clarté?

— Mais si!

Fergal se tourna vers O'Day; celui-ci cachait difficilement son amusement

— Merci, fit Pitt. Il apparaît, selon votre témoignage, que la personne qui se trouvait dans le bureau n'y est pas restée assez longtemps pour pouvoir installer la dynamite.

— Et qu'il ne peut s'agir de moi, ironisa Fergal.

— En effet. Je vous rappelle que vous étiez pour moi le premier suspect. Vous aviez de bonnes raisons de vouloir vous débarrasser de McGinley, non?

Moynihan devint écarlate.

— Cela élimine aussi Mrs. McGinley de la liste des suspects, poursuivit Pitt.

— Vous ne vous imaginiez tout de même pas que Iona...

— Elle n'aurait pas été la première femme à vouloir se débarrasser de son époux pour suivre son amant, ou à conspirer avec ce dernier, lui fit remarquer Pitt.

Moynihan était si furieux qu'il ne trouva rien à répondre.

— Mais alors qui a placé la dynamite ? intervint O'Day en plissant le front. Votre raisonnement aboutit à une impasse, Mr. Pitt.

— Dans ce cas, nous vérifierons à nouveau l'emploi du temps de chacun, jusqu'à ce que nous trouvions qui a menti. Au revoir, messieurs.

Charlotte quitta le vestibule en toussotant : la poussière lui piquait la gorge et les yeux. Elle tremblait légèrement. La tête lui tournait si fort qu'elle dut prendre appui contre un banc à haut dossier pour ne pas tomber ; finalement, elle s'assit et resta là, tête baissée, en attendant que la sensation de vertige s'estompât. Quand elle se sentit mieux, elle se redressa, les larmes aux yeux. C'était ridicule. Elle aurait tant voulu avoir Pitt à ses côtés, pour la réconforter, s'assurer qu'elle allait bien et lui dire de ne pas s'inquiéter.

Mais bien sûr, Pitt avait autre chose à faire que de s'occuper d'elle... Une femme pouvait aussi bien qu'un homme affronter la mort, même une mort violente. Cela ne requérait aucune force physique, aucune connaissance particulière, simplement une grande maîtrise de soi et une bonne dose d'altruisme. C'était à elle d'aider Pitt à démasquer l'assassin.

Contrairement à son habitude, il s'était très peu confié à elle dans cette affaire, sans doute parce qu'il n'avait pas découvert grand-chose, mais aussi parce qu'elle passait la plus grande partie de son temps avec les invitées, pour tenter d'aplanir les conflits. Ils s'étaient à peine vus depuis leur arrivée à Ashworth Hall.

Charlotte se demanda vers qui se tourner pour obtenir de l'aide. Emily ? Certainement pas. Sa sœur venait de passer devant elle sans la voir ; toutes ses pensées étaient centrées sur Jack, qui venait d'échapper à un horrible attentat. Quoi de plus normal ? À sa place, Charlotte aurait réagi de la même façon.

Personne ne menaçait la vie de Pitt, mais le double échec qu'il venait d'essuyer nuirait certainement à sa carrière. On le tiendrait pour responsable de la mort du médiateur du gouvernement. C'était injuste. Aucun policier chargé de la protection de Greville ne l'aurait suivi dans sa salle de bains !

Ah, si seulement Lady Cumming-Gould était là ! Hélas, elle était à Londres.

À Londres... Pitt était allé à Londres, la veille, en train. Pourquoi n'irait-elle pas aujourd'hui ? Elle se leva et se dirigea vers la bibliothèque où se trouvait le téléphone.

CHAPITRE IX

Sa décision étant prise, Charlotte ne perdit pas de temps et alla annoncer à Pitt qu'elle partait chez tante Vespasia.

— Aujourd'hui ? s'exclama-t-il, incrédule.

— Oui, je pense qu'elle pourrait nous aider.

— Avez-vous pensé à Emily ? Elle a besoin de vous ici. Elle a peur pour Jack, avec raison. Je pense que vous devriez rester.

— Je reviendrai le plus tôt possible, le rassura Charlotte, bien décidée à ne pas changer d'avis.

Elle avait besoin de parler à quelqu'un et Vespasia était la seule personne qui la comprendrait. Bien que Pitt ne s'en rendît pas compte, elle se sentait tout aussi vulnérable qu'Emily et Eudora, mais pour des raisons différentes.

— Je ne serai pas longue, lui promit-elle en l'embrassant sur la joue.

Emily étant occupée, Charlotte dit à Gwen, sa camériste, de la prévenir de son départ. Puis, après en avoir brièvement informé Gracie, elle se fit préparer un attelage qui la conduisit à la gare d'Ashworth. Là, elle se renseigna sur les horaires de retour et demanda au cocher de venir la chercher au train de dix heures du soir.

— Eh bien, ma chère petite, quel bon vent vous amène ? demanda Vespasia.

Charlotte, les joues rosies par le vent piquant, était très élégante dans un ensemble de voyage vert foncé, assorti d'une cape au col orné de fourrure.

— Comment allez-vous, tante Vespasia? fit-elle en entrant dans le lumineux salon georgien aux couleurs pastel.

— Très bien, ma chère. Venez vous réchauffer près du feu. Daisy va nous apporter du thé. Racontez-moi donc ce qui vous cause tant de souci que vous ayez décidé de quitter Ashworth Hall pour venir me voir.

Elle plissa les yeux et observa sa visiteuse d'un air grave.

— Vous n'avez pas l'air au mieux de votre forme. Que se passe-t-il?

Charlotte s'aperçut qu'elle tremblait encore légèrement.

— Une... une bombe a explosé à Ashworth Hall ce matin, dans le bureau de Jack.

Vespasia pâlit.

— Ô mon Dieu! C'est affreux!

Charlotte s'en voulut d'avoir été si directe. Elle prit la main de la vieille dame.

— Rassurez-vous, tante Vespasia. Jack n'est pas blessé. Il ne se trouvait pas dans son bureau au moment de l'explosion.

— Merci, vous pouvez me lâcher la main, ma chère. Je ne vais pas m'évanouir! Je présume que s'il était arrivé quelque chose à Jack, vous me l'auriez dit tout de suite. Quelqu'un a-t-il été blessé? Et qui a pu commettre un acte aussi abominable, dites-moi?

— Un homme est mort, tante Vespasia. Un catholique irlandais nommé Lorcan McGinley. Et nous ignorons qui est l'auteur de l'attentat. C'est une longue histoire...

— Je vous écoute, fit Vespasia en lui faisant signe de prendre place en face d'elle dans un confortable fauteuil, près de la cheminée où brûlait un grand feu.

Comme toujours, elle se tenait très droite, le menton haut, ses cheveux argentés nattés et coiffés en couronne, ses yeux gris brillant d'intelligence sous ses lourdes paupières. Lady Cumming-Gould, descendante d'une vieille famille d'aristocrates fortunés, était capable, d'un seul regard, de pétrifier une personne impertinente et lui faire regretter d'avoir ouvert la bouche. Elle conversait avec une égale aisance avec philosophes, gens de la cour ou dramaturges. Elle avait connu des ducs et des princes qui s'étaient trouvés honorés de sa présence. À plus de quatre-vingts ans, Vespasia avait conservé le port de tête fier et altier de sa jeunesse ; un demi-siècle plus tôt, elle avait été l'une des plus grandes beautés de son temps. Maintenant, sa richesse et son grand âge l'autorisaient à ignorer le qu'en-dira-t-on et à dire tout haut ce qu'elle pensait.

— Commencez donc par le début, reprit-elle d'un ton encourageant, voyant que Charlotte avait du mal à exprimer son inquiétude.

— Voilà : comme je vous l'avais dit sans trop vous donner de détails, Thomas a été appelé à Ashworth Hall pour assurer la protection d'Ainsley Greville...

Vespasia hocha la tête.

— Je vois. Pour des raisons politiques, j'imagine. Greville est l'un de nos meilleurs diplomates. Catholique, mais catholique discret. Un homme qui ne laisserait pas ses convictions religieuses prendre le pas sur sa carrière. Il a épousé Eudora Doyle, une très belle femme issue d'une famille de riches catholiques irlandais. Mais le couple Greville a toujours vécu en Angleterre.

Un sourire légèrement ironique effleura ses lèvres.

— Ne me dites pas que l'affaire qui vous amène a un quelconque rapport avec cette absurde histoire entre Parnell et O'Shea...

— Je ne saurais vous le dire, répondit Charlotte. Il y a peut-être un lien indirect. Mais je ne suis sûre de rien.

Vespasia posa sa longue main maigre, baguée de pierres de lune, sur les genoux de la jeune femme.

— Que se passe-t-il, ma chère petite ? Vous paraissez profondément troublée. Or, à la façon dont vous avez évoqué le décès de ce malheureux Mr. McGinley, je comprends qu'il n'est pas le centre de vos préoccupations. Et je ne peux croire qu'il s'agisse de Mr. Greville. Un homme assez déplaisant, à mon goût ; il possède un certain charme, une grande intelligence, beaucoup de diplomatie, mais une nature égoïste et intéressée.

— Il possédait, rectifia Charlotte.

— Ne me dites pas qu'il s'est ouvert à l'humanité, fit Vespasia, dubitative. Il faudrait que je vérifie cela de plus près...

Malgré elle, Charlotte partit d'un rire bref.

— Non. Thomas devait assurer sa protection, car Ainsley Greville avait reçu de nombreuses menaces de mort ; malheureusement, il a échoué.

Elle prit une profonde inspiration.

— Il a été assassiné.

— Oh... je vois. Vous m'en voyez désolée. J'imagine que Thomas n'a pas encore mis la main sur le coupable ?

— Non, bien qu'il s'agisse sans doute de l'un des Irlandais présents à Ashworth Hall.

Vespasia inclina la tête.

— Mon petit doigt me dit qu'il ne s'agit pas du vrai motif de votre visite. Est-ce que je me trompe ? Je connais un peu le problème irlandais, mais je serais bien incapable de vous aider à démasquer l'assassin.

— Non, bien sûr...

Charlotte se souvenait avec acuité du choc physique qu'elle avait ressenti lors de l'explosion. C'était la première fois qu'elle était confrontée d'aussi près à une telle violence. La vue du bureau dévasté était terrifiante.

— Venons-en à ce qui vous préoccupe, reprit Vespasia. Manifestement, l'affaire est grave. Mais Thomas a par le passé mené des enquêtes criminelles plus difficiles auxquelles vous avez vous-même participé. Qu'est-ce donc qui vous trouble à ce point ?

Charlotte regarda la main maigre, veinée de bleu de sa vieille amie, toujours posée sur la sienne.

— Eudora Greville est si fragile, si vulnérable, murmura-t-elle. En l'espace de quelques jours, elle a tout perdu, non seulement son mari, mais aussi toutes les illusions qu'elle entretenait à son sujet. Elle a appris que son époux était un coureur de jupons, un homme qui abusait des femmes, en particulier des domestiques, sans égard pour leurs sentiments ou leur avenir.

— Situation fort douloureuse, j'en conviens, acquiesça Vespasia. Mais croyez-vous vraiment que Mrs. Greville était à ce point naïve qu'elle n'ait eu aucun soupçon ? Permettez-moi d'en douter. Ce qui la taraude, c'est que tout le monde l'ait appris. Car désormais elle ne pourra plus se cacher la vérité, ce que nous avons tous tendance à faire quand elle est trop dure à supporter.

Charlotte leva les yeux vers la vieille dame.

— Non, il y a pis que cela...

En quelques mots, pleins de colère et de pitié, elle lui raconta ce qu'il était arrivé à Doll.

— Eh bien, cet homme portait le mal en lui, soupira Vespasia. Eudora Greville devra vivre en sachant tout cela et ce sera très difficile pour elle.

— Et pour son fils aussi, ajouta Charlotte.

— En effet. Mais pourquoi vous faire tant de souci pour une personne qui n'est pas parmi vos proches ?

— À vrai dire... c'est surtout Thomas qui se fait du souci pour elle. Vous connaissez son esprit chevaleresque. J'ai l'impression qu'elle répond à ce besoin qu'il a de sauver une femme en détresse.

La pendule posée sur le manteau de la cheminée égrenait les secondes dans la pièce silencieuse. La bonne entra discrètement pour servir le thé et s'éclipsa.

— Si je comprends bien, fit enfin Vespasia, vous auriez bien envie de jouer aussi les demoiselles en détresse.

Charlotte eut à la fois envie de rire et de fondre en larmes. Elle secoua vigoureusement la tête.

— Non ! Je n'ai nul besoin d'être sauvée ! Et je suis

bien incapable de faire semblant! Mais parfois je me demande... si Thomas n'aimerait pas que je ressemble à Eudora. Peut-être a-t-il besoin d'une femme fragile, qu'il pourrait protéger...

— C'est possible, murmura Vespasia. Vous êtes très exigeante avec lui, Charlotte. N'oubliez pas que vous n'êtes pas issue de la même classe sociale. Peut-être, parfois, ne vous souvenez-vous que des sacrifices auxquels vous avez consenti, vous : les toilettes, les domestiques dont vous vous passez, les soirées auxquelles vous ne pouvez assister, les économies que vous devez réaliser.

— Mais jamais, depuis notre mariage, je n'ai exigé tout cela! protesta Charlotte.

— Bien sûr. Mais en ce moment, vous vous trouvez tous deux à Ashworth Hall, chez votre sœur — ou plutôt dans l'une de ses résidences. Le pauvre Jack ne doit pas se sentir non plus à son aise tous les jours d'avoir épousé une veuve fortunée!

— Je n'y peux rien! Si nous sommes à Ashworth Hall, c'est parce que Thomas y a été envoyé par le ministère de l'Intérieur.

Vespasia hocha la tête en souriant.

— Et aussi parce que Mrs. Emily Radley, autrefois Lady Ashworth, est votre sœur... Je cherche simplement à vous dire que si Thomas trouve agréable qu'Eudora Greville s'appuie sur lui, cela n'a rien d'étonnant. Si vous en souffrez, vous n'avez qu'à jouer les faibles femmes, afin qu'il reporte son attention sur vous. Est-ce cela que vous souhaitez?

— Pas du tout! s'écria Charlotte. Ce serait une attitude méprisable. Je n'oserais même plus le regarder en face!

— Eh bien, voilà, vous avez répondu à la question... Charlotte, ma chère petite, on ne peut être tout pour quelqu'un, ni même chercher à l'être. À l'avenir, essayez de temps en temps de modérer vos exigences, de masquer vos petits défauts; gardez votre langue, félicitez-le plus souvent, tout en restant vous-même. Le silence et la patience n'ont jamais fait de mal; le mensonge, oui. Aimeriez-vous que Thomas vous mente?

Charlotte ferma les yeux.

— Ce serait la fin de tout. Comment pourrais-je encore le croire, après?

— Donc, vous avez répondu à toutes les questions que vous vous posiez, conclut Vespasia en se calant contre le dossier de son fauteuil. Laissez Thomas libre de sauver le monde. Cela fait partie de sa nature. C'est même sa plus grande qualité. Et ne sous-estimez pas sa capacité à vous aimer telle que vous êtes. À présent, si nous déjeunions?

Elle se leva en s'appuyant sur sa canne d'ébène à pommeau d'argent, mais refusa l'aide de Charlotte.

— Saumon poché, petits légumes et tarte aux pommes. Cela vous convient-il? En mangeant, vous me parlerez de tous ces Irlandais et moi de l'absurde divorce de Mrs. O'Shea. Nous pourrons en rire ensemble... ou en pleurer.

— Est-ce donc si triste? demanda Charlotte.

Elles se rendirent dans la petite salle à manger où Lady Vespasia prenait ses repas lorsqu'elle était seule. Les fenêtres, ornées de tentures fleuries, donnaient sur un jardinet. Une belle collection d'assiettes en porcelaine et de verres en cristal était exposée dans des cabinets vitrés. Sur une table en merisier, le couvert était dressé pour deux personnes. Le majordome aida Vespasia à s'asseoir, attendit qu'elle ait déplié sa serviette, leur servit un léger consommé et se retira.

— Oui, assez triste, reprit Vespasia, mais surtout pour l'Irlande. De mon point de vue, l'affaire est d'un ridicule achevé. Parnell n'a aucun sens de l'humour et se prend affreusement au sérieux. C'est un défaut assez courant chez les protestants. Pourtant, qu'on les aime ou non, on ne peut dire que la majorité des Irlandais manquent d'esprit! Mais Parnell s'est comporté comme un personnage de mauvaise farce. Après ce qui vient de se passer, il persiste à croire que les gens ne vont pas se moquer de lui et lui dénier toute crédibilité.

Charlotte pensa à Carson O'Day, sur les épaules duquel reposait l'espérance de sa famille et de son parti.

— Vous rendez-vous compte? poursuivit Vespasia en haussant ses fins sourcils. Quand le capitaine O'Shea et son épouse se sont installés à Brighton, un certain Mr. Charles Stewart s'est présenté à leur porte deux ou trois jours plus tard, coiffé d'une casquette d'ouvrier. Il est venu à plusieurs reprises, toujours en l'absence du capitaine O'Shea. Il arrivait par la plage, à la tombée de la nuit, et emmenait Mrs. O'Shea en promenade.

— Vous dites que Mr. Parnell n'a aucun humour, remarqua Charlotte, mais que penser de Katie O'Shea? Comment peut-elle être amoureuse d'un homme coiffé d'une casquette, affublé d'un nom qui ne trompe personne? À sa place, je serais morte de rire!

— On n'a pas fini de faire des chansons sur cet épisode dans les music-halls! Et aussi sur celui de l'escalier d'incendie, vous en avez peut-être entendu parler.

Le majordome revint leur servir le saumon et les légumes. Dès qu'il fut parti, Vespasia soupira.

— Mais c'est bien triste pour l'Irlande. Les partisans les plus fervents de Parnell voteront encore pour lui par loyauté, pour ne pas l'abandonner, mais la majorité de la population ne le suivra plus. Les négociations pour la paix menées par Ainsley Greville sont désormais interrompues, je suppose...

— Non, car Jack a aussitôt été nommé à sa place. La charge de dynamite lui était sans doute destinée. Emily est dans tous ses états, mais Jack n'a d'autre choix que de continuer à mener de son mieux les négociations.

— C'est affreux, murmura Vespasia. Je ne sais comment vous aider. L'Irlande vit depuis des siècles une immense tragédie.

Charlotte repensa à la triste histoire de Neassa Doyle et Drystan O'Day.

— Deux des représentants irlandais se nomment Doyle et O'Day. Des familles précisément marquées par cette tragédie.

Vespasia eut un hochement de tête agacé.

— Vous parlez de cette prétendue affaire de viol et de trahison, qui s'est passée il y a trente ans?

— Oui. Je comprends pourquoi les Irlandais ne nous font pas confiance. Quand j'entends pareille histoire, j'ai honte d'être anglaise.

Vespasia posa sa fourchette et se cala contre le dossier de sa chaise.

— Vous n'avez pas à avoir honte, Charlotte. Les Anglais ont certainement commis des atrocités en Irlande, mais ce drame-là n'est pas de notre fait. Neassa Doyle n'a pas été violée. Ce sont ses propres frères qui lui ont coupé les cheveux parce qu'à leurs yeux elle n'était qu'une putain vendue aux protestants.

Charlotte, horrifiée, prit son inspiration pour la contredire, mais la vieille dame ne lui en laissa pas le temps.

— Ce sont ses frères qui l'ont tuée, parce qu'elle avait trahi leur famille et leur religion. Pour eux, elle méritait la mort.

— Pour avoir été amoureuse? s'insurgea Charlotte. Mais c'est une honte!

— Elle s'apprêtait à fuir avec un protestant. Elle abandonnait la tribu, si vous préférez. Qu'est-ce que l'amour, quand l'honneur est en jeu?

— L'honneur de qui? N'avait-elle pas le droit de choisir l'homme qu'elle voulait épouser, puisqu'elle était prête à quitter sa famille pour le suivre? Il y a un prix à payer, tout le monde le sait, mais si elle l'aimait...

Vespasia sourit, mais ses yeux étaient tristes.

— Vous êtes bien placée pour le savoir, Charlotte. Le prix à payer pour sa propre liberté est une grande solitude. Je pense parfois que vous ne vous rendez pas compte de la chance que vous avez eue. Vous avez épousé un homme qui n'était pas de votre milieu, mais vos parents ne vous en ont pas tenu rigueur, ils n'ont pas cherché à vous faire changer d'avis et n'ont pas rompu tout lien familial avec vous. Neassa Doyle a eu le courage de faire un choix, mais sa famille ne l'a pas admis. Pour elle, la honte et le déshonneur étaient trop grands.

— Mais cet Alexander Chinnery? argumenta Charlotte. Comment savez-vous qu'il n'a pas tué Neassa?

— Tout simplement parce que le 7 juin 1860, Alexander Chinnery était déjà mort, expliqua Vespasia. Il s'était noyé deux jours plus tôt dans le port de Liverpool en tentant de sauver un enfant dont la jambe s'était prise dans un cordage et qui était entraîné vers le fond.

— Dans ce cas, pourquoi catholiques et protestants affirment-ils que c'est lui l'assassin? Et pourquoi prétendent-ils que la jeune fille a été violée, si ce n'est pas vrai?

Vespasia reprit sa fourchette et se remit à manger.

— Comment naissent les légendes, selon vous? Il suffit de laisser se répandre une rumeur qui épouse les passions du moment. Au bout de quelque temps, tout le monde finit par y croire; même si certains connaissent la vérité, il est trop tard pour l'imposer.

— Mais ces gens n'ont pas l'impression de mentir, ils croient à cette version des faits!

— Les légendes sont à l'origine de ce que nous sommes et justifient nos actions; elles n'ont que faire des dates.

— En êtes-vous sûre? Chinnery est peut-être mort plus tard? Le même jour, mais l'année suivante? Et la famille de Chinnery? N'a-t-elle pas souhaité réhabiliter sa mémoire? Cet homme a été accusé d'un crime horrible!

— À Liverpool, où vit sa famille, il est considéré comme un héros. Les journaux locaux ont relaté l'événement.

Charlotte laissa tomber sa fourchette.

— Les journaux? Mais alors on peut rétablir la vérité!

— Qui voudra l'entendre? rétorqua Vespasia. Les troubadours irlandais qui chantent au clair de lune en s'accompagnant de leur harpe? Certainement pas. Ma chère, ignorez-vous que Macbeth fut en fait le dernier grand roi d'Écosse, au xɪᵉ siècle, quand ce pays s'étendait jusqu'au Yorkshire, et que son règne fut paisible et prospère durant dix-sept ans? À sa mort, son peuple l'enterra dans l'île sacrée des rois. Il eut pour successeur Lulach, le fils de Lady Macbeth, une femme remarquable qui a œuvré pour les veuves et les orphelins. Mais accepter la vérité reviendrait à dire que la meilleure pièce de Shakespeare est un tissu de mensonges, aussi personne n'a-t-il envie de la connaître, conclut-elle avec un léger haussement d'épaules.

— Eh bien moi, je retrouverai ces journaux et je démontrerai à ces gens que leur histoire n'est qu'une infâme machination! déclara Charlotte d'un ton convaincu.

Vespasia la fixa droit dans les yeux.

— Êtes-vous certaine que cela soit une bonne solution? Quelle différence cela fera-t-il à leurs yeux? Les gens n'aiment pas voir leurs rêves réduits à néant. Nous croyons ce que nous voulons croire.

— L'illusion nourrit la haine... commença Charlotte.

— Non, ma chère, c'est la haine qui nourrit l'illusion. Supprimez le rêve, il en naîtra aussitôt un autre. Vous ne résoudrez pas le problème irlandais à vous seule.

Charlotte quitta lady Vespasia en début d'après-midi et prit un cab qui la déposa devant le British Museum; dans la salle de lecture, elle demanda à un préposé au visage lugubre s'il pouvait lui apporter les journaux de Liverpool et d'Irlande datant de juin 1860. Elle avait une paire de ciseaux à ongles dans son réticule; elle prenait toujours avec elle un petit nécessaire de couture et des épingles de sûreté.

— Oui, madame. Si vous voulez bien me suivre.

Il la guida dans de longues allées étroites bordées de

rangées de livres, jusqu'à une grande table de lecture, et lui promit de revenir avec les journaux demandés.

À la table voisine était assis un jeune homme à la fière moustache et à l'air sérieux, absorbé dans la lecture d'un pamphlet politique. En face d'elle, un gentleman à l'allure martiale la fusilla du regard, lui donnant l'impression qu'elle venait d'entrer dans un club réservé aux hommes.

Il lui fallut plus d'un quart d'heure pour découvrir les articles qu'elle cherchait parmi la pile de journaux que lui avait apportés le préposé. Mais comment les découper sans attirer l'attention de ses voisins ? Voler un article dans une salle de lecture publique était-il un délit ? Elle aurait bonne mine si elle se retrouvait au poste de police ! D'autant que le plus proche était le commissariat de Bow Street, dont Pitt avait la charge !

Elle leva les yeux vers le gentleman et lui sourit. Gêné, il détourna la tête. L'étudiant révolutionnaire, tout à sa lecture, ne remarqua rien. Charlotte feuilleta ses journaux avec bruit et se mit à renifler. Le gentleman lui lança un regard désapprobateur. Elle lui rendit un sourire si éblouissant qu'il devint rouge comme une pivoine et chercha un mouchoir dans sa poche pour se donner une contenance. Elle lui tendit un mouchoir de dentelle en plongeant son regard dans le sien. L'homme, horrifié, se leva précipitamment et s'enfuit.

Charlotte put alors se pencher sur ses journaux et, les cachant à la vue de l'étudiant, découpa d'une main tremblante les deux articles qui l'intéressaient et les glissa dans son réticule. Puis elle chercha le préposé des yeux et le vit qui réprimandait une vieille dame coiffée d'un chapeau mauve.

Elle sortit discrètement de la salle, tête baissée, en mettant la main devant sa bouche comme si elle était malade. Une fois dehors, elle marcha très vite et héla un cab pour se rendre à la gare.

Il faisait froid et sombre lorsqu'elle arriva à Ashworth Hall. Un valet de pied fatigué lui ouvrit la porte. Tous les habitants du manoir s'étaient couchés tôt, n'ayant sans doute guère envie de veiller, après le drame de la matinée. Le vestibule avait été balayé et lavé, mais la poussière était encore là et aucun chiffon ne pouvait effacer les longues entailles qui zébraient le bois de la porte du bureau, toute voilée, que l'on avait tant bien que mal replacée sur ses gonds.

Charlotte remercia le valet.

— Avez-vous besoin de quelque chose, madame? s'enquit celui-ci par conscience professionnelle.

— Non, merci. Verrouillez la porte et allez vous coucher. Je monte dans ma chambre.

— Votre camériste vous y attend, madame.

— Merci. Il n'est rien arrivé, depuis mon départ?

— Non, madame, rien de particulier.

Charlotte décida de ne pas annoncer ce soir-là à Gracie que l'histoire racontée par Finn Hennessey n'était que mensonges. Elle le lui dirait le lendemain matin.

Elle trouva la jeune fille lovée dans l'un des fauteuils du dressing, profondément endormie. Dans la faible lumière de la veilleuse, son visage enfantin était tout pâle. Ses cheveux raides et fins s'échappaient de son bonnet blanc qui avait glissé sur le côté.

Charlotte hésita à la réveiller, mais elle craignit que Gracie n'attrapât froid et qu'en s'éveillant au beau milieu de la nuit elle ne s'imaginât que sa maîtresse n'était pas rentrée.

Elle lui effleura la main.

— Gracie... Gracie!

La jeune fille remua dans son sommeil.

— Gracie, vous ne pouvez pas rester dans ce fauteuil. Demain matin, vous vous réveillerez pleine de courbatures.

Gracie ouvrit un œil, puis se redressa et se mit debout.

— Oh, Madame, je suis si contente de vous voir! Vous auriez pas dû prendre le train toute seule. Le maître est dans son lit, mais je parierais qu'il dort pas non plus.

Charlotte réprima un sourire. Gracie lui prit sa cape et alla l'accrocher dans la penderie.

— Merci de m'avoir attendue, dit Charlotte.

— C'est normal, c'est mon travail, fit Gracie avec fierté. Vous voulez de l'eau chaude pour vous laver les mains et la figure ?

— Non, l'eau froide fera l'affaire, répondit Charlotte, qui ne voulait pas la voir charrier des brocs dans l'escalier à pareille heure. Pour en revenir aux trains, ajouta-t-elle, il ne fallait pas vous inquiéter. On voyage en toute sécurité ! Comment s'est passée la journée, au manoir ?

— On dirait que tout le monde a peur de son ombre, répondit Gracie en l'aidant à délacer ses bottines et à se déshabiller. Quand un valet a débouché une bouteille, l'une des filles s'est mise à hurler ! Étonnant qu'elle ait pas fait tomber les manchons des veilleuses qui étaient encore accrochées !

Pendant que Gracie délaçait son corset, Charlotte ôta les épingles de son chignon, remua la tête et laissa sa chevelure couler dans son dos.

— Oh, comme j'aimerais dormir jusqu'à dix heures du matin, dit-elle en bâillant.

— Vous voulez que je vous monte votre petit déjeuner ?

— Non. Je dois être présente à table, pour aider ma sœur. Il faut ouvrir l'œil.

— On a pas fait du bon travail, cette fois, hein ? fit Gracie d'un ton malheureux. On est même pas capables d'aider Mr. Pitt.

— C'est vrai, reconnut Charlotte avec une pointe de culpabilité dans la voix. Mais je ne sais par où commencer. Je ne connais pas ces nationalistes irlandais, qu'ils soient catholiques ou protestants.

Elle versa de l'eau dans la cuvette et s'aspergea le visage. Le froid lui coupa la respiration.

— Nous y réfléchirons demain matin, dit-elle en prenant la serviette que Gracie lui tendait. Vous devez être fatiguée, tout comme moi. Je vous souhaite une bonne nuit. Et encore merci de m'avoir attendue.

— De rien, Madame, fit Gracie en réprimant un bâillement.

Comme cette dernière l'avait deviné, Pitt ne dormait pas. Il somnolait en attendant son retour.

— Comment allait Lady Vespasia ? marmonna-t-il, ensommeillé.

— Très bien, chuchota-t-elle en se glissant à ses côtés.

Il grogna au contact de ses pieds et de ses mains glacés.

— J'ai appris certaines choses, poursuivit-elle, sur la fameuse affaire Neassa Doyle et Drystan O'Day. Alexander Chinnery n'a ni violé ni tué Neassa. Il s'était noyé deux jours plus tôt dans le port de Liverpool.

Pitt ne répondit pas.

— Thomas ? Dormez-vous ?

— Non, mais j'aimerais bien !

— Selon Vespasia, Parnell sera bientôt démis de ses fonctions. Je suppose que cela va changer la donne pour les participants à la conférence. Et vous ? Avez-vous découvert comment Lorcan McGinley a su qu'il y avait une charge de dynamite dans le bureau de Jack ?

Pitt ouvrit les yeux et se mit sur le dos.

— Non. Nous avons cherché à retracer ses allées et venues au cours de la matinée, mais nous n'avons rien appris d'intéressant.

— J'en suis désolée. Je ne vous ai guère été utile ces derniers temps, soupira-t-elle.

— Vous m'aideriez beaucoup si vous vous décidiez à dormir, répondit-il en la prenant dans ses bras. Bonne nuit, Charlotte.

Le lendemain matin, dès qu'elle fut habillée, Charlotte s'assit à sa coiffeuse et Gracie entreprit de la peigner.

— J'ai vu Lady Vespasia, hier, à Londres, commença Charlotte.

— Comment va-t-elle ? demanda la jeune fille, qui

éprouvait pour Lady Cumming-Gould une immense admiration, mêlée de crainte — la vieille dame l'impressionnait presque autant que la reine d'Angleterre, à cette différence près que Gracie n'avait jamais vu la reine, que l'on disait acariâtre et maussade.

— Elle va très bien, je vous remercie. Je lui ai raconté ce qui se passait ici, évidemment.

— Elle doit se faire du souci pour ce pauvre Mr. Radley et pour Mr. Pitt aussi, remarqua Gracie.

— Bien sûr. Et elle connaît bien l'histoire de l'Irlande.

— Si seulement elle pouvait nous aider ! s'écria Gracie avec véhémence. Leurs histoires vous donnent envie de pleurer. Quand je pense à cette pauvre fille qui s'est fait violer parce qu'elle était belle et qu'elle aimait un garçon d'un autre bord, et aussi à ce que nous autres, les Anglais, on lui a fait, j'ai honte...

— Il ne faut pas, la coupa Charlotte. Nous...

— Oh, je sais bien que c'est pas de notre faute à nous. N'empêche que les Anglais...

Charlotte pivota sur son tabouret et lui fit face.

— Écoutez-moi : l'Angleterre a fait beaucoup de mal à l'Irlande. On ne peut pas le nier. Mais nous n'avons rien à voir dans le meurtre de Neassa Doyle. J'ai quelque chose à vous montrer.

Elle se leva et alla chercher les articles de journaux dans son réticule.

— Lisez ces articles, en faisant bien attention aux dates. Alexander Chinnery est mort à Liverpool deux jours avant que Neassa Doyle ne soit tuée par ses propres frères. Et, Dieu merci, elle n'a pas été violée.

Gracie se pencha sur les articles et se mit à lire à voix basse. Cela lui prit tant de temps que Charlotte faillit lui proposer de les lire à sa place, au cas où elle aurait trop de difficulté à déchiffrer les mots. Mais finalement Gracie leva vers elle un regard troublé.

— C'est terrible ! Quand je pense que tous ces gens ont

cru à ces mensonges ! Et ce pauvre Chinnery qui avait rien fait de mal...

— Oui, il ne faut pas toujours croire ce que l'on vous dit, Gracie.

— Et si Mr. Doyle et Mr. O'Day connaissaient la vérité, ils changeraient peut-être d'attitude, non ? demanda Gracie avec une pointe d'espoir dans la voix.

— Non, répondit Charlotte sans hésiter. Cela signifierait que leur famille leur a menti. Ce n'est jamais bon à apprendre.

— Même si c'est la vérité ?

— Surtout si c'est la vérité.

Après le petit déjeuner, Gracie prit les deux articles de journaux et partit à la recherche de Finn Hennessey, persuadée qu'il voudrait sûrement apprendre la vérité.

Elle l'aperçut assis sur un banc dans la pièce où l'on cirait les chaussures, et attendit que le valet de Mr. O'Day soit parti avant d'entrer. Finn, encore sous le choc, était pâle et grave. Il n'avait plus de travail, aucune raison d'astiquer des bottes, de brosser des manteaux, mais le faisait par habitude. C'était mieux que de traîner à ne rien faire. Il cirait une paire de bottes, sans doute pour aider un autre valet.

— Comment ça va ? lui demanda Gracie d'un ton anxieux. Vous devez avoir un sacré mal de tête.

Il sourit tristement.

— Ça, c'est sûr. J'ai l'impression qu'il y a des tas de petits bonshommes armés de marteaux qui frappent dans mon crâne pour pouvoir en sortir. Mais c'est pas grave, ça passera.

— Je suis vraiment désolée pour ce qui s'est passé hier, murmura-t-elle en regardant, émue, un rayon de soleil jouer dans ses cheveux noirs.

Elle admirait sa colère, son courage, son désintéressement ; il lui faisait penser à Pitt, dans sa façon de vouloir lutter contre l'injustice. Elle se dit qu'elle aussi devrait faire quelque chose pour les pauvres gens qui vivaient à Londres, ceux qui comme elle avaient connu le froid et la faim, qui se battaient pour un quignon de pain, un abri pour la nuit, et parvenaient à survivre sans voler ni se prostituer.

Jusqu'à présent, elle avait tenté d'oublier son ancienne vie; Finn la mépriserait-il s'il l'apprenait? Jamais elle ne retournerait dans les bas-fonds de Clerkenwell. Comment se battre pour transformer le monde, sinon en se changeant soi-même?

— Mrs. Pitt est allée à Londres, hier, pour voir sa tante, reprit-elle.

Finn parut surpris.

— À Londres? Après ce qui s'est passé hier matin?

Sentant le reproche dans sa voix, Gracie se rebiffa.

— Oh, mais Lady Vespasia est une très grande dame! Elle sait beaucoup de choses...

— Si elle est si savante, pourquoi Mrs. Pitt ne l'a-t-elle pas ramenée ici, pour nous aider?

— Y en a qu'un ici qui peut nous aider, c'est Mr. Pitt, affirma Gracie avec conviction. Vous verrez, il finira par trouver l'assassin de Mr. Greville et le poseur de la bombe.

Finn sourit.

— J'admire votre loyauté, Gracie. Je n'en attendais pas moins de vous.

— Oui, mais Mr. Pitt peut rien contre la haine qui vous divise, vous les Irlandais. Ça, c'est trop compliqué. Tiens, en parlant de ça, Lady Vespasia a raconté à Mrs. Pitt la vraie histoire de Neassa Doyle et Drystan O'Day. Ça s'est pas du tout passé comme vous le croyez...

— Qu'est-ce que qu'une dame anglaise vivant à Londres peut savoir d'une histoire qui s'est passée en Irlande, il y a trente ans? demanda-t-il, sur la défensive.

— Il suffit de savoir lire. L'histoire a été écrite.

— Par qui, Gracie?

— Ben, dans les journaux, pardi! J'ai lu les articles.

Finn partit d'un rire bref.

— Quels journaux ? Les journaux anglais ? fit-il d'un ton méprisant. Croyez-vous qu'un journal anglais va annoncer qu'un lieutenant de l'armée anglaise a violé et assassiné une jeune Irlandaise ? Ils ne le diront jamais ! La vérité est difficile à entendre, Gracie !

Il se leva, s'avança vers elle et lui dit gentiment :

— Vous savez, parfois les gens font des choses dont ils ont tellement honte qu'ils préfèrent ne pas y penser et encore moins l'admettre. Mais c'est de la lâcheté de ne pas avoir le courage d'affronter la vérité. Même si elle fait mal, il faut la reconnaître.

— Oui, murmura-t-elle, mais c'est pas facile...

— Soyez forte, dit-il en tendant la main vers elle.

Gracie ne la prit pas. Les articles de journaux étaient dans sa poche. Elle ferma les yeux. Il lui serait plus facile de lui parler les yeux fermés.

— Vous m'avez dit que Neassa Doyle a été violée et assassinée dans la nuit du 7 au 8 juin ?

— Oui, c'est une date qu'aucun d'entre nous n'oubliera jamais.

— Et que son meurtrier s'appelait Alexander Chinnery, un Anglais qui était soi-disant le meilleur ami de Drystan O'Day ?

— Oui, je vous l'ai dit !

Elle rouvrit les yeux.

— Un journal de Liverpool, du 6 juin, raconte comment le lieutenant Alexander Chinnery a sauté dans le port pour sauver un petit garçon qui se noyait...

— Il était brave quand ça l'arrangeait, dit Finn. Je n'ai jamais dit que c'était un lâche. C'était un violeur, un assassin et un traître.

— Oui, mais en attendant, il a pas réussi à sauver le petit garçon et il s'est noyé. Quand on a sorti les corps de l'eau, ils étaient morts tous les deux. Des dizaines de gens l'ont vu.

Finn blêmit.

— C'est faux ! C'est un mensonge pour le protéger !

— Le protéger de qui ? Il avait rien fait !

Finn recula d'un pas, les joues en feu, les yeux étincelants.

— C'est ce que vous dites ! C'est ce que disent les Anglais, évidemment. Ils ne vont pas admettre que l'un des leurs a fait cela.

— Qu'un des leurs a fait quoi ? fit Gracie d'une voix aiguë. Il était mort depuis deux jours !

— Ce n'est pas possible. Ce sont des mensonges.

— Non, Finn ! Ce sont les frères de Neassa qui ont menti ! Ce sont eux qui l'ont tuée, qui l'ont rasée parce qu'elle allait avec un protestant !

— Non, ils n'ont jamais fait ça !

— Alors dites-moi qui l'a fait ! Pas Chinnery, à moins qu'il soit sorti de sa tombe pour la faire mourir de peur !

— Ne parlez pas comme ça ! hurla-t-il en levant la main comme pour la frapper. Ce n'est pas drôle ! N'avez-vous aucun respect pour les morts ?

— Quels morts ? Seulement les morts irlandais ? hurla-t-elle à son tour. Bien sûr que je respecte les morts ! Assez pour vouloir connaître la vérité ! Mais je respecte aussi les morts anglais ; si Chinnery a rien fait de mal, je vais pas rester là les bras ballants à écouter les autres l'accuser !

Elle ne pouvait retenir les larmes qui coulaient sur ses joues.

— Vous venez de me dire qu'il faut affronter la vérité, même si elle fait mal ! Eh bien, affrontez-la !

Elle agita le doigt sous son nez.

— Les Doyle ont tué leur sœur et ont laissé accuser Chinnery parce qu'ils avaient pas le courage de dire que c'était parce qu'elle aimait O'Day ! Eh bien, ils l'ont fait, et c'est pas parce que vous le niez que ça va changer quelque chose !

— C'est un mensonge, répéta-t-il avec colère. Ce n'est pas possible.

Gracie fouilla sa poche et brandit les deux articles.

— Tenez, regardez ça ! Vous savez lire ?

Finn regarda les papiers sans y toucher.

— Bien sûr que je sais lire ! Qu'est-ce que ça change ? Tout le monde connaît la vérité !

— C'est pas parce que tout le monde croit la connaître que c'est la vérité ! D'abord, ils étaient pas là pour le voir, hein ?

— Ne soyez pas stupide ! fit-il avec mépris.

— Ils ont accepté ce qu'ont dit les frères Doyle. Drystan O'Day a bien dû se douter que c'était eux, sinon il serait pas allé se battre avec eux !

— C'était un protestant, lâcha-t-il méchamment.

— S'il avait cru que c'était Chinnery, il serait allé se battre avec lui. Soyez honnête ! Vous l'auriez pas fait, à sa place ?

Finn releva fièrement le menton.

— Je ne suis pas protestant, moi !

— Vous êtes tous pareils ! Vous mentez, vous vous détestez et vous vous entre-tuez ! Je vois pas la différence.

— Il y a toute la différence du monde, espèce de petite oie stupide. N'écoutez-vous donc rien ? Vous êtes si... anglaise ! Vous ne savez pas ce qu'est l'Irlande.

Il fit encore un pas vers elle, menaçant.

— Vous n'êtes qu'une Anglaise arrogante, qui se moque bien de savoir que les Irlandais meurent de faim par votre faute ! Vous me rendez malade. Pas étonnant que l'on vous déteste !

Soudain la colère de Gracie disparut comme elle était venue ; elle sentit une immense tristesse l'envahir.

— J'ai jamais dit qu'on avait raison, dit-elle d'un ton las. Je dis seulement qu'Alexander Chinnery a pas tué Neassa Doyle et que vous mentez depuis trente ans, parce que ce mensonge sert votre cause. Vous arriverez jamais à faire la paix, parce que ça vous plaît d'être des victimes. Moi, j'ai pas envie de dire que tous mes malheurs, c'est de la faute des autres. Ça voudrait dire que je suis qu'une marionnette qu'on manipule comme on veut !

Là-dessus, elle tourna les talons et s'enfuit, haletante, sans voir où elle allait, serrant les deux articles dans son poing.

Elle courait dans le couloir en direction de l'escalier de service quand elle heurta Tellman qui arrivait en sens opposé. Il la rattrapa par le poignet pour l'empêcher de tomber.

— Que se passe-t-il, Gracie?

— Rien! sanglota-t-elle, rien du tout! Laissez-moi passer!

Tellman était bien la dernière personne qu'elle avait envie de voir.

Sans lui lâcher le bras, il la fixa intensément.

— Vous êtes bouleversée. Il s'est passé quelque chose. On vous a fait du mal?

Elle chercha à se dégager de son étreinte, mais Tellman refusait de la lâcher.

— Gracie, répondez-moi...

— Personne m'a fait mal, gémit-elle, les yeux brouillés de larmes. Et puis, ça vous regarde pas! Ça a rien à voir avec la police, si c'est ça que vous voulez savoir.

Elle finit par s'arracher à son étreinte et renifla bruyamment. Tellman lui tendit un mouchoir blanc. Gracie le prit à contrecœur, mais elle avait vraiment besoin de se moucher et d'essuyer ses larmes.

— Merci, bougonna-t-elle, ne voulant pas passer pour une personne malpolie.

— Savez-vous quelque chose, Gracie? insista-t-il, en lui reprenant le bras. Si c'est le cas, il faut me le dire! Ne soyez pas stupide!

Furieuse de ne pouvoir retenir ses larmes devant lui, elle lui lança un regard mauvais.

— Je suis pas stupide! explosa-t-elle. Faites attention à ce que vous dites! Comment vous osez...

— Comment voulez-vous que je vous protège si vous ne me dites pas ce qui vous met dans cet état? fit-il d'un ton coléreux. Croyez-vous qu'ils vont hésiter à vous tordre le cou, à vous pousser dans l'escalier ou même à vous faire sauter à la dynamite, s'ils pensent que vous en savez assez pour les envoyer à la potence ?

Gracie comprit alors qu'il avait vraiment peur pour elle. Elle le regarda fixement, stupéfaite.

Tellman rougit.

— Je sais rien, je le jure, dit-elle avec honnêteté. Si je savais quelque chose, je le dirais à Mr. Pitt, vous devriez vous en douter. Alors, qui c'est le plus stupide ?

Elle se moucha à nouveau et empocha le mouchoir.

— Je le laverai et je vous le rendrai.

— Ce n'est pas la peine, murmura-t-il en rougissant de plus belle.

Gracie prit une profonde inspiration et annonça d'une voix encore tremblante :

— Bon, c'est pas tout ça, faut que j'aille travailler. Au cas où vous vous en souviendriez pas, j'ai du travail supplémentaire, vu que le valet du maître sert pas à grand-chose.

Sur ces fortes paroles, elle s'éloigna d'un pas martial, laissant Tellman planté au beau milieu du couloir. Il la suivit longuement des yeux.

CHAPITRE X

Emily savait qu'elle s'était montrée injuste envers Pitt mais, terrifiée par l'explosion et furieuse après celui-ci, elle avait complètement perdu son sang-froid ; elle devait s'excuser de l'avoir frappé et injurié. Charlotte, elle, lui pardonnerait beaucoup plus difficilement son attitude.

Emily se rendait à la buanderie, où le majordome lui avait indiqué qu'elle trouverait Pitt, quand elle tomba sur Mae, l'une des filles de cuisine, plantée au beau milieu du couloir, tenant d'une main un panier vide, et l'autre posée sur sa hanche.

— J'irai pas, Madame, même si on doit mourir de faim toute la semaine ! Ah ça non, j'irai pas !

— Où n'irez-vous pas, Mae ? demanda Emily, étonnée.

— Chercher la viande. Pas question que j'y aille, même pour tout l'or du monde.

Elle fixa Emily droit dans les yeux, attitude irrespectueuse qui signifiait qu'elle était prête à risquer de perdre sa place.

— Voyons, Mae, c'est votre travail, la raisonna Emily. Si la cuisinière vous l'a demandé...

— Même si le Seigneur me l'avait demandé, j'irais pas ! s'obstina la jeune fille.

— Enfin, Mae, qu'est-ce qui vous prend ? C'est toujours vous qui allez chercher la viande.

— Jamais dans un endroit où il y a des cadavres, répondit la jeune fille d'une voix rauque. Les hommes qui ont été assassinés reposent pas en paix ! Ceux qui sont morts avant leur heure réclament toujours vengeance !

Emily avait oublié que les corps des défunts reposaient dans la chambre froide.

— De toute façon, vous ne pouvez pas entrer dans cette pièce, vous n'avez pas les clés, fit-elle avec calme. Le commissaire Pitt doit savoir où elles sont. J'irai chercher la viande moi-même.

— Vous ne pouvez pas faire ça, Madame ! fit Mae, horrifiée.

— Quelqu'un doit le faire ! Il faut nourrir nos invités. Je n'ai tué personne et je n'ai pas peur des morts. Retournez à la cuisine et dites à Mrs. Williams que je lui apporterai la viande.

Mae pâlit et avala sa salive.

— Une dame comme vous peut pas faire ça, Madame. Si... si vous me jurez de venir avec moi, je porterai la viande. Je crois que j'arriverai à entrer là-dedans, si vous m'accompagnez.

— Merci, Mae. C'est très courageux de votre part. Allons trouver Mr. Pitt.

Ce dernier, qui venait de s'entretenir avec le valet de Padraig Doyle, arrivait à leur rencontre.

Emily ne pouvait décemment lui présenter ses excuses devant une fille de cuisine.

— Thomas, lui dit-elle avec un sourire suave, nous manquons de viande en cuisine ; il nous faut aller en chercher dans la chambre froide. Je crois que c'est vous qui avez les clés... Auriez-vous l'obligeance de venir avec nous ? Mae a peur d'y aller seule et j'ai promis de l'accompagner.

Pitt la regarda longuement sans répondre, puis un léger sourire se dessina sur ses lèvres.

— Bien sûr. Allons-y tout de suite.

— Merci, Thomas.

Elle n'eut pas besoin d'en dire plus. Il avait compris qu'elle s'était excusée.

Restait à trouver Charlotte, partie la veille pour Londres sans raison apparente et revenue fort tard, après que tout le monde se fut couché. Le matin, au petit déjeuner, elle avait paru encore très contrariée. Emily la chercha longtemps et finit par la trouver dans le jardin d'hiver, à contempler des orchidées.

— Bonjour, dit Charlotte avec une certaine raideur.

— Comment cela, « bonjour » ? demanda Emily. Nous nous sommes vues au petit déjeuner.

— Que veux-tu que je te dise ? L'heure n'est pas aux banalités et si nous parlons de ce qui se passe ici, nous finirons par nous disputer. Si tu ne sais pas ce que je pense de la façon dont tu as traité Thomas hier, je vais te le dire...

Charlotte ne comprenait donc pas qu'Emily avait peur pour Jack ? Non seulement peur pour sa vie, mais peur aussi qu'il n'échoue à mener cette conférence jusqu'au bout et que sa jeune carrière ne soit définitivement compromise. Le gouvernement lui demandait beaucoup trop. Emily avait plus que jamais besoin de l'aide de sa sœur, mais jamais elle n'irait la mendier.

— Non, c'est inutile, riposta-t-elle sèchement. Ton attitude suffit à me faire comprendre ce que tu penses.

Elles restèrent là, face à face, sans trop savoir quoi dire, émues, mais trop fières pour le montrer.

Soudain, une porte s'ouvrit au fond du jardin d'hiver. Un bruit de pas se fit entendre.

— Vous n'êtes vraiment pas raisonnable ! fit la voix coléreuse de Fergal Moynihan.

La porte claqua.

— Parce que je ne suis pas d'accord avec vous ? rétorqua la voix de Iona, en colère, elle aussi.

— Vous n'êtes pas réaliste, répondit Fergal en baissant

légèrement le ton. Nous devons nous faire des concessions mutuelles.

— Et quelles concessions, comme vous le dites, faites-vous ? Vous ne m'écoutez jamais ! Vous prétendez que je raconte des légendes, des contes de fées, du folklore. Vous riez des choses sacrées.

— Pas du tout !

— Mais si, vous vous en moquez ! Vous dites que cela vous intéresse, pour la forme, pour ne pas me fâcher, mais au fond de vous-même, vous n'y croyez pas...

Emily et Charlotte se regardèrent.

— À présent, vous m'accusez, non pour ce que je dis ou fais, mais pour ce que vous imaginez être mes croyances ! s'écria Fergal. Il est décidément impossible de vous faire plaisir ! C'est une mauvaise querelle, Iona. Faites preuve d'un peu d'honnêteté...

— Je suis honnête ! Vous me mentez, et vous vous mentez aussi à vous-même...

— Je ne mens pas ! hurla-t-il. Je vous dis la vérité, mais vous ne voulez pas l'entendre, parce qu'elle ne correspond pas aux mythes et aux superstitions qui gouvernent votre vie...

— Vous ne comprenez pas ma foi ! riposta Iona. Vous ne savez que condamner les gens. J'aurais dû m'en douter...

Il y eut un bruit de pas précipités. Une porte s'ouvrit.

— Iona ! cria Fergal.

Silence.

— Iona... Je vous aime. Vous le savez. Je vous adore.

Il y eut un long silence, suivi de soupirs, de bruissements de soie froissée, puis on entendit des pas s'éloigner et la porte se refermer doucement.

Emily regarda sa sœur. Celle-ci sourit.

— Je me demande ce que va penser Kezia de tout cela. Fergal est son seul frère, sa seule famille...

— Charlotte... À propos de famille...

— Oui ?

— Je suis désolée de m'être aussi mal comportée avec Thomas, hier matin. C'était injuste de ma part, mais j'ai tellement peur pour Jack, tu comprends... J'ai peur pour sa vie, et je crains qu'on ne lui fasse endosser l'échec de cette conférence.

Charlotte lui prit la main.

— Je le sais. Mais ne t'imagine pas que Jack va résoudre le problème irlandais à lui tout seul. En trois cents ans, personne n'y est jamais parvenu !

Emily eut un petit rire, qui ressemblait à un sanglot. Puis elle prit sa sœur dans ses bras et la serra contre elle.

Après avoir aidé Emily et la fille de cuisine à sortir la viande de la chambre froide, Pitt partit à la recherche de Tellman, qu'il trouva dans la cour de l'écurie. Les deux hommes empruntèrent l'allée de gravier qui longeait la pelouse. L'air était frais et sentait bon l'herbe mouillée.

— Je donnerais cher pour mettre la main sur cet assassin, déclara Pitt au bout d'un moment.

— Et le voir pendu ? Cela ne vous ressemble pas, fit Tellman en lui jetant un regard de côté.

Pitt enfonça ses poings dans ses poches.

— Je fais une exception pour les individus qui utilisent la violence aveugle. C'est bien à contrecœur, mais je peux admettre la peine de mort dans ce cas-là.

— Reste à l'attraper, soupira Tellman.

— Qui a tué Greville, selon vous ?

— Doyle avait de bonnes raisons, à la fois politiques et personnelles... Et puis c'est un homme passionné, capable de tout pour faire prévaloir ses idées.

— Moynihan aussi est prêt à tout, remarqua Pitt.

Tellman haussa les épaules.

— Hm... Sa sœur a plus de cran que lui.

— Je suis d'accord avec vous. Je ne crois pas qu'il ait voulu tuer McGinley. La bombe était destinée à Jack Radley.

— Reste O'Day...

— Il ne peut pas avoir tué Greville. McGinley et son valet l'ont vu dans sa chambre à l'heure du crime. Et O'Day a entendu leur conversation sur les chemises.

— On en revient à Doyle, reprit Tellman. Ça tient debout. Ou alors... ou alors ils ont tous menti pour se protéger mutuellement. Peut-être même que Mrs. Greville faisait partie du complot, si elle était au courant des frasques de son époux... Et puis elle est irlandaise, non ? Irlandaise, catholique et peut-être nationaliste.

— Nous n'en savons rien, répondit Pitt d'un ton cassant. Elle souhaitait sans doute la paix en Irlande tout autant que son mari. En attendant, j'aimerais bien savoir qui était la femme de chambre que Gracie a aperçue sur le palier devant la salle de bains des Greville.

— Impossible, soupira Tellman. J'ai interrogé toutes les bonnes. Aucune n'admet être passée dans le couloir à cette heure-là.

— Elles sont effrayées, fit Pitt d'un ton pensif.

Ils approchaient d'une haie séparant le domaine d'un champ qui descendait en pente douce vers un bosquet d'aulnes aux branches dénudées. À l'ouest, un rayon de soleil faisait luire les toits d'ardoise du village. La flèche sombre de l'église se détachait sur le ciel.

— Parce qu'elles ont vu quelque chose ? demanda Tellman, sceptique. Elles n'auraient rien dit sur le moment et maintenant elles ont peur de parler ?

— C'est possible. Mais, plus probablement, elles n'ont rien vu du tout. Tellman, je refuse de penser que cette affaire est insoluble. Le nombre de suspects est limité. Il nous reste au moins deux jours pour trouver la solution.

Pitt se retourna, faisant face à l'élégant ensemble du manoir, baigné par la lumière d'automne. La vigne vierge faisait une tache écarlate sur la couleur chaude de la pierre. C'était un plaisir pour les yeux. Il jeta un coup d'œil à Tellman et vit que celui-ci était également pris par le charme du lieu.

Pitt trouva Gracie seule dans la buanderie, en train de repasser. Elle semblait très malheureuse et avait visiblement beaucoup pleuré. Ce chagrin devait avoir un lien avec le jeune valet irlandais, Finn Hennessey. Il s'avoua cependant qu'il ne se serait douté de rien si Charlotte ne lui en avait touché deux mots.

Pitt aimait beaucoup Gracie et en voulait à Hennessey de la faire souffrir, même involontairement. Fallait-il lui faire comprendre qu'il était au courant de ses problèmes ou, par délicatesse, faire semblant de ne s'apercevoir de rien?

— Gracie, j'aimerais que vous me décriviez avec précision la personne que vous avez vue sur le palier le soir de la mort de Mr. Greville.

La jeune fille renifla et tenta de se concentrer.

— Je l'ai déjà dit à Mr. Tellman. Il vous en a pas parlé? Il est aussi mauvais policier que domestique?

— Voyons, Gracie, l'inspecteur Tellman est un excellent policier. Mais vous êtes meilleure détective que lui n'est valet.

— Ben, cette fois-ci, j'ai pas servi à grand-chose, dit Gracie en regardant fixement son fer à repasser. Je suis désolée, Monsieur.

— Ne vous faites pas de souci, nous finirons par mettre la main sur le meurtrier. Parlez-moi un peu de cette femme de chambre qui portait des serviettes.

Elle le regarda d'un air surpris, les yeux encore tout rouges d'avoir pleuré.

— Vous avez trouvé qui c'était? Mais elle est bête! Elle a rien à craindre. Y a pas de mal à porter des serviettes!

— Elle a peut-être vu quelque chose, lui fit remarquer Pitt. Elle est notre seul témoin. Réfléchissez, Gracie.

Celle-ci renifla.

— Je sais pas qui c'est, Monsieur, sinon je vous l'aurais dit.

— Essayez de me la décrire.

— Ben, elle était grande... plus grande que moi. Mais elles sont toutes plus grandes que moi. Elle se tenait bien droite...

— Les cheveux, quelle couleur ?

Gracie plissa le front.

— J'ai pas vu ses cheveux. Elle portait un gros bonnet de dentelle. Un peu trop gros à mon goût, mais y a des filles qui aiment ça.

— Quelles sont les caméristes qui portent ce genre de bonnet ?

— Celle de Mrs. McGinley. Mais c'était pas elle. Elle a des épaules étroites et se tient voûtée. Celle-là avait des épaules plus larges et se tenait bien droite.

— Était-elle grande, petite, grosse, menue ?

Gracie ferma les yeux, tentant de visualiser la scène.

— Commencez par le haut, lui souffla Pitt. Un gros bonnet de dentelle, des épaules assez larges. La taille ? Mince ou épaisse ? Avez-vous vu ses mains ? Et le nœud de son tablier ?

— J'ai pas vu ses mains, vu qu'elle portait une pile de serviettes. La taille, normale. Pas vraiment mince, comme certaines. Ah, quand j'y pense, le tablier était pas très bien noué. Pas comme celui de Gwen, en tout cas. Elle m'a appris à faire un joli nœud de tablier. Je le ferai quand je rentrerai à la maison.

— Bien. Vous allez impressionner tout Bloomsbury, plaisanta Pitt. Donc, le tablier était mal noué ?

— Oui. Mrs. Hunnaker, la gouvernante, aurait disputé les filles si elles avaient noué leur tablier comme ça. Donc, c'était pas une fille du manoir.

— Eh bien, voilà du nouveau ! Quoi d'autre ?

Gracie demeura longtemps silencieuse, puis ouvrit soudain grand les yeux et fixa un point dans le lointain.

— Les bottines... chuchota-t-elle. Elle portait pas de bottines !

— Vous voulez dire qu'elle marchait pieds nus ?

— Mais non ! Elle portait des escarpins, comme en ont les dames. Elle avait dû les emprunter !

— Décrivez-les-moi.

— J'ai vu que le côté d'un pied et le talon de l'autre.

— Vous êtes sûre qu'il s'agissait d'escarpins ? De quelle couleur étaient-ils ?

— En velours brodé, avec un talon bleu. Oui, c'est ça, un talon bleu.

Pitt sourit.

— Un grand merci, Gracie.

— Ça va vous aider ? fit-elle avec espoir.

— Oui, je le crois.

Pitt quitta la buanderie avec l'impression d'avoir, pour la première fois depuis la mort de Greville, un indice tangible : l'une des invitées faisait partie du complot. C'était possible, après tout. Il imagina Eudora Greville, née Doyle, irlandaise catholique, combattant aux côtés de son frère Padraig pour l'indépendance de l'Irlande. Et comme elle devait haïr son époux, si elle savait ce qu'il avait fait subir à Doll ! Pitt préférait ne pas penser à la réaction de Charlotte face à un homme qui aurait abusé de Gracie. Certainement pire que l'assommer avec un bocal avant de le noyer dans son bain !

Eudora avait eu la possibilité de se glisser hors de sa chambre, vêtue d'un uniforme de femme de chambre emprunté dans la lingerie, un gros bonnet de dentelle dissimulant son éclatante chevelure, trop facilement reconnaissable. Avec une pile de serviettes cachant son visage, elle serait passée pratiquement inaperçue. Quelle chance que Gracie fût aussi observatrice ! Qui d'autre qu'elle aurait remarqué le bout d'une chaussure et s'en serait souvenu ?

Si Eudora était entrée dans la salle de bains en tournant la tête, Greville ne l'aurait même pas remarquée. Et quand bien même l'aurait-il reconnue, il se serait demandé pourquoi son épouse était habillée en femme de chambre, sans vraiment se méfier.

Et pourquoi Eudora n'aurait-elle pas placé la charge de dynamite dans le bureau de Jack? Pour ce faire, il fallait du sang-froid et de la dextérité, mais la force physique n'était pas nécessaire. Eudora pouvait être aussi désireuse qu'un homme de changer la politique de son pays et, pourquoi pas, avoir de la sympathie pour les idées des Fenians.

Il fallait en parler à Charlotte. Elle pourrait mieux que lui observer les chaussures des invitées sans éveiller les soupçons. D'ailleurs, elle savait peut-être à qui appartenaient les escarpins bleus.

Il trouva l'occasion de lui parler environ une heure avant le déjeuner, alors qu'elle se préparait à partir en promenade avec Kezia. Celle-ci paraissait étonnamment apaisée; Pitt se demanda ce que Charlotte avait bien pu lui dire pour parvenir à la convaincre de se réconcilier avec son frère.

— Charlotte! la héla-t-il à voix basse. J'ai besoin de vous parler.

Charlotte se tourna vers Kezia, qui venait de sortir sur la terrasse.

— Voulez-vous bien m'excuser? Mon mari souhaite me parler. Je suis absolument désolée!

Kezia eut un petit geste compréhensif, lui sourit et s'éloigna sur la pelouse.

— Que se passe-t-il? demanda Charlotte, un peu inquiète.

— Figurez-vous que Gracie m'a donné une description précise de la femme de chambre qu'elle a vue sur le palier à l'heure où Greville a été tué.

— Qui était-ce? s'enquit Charlotte. Pas Doll, j'espère?...

— Non. Cette personne portait des escarpins brodés avec un talon bleu.

— Pardon?

Un instant, Charlotte parut désarçonnée; puis Pitt lut sur son visage que, tout comme lui, elle pensait à Eudora.

— Je vois... murmura-t-elle. Il s'agirait de l'une des

invitées portant une tenue de femme de chambre par-dessus sa robe.

— Par-dessus sa robe ?

— Évidemment ! Thomas, il faut un temps fou pour ôter une robe de soirée. Elles sont fermées dans le dos ; il est impossible de se déshabiller sans l'aide de quelqu'un. Notre inconnue a pu enfiler une tenue assez longue et large pour cacher complètement ses propres vêtements. Deux ou trois centimètres de satin dépassant sous l'ourlet l'auraient trahie. Ce qui veut dire aussi que cette personne est en réalité plus mince qu'elle n'est apparue à Gracie. Des escarpins bleus, dites-vous ?

— Oui. Vous souvenez-vous qui portait du bleu ce soir-là ?

Charlotte eut un sourire contrit.

— Non, mais j'en parlerai à Emily. Si elle ne s'en souvient pas, nous chercherons les escarpins bleus dans toutes les chambres.

— Attention, ne vous faites pas remarquer. Si quelqu'un s'aperçoit de votre manège, les escarpins pourraient disparaître dans un fourneau et nous aurions perdu le seul indice qui nous permette de remonter jusqu'à l'assassin.

— Je vais d'abord poser la question à Emily. Ne vous inquiétez pas, je serai discrète. Je suis parfois capable de discrétion, vous savez !

— Des escarpins bleus ? s'exclama Emily. Alors, il ne peut s'agir que d'une invitée...

Les deux sœurs se trouvaient dans la galerie qui donnait sur le petit jardin à la française, un endroit où elles étaient à peu près sûres de ne croiser personne à cette heure-là. Les hommes étaient retournés à leurs débats et les femmes s'étaient retirées dans leur boudoir. Par les hautes fenêtres qui bordaient la pièce, côté sud, on voyait passer de petits nuages chassés par le vent.

— Qui portait du bleu ce soir-là ? demanda Charlotte.

— Je ne m'en souviens pas. De toute façon, on peut porter des chaussures bleues avec une toilette d'une autre couleur. Hormis Eudora, nos invitées n'ont pas les moyens de s'offrir des escarpins assortis à chacune de leurs robes. Voyons, réfléchissons, qui portait du bleu ou du vert ? Et qui souhaitait la mort de Greville ?

— Je ne crois pas que ce soit Kezia.

— Pourquoi pas ? Elle en serait bien capable ! Pour ma part, j'éliminerais Iona. La connaissant, elle pousserait quelqu'un au meurtre, mais ne le commettrait pas elle-même...

— Si je dis que ce n'est pas Kezia, c'est parce qu'elle est grande et plutôt bien en chair. Si elle avait passé une robe par-dessus ses vêtements, elle aurait été énorme et Gracie l'aurait remarqué.

— Tu as peut-être raison. Iona et Eudora sont plus menues...

— Et Justine aussi.

— Justine ? s'étonna Emily. Pourquoi aurait-elle souhaité la disparition de Greville ? Elle n'est pas irlandaise, elle ne le connaissait pas et elle avait l'intention d'épouser son fils !

— Bon d'accord, concéda Charlotte. Alors, laquelle de nos invitées porte du bleu ?

— Voyons... Eudora s'habille avec des teintes plus chaudes, et parfois du vert. À mon avis, le bleu ne lui va pas.

— Justine s'habille souvent en blanc et bleu.

— Je viens de te dire qu'elle n'avait aucune raison de vouloir tuer son futur beau-père. Ah, je me souviens à présent : ce soir-là, Iona portait une toilette de satin bleu foncé, très romantique. Fergal ne la quittait pas des yeux.

— Il ne la quitte jamais des yeux, quelle que soit la couleur de sa robe ! Non, nous ferions mieux d'aller examiner ses chaussures.

— Maintenant ?

— Pourquoi pas ?

— C'est impossible. Je sais que Iona est dans sa chambre. Nous n'allons pas frapper à la porte en disant : « Pouvons-nous ouvrir votre armoire pour voir s'il s'y trouve la paire d'escarpins bleus que vous portiez le soir où vous avez noyé Ainsley Greville dans sa baignoire ? » Non, il faut faire cela pendant l'heure du déjeuner ; tu prétexteras une migraine et tu t'éclipseras. Je m'arrangerai pour que personne ne quitte la table.

Après le départ de Pitt, Gracie pensa à Finn. Que devenait-il ? Il devait se sentir terriblement seul et désespéré. En quelques minutes, elle avait ruiné tout ce à quoi il croyait depuis tant d'années. Elle aurait dû s'y prendre autrement, lui dire la vérité peu à peu, en douceur, au lieu de la lui crier à la figure !

Comme elle n'avait rien d'urgent à faire, elle décida d'aller lui présenter ses excuses et lui proposer de faire la paix.

Elle quitta la buanderie et le chercha dans les quartiers des domestiques, puis à l'extérieur du manoir, mais ne le trouva nulle part. Elle ne voulait demander à personne où il était, les esprits mal tournés se seraient posé des questions. Au bout de trois quarts d'heure de recherches infructueuses, elle songea que Finn devait être dans sa chambre. Elle n'y était jamais allée, bien sûr. Les bonnes n'avaient pas le droit de s'aventurer à l'étage réservé aux valets. Elle réfléchit et conclut que si quelqu'un l'y surprenait, elle expliquerait à Charlotte pourquoi elle s'y trouvait. Et Mr. McGinley, étant mort, ne pouvait renvoyer son valet ! Au pis, on se moquerait d'eux et l'on chuchoterait derrière leur dos.

Gracie regarda tout autour d'elle et monta l'escalier de service en courant. Les chambres des domestiques d'Ashworth Hall se trouvaient près de l'escalier ; puis venaient celles, plus petites, des valets de pied et du cireur de chaussures ; les domestiques des visiteurs étaient logés au dernier étage, sous les combles.

Laquelle était celle de Finn? Gracie se rappela qu'à l'office on respectait le même ordre de préséance que celui des maîtres : les domestiques s'installaient à table et étaient servis en fonction de l'importance de ceux-là. Donc Mr. Wheeler, le valet de Mr. Greville, devait occuper la première chambre. Ensuite, venaient... Vite! Réfléchis, ma fille. On ne doit pas te trouver ici! Personne ne te croira si tu prétends t'être perdue. Ensuite venaient Mr. Doyle et Mr. O'Day; ce qui voulait dire que Finn et le valet de Mr. Moynihan occupaient les deux chambres du bout du couloir, avant celle de Tellman. L'idée d'entrer par mégarde dans la chambre de l'irascible inspecteur lui noua l'estomac.

Allons, ne sois pas peureuse! se morigéna-t-elle. Ne reste pas plantée comme une statue au milieu du couloir! Décide-toi!

Elle frappa à une porte. Il n'y eut pas de réponse. Elle essaya la suivante. Ses mains tremblaient, son cœur battait à tout rompre. Elle entendit un bruit de pas, puis la porte s'ouvrit et Finn apparut sur le seuil.

— Gracie!

— Je... je suis désolée! bredouilla-t-elle.

Finn, surpris, ne sut que répondre.

— Je suis désolée pour ce que je vous ai dit. J'aurais pas dû.

Les yeux noirs du jeune homme la fixaient d'un air interrogateur. Que lui dire d'autre? Au fond, elle n'avait peut-être pas eu une bonne idée en venant jusque-là. Mais il avait l'air si malheureux; peut-être pourrait-elle l'aider?

— Vous feriez mieux d'entrer, dit-il en s'effaçant pour la laisser passer. Si on vous trouve ici, vous aurez des ennuis.

Finn avait raison. Elle entra dans la chambre, une petite pièce éclairée par une lucarne encadrée de rideaux en coton. Il y avait là un lit, deux chaises, un placard, une commode à tiroirs, une table de toilette et un petit bureau sur lequel étaient posés un journal, un livre ouvert, une lettre rédigée sur un papier bleu, des enveloppes, un cartable de cuir et une pile de bougies.

Finn referma la porte et demeura immobile, menton relevé, mâchoires serrées, le regard dur.

— Je me soucie peu de savoir si les frères Doyle ont ou non assassiné leur sœur. Vous ne pouvez pas comprendre, mais ce n'est pas votre faute. Il faut être irlandais et avoir vu l'injustice et la souffrance...

— Y a pas que les Irlandais qui ont froid et faim, qui ont pas de toit sur la tête ou qui sont jetés en prison pour des choses qu'ils ont pas faites ! s'écria Gracie. Y a même des innocents pendus en Angleterre. Je suis bien placée pour le savoir, je travaille pour un policier. Ça veut pas dire que vous avez pas raison de vous battre pour votre pays, ajouta-t-elle devant le regard noir qu'il lui jetait.

Finn s'assit sur le bord de son lit et lui fit signe de prendre place sur la chaise à côté du petit bureau.

— Gracie, écoutez-moi, dit-il en faisant un effort visible pour se contrôler. Vous ne pouvez comprendre en une semaine, ou même en un an, tout ce qui s'est passé en Irlande depuis des siècles, et qui s'y passe encore : les paysans chassés de leurs terres, massacrés, tout ce qui fait que ses habitants se haïssent si profondément.

Il se pencha en avant, les yeux brillants.

— Nous devons mettre un terme à tout cela, pour toujours, à n'importe quel prix. Nous devons penser à nos enfants, nos petits-enfants, et à toutes les générations futures.

Sa voix tremblait d'émotion.

— Rien ne s'obtient sans en payer le prix. Pour le bonheur de nos enfants, nous devons être prêts à tous les sacrifices. Ce ne sont pas les lâches qui ont changé l'histoire.

Gracie songea que c'étaient parfois des hommes inconscients, mais se garda bien de le dire.

— Merci d'être venue, reprit-il avec chaleur. Je n'aimais pas l'idée que nous puissions être fâchés.

Il prit sa main et ses doigts se refermèrent sur les siens. Puis il l'attira tendrement contre lui et déposa un léger baiser sur ses lèvres. Gracie lui sourit et se laissa aller contre le dossier de sa chaise. Dans son geste, elle déplaça involontairement le papier bleu et les bougies.

Finn sursauta, les traits crispés, soudain très nerveux.

— Ne touchez pas à ça! gronda-t-il.

Gracie ouvrit de grands yeux; jamais elle n'avait vu une telle expression sur son visage. Elle avait seulement effleuré deux des bougies; c'était curieux, les deux n'avaient pas la même texture, l'une était vaguement poisseuse sous les doigts.

— N'y touchez pas, répéta-t-il entre ses dents.

— Je suis désolée... Je ne voulais pas...

— Non, bien sûr... C'est seulement que... bredouilla-t-il, vous ne devriez pas...

Gracie eut soudain très peur. Cette bougie... Ce n'était peut être pas une bougie ordinaire. Est-ce que par hasard... un bâton de dynamite ne ressemblerait pas à ça?

Elle le regarda à nouveau et comprit, affolée, horrifiée, qu'elle ne s'était pas trompée. Elle croisa les bras pour cacher le tremblement de ses mains. Finn ne la quittait pas des yeux. Avait-il deviné qu'elle avait compris?

— Gracie?

Finn Hennessey cachait de la dynamite dans sa chambre! Avait-il tué son propre maître, ou s'était-il trompé de cible? Qui était visé par la charge explosive, Mr. McGinley ou Mr. Radley?

La jeune fille se leva d'un bond.

— Il faut que je m'en aille, dit-elle d'une voix entrecoupée. Si quelqu'un me trouve ici, on aura des ennuis tous les deux. J'étais seulement venue m'excuser...

— Gracie...

Finn s'approcha d'elle.

Elle s'efforça de sourire. Elle devait partir au plus vite. C'était trop horrible. Elle ouvrit la porte d'une main tremblante, buta sur le seuil, se cogna contre le chambranle.

— Gracie !

Elle s'enfuit sans un regard en arrière, dégringola les deux escaliers et s'engouffra dans le couloir de service. Dans sa hâte, elle ne vit pas Doll qui venait en sens opposé, et manqua de la renverser.

— Excuse-moi, haleta-t-elle. Je t'avais pas vue.

— Qu'est-ce qui t'arrive ? Tu en fais une tête !

— Oui, j'ai la migraine, fit Gracie en portant la main à son front.

Soudain, elle entendit des pas derrière elle. Finn devait chercher à la rattraper. Mais il n'oserait pas venir jusque-là.

— Je vais chercher de l'huile de lavande et prendre une tasse de thé, ajouta-t-elle.

— Attends, je m'en occupe, proposa Doll. C'est normal d'avoir mal à la tête, avec tout ce qui se passe ici. Allez, viens, je vais prendre soin de toi.

Gracie la suivit docilement dans la petite pièce où l'on préparait le thé ; elle se laissa choir sur une chaise, tandis que Doll remplissait la bouilloire.

Le sang battait à ses tempes. Comment Finn s'était-il procuré de la dynamite ? Était-ce lui qui l'avait placée dans le bureau de Mr. Radley ? Aux ordres de qui obéissait-il ?

— Gracie ?

Elle n'entendit pas la voix de Doll. Non, il devait y avoir une autre explication. Finn était un gentil garçon. Quelqu'un avait dû le manipuler, lui raconter des histoires horribles, comme celle de Neassa Doyle, pour le pousser à agir de la sorte.

— Gracie ?

Elle leva la tête. Doll, l'air soucieux, lui tendait une tasse fumante.

— Merci bien.

Elle lui prit la tasse des mains, maladroitement. Le breuvage était brûlant et sentait la pâquerette.

— De la camomille, expliqua Doll. C'est bon pour la

tête et puis ça calme. Tu n'as vraiment pas l'air bien. Tu devrais t'allonger un peu. Si Mrs. Pitt a besoin de quelque chose, je te remplacerai.

— T'es gentille, merci, mais ça va aller. Avec tout ce qui se passe ici, on a la tête à l'envers. On sait plus à qui on peut faire confiance...

Doll s'assit en face d'elle, une tasse de thé à la main.

— Je suis d'accord avec toi. On ne devrait faire confiance à personne ici, sauf peut-être à Mr. Pitt.

Gracie hocha la tête, mais en son for intérieur, elle prit la décision de ne rien dire à Pitt de ce qu'elle avait vu dans la chambre de Finn. Et si elle s'était trompée ? Elle n'avait jamais vu de bâton de dynamite auparavant.

Elle but sa tisane à petites gorgées. Le liquide brûlant lui fit du bien. Elle commençait à se sentir mieux.

Durant tout l'après-midi, elle ne cessa de se poser des questions : devait-elle oui ou non se confier à Pitt ? Il saurait mieux qu'elle reconnaître de la dynamite et décider si Finn avait agi seul ou s'il avait été manipulé. Gracie se souvint de l'expression hagarde et peinée du jeune homme lorsqu'il avait appris la mort de Mr. McGinley. S'il avait su qu'un attentat se préparait, il ne serait pas resté devant la porte du bureau, à attendre de se faire tuer, lui aussi ! Décidément, cette histoire ne tenait pas debout.

Elle était seule dans la buanderie, occupée à rincer des jupons, quand elle aperçut Finn sur le seuil de la porte. Il fit un pas en avant, l'air sombre et préoccupé.

— Gracie... Il faut que nous parlions.

— Ce... ce n'est pas le moment, balbutia-t-elle, réalisant avec horreur qu'elle avait peur de lui. N'importe qui peut entrer. Les autres filles sont parties boire le thé, mais elles vont revenir d'une minute à l'autre.

Elle ne reconnut pas le son de sa propre voix, qui lui parut bizarrement haut perchée.

— Mais non, dit-il en s'avançant dans la pièce. Elles viennent juste de partir. Elles prendront leur temps. Regardez, il n'y a rien à repasser, ajouta-t-il en lui montrant les panières vides.

— Si, si, elles vont revenir, mentit-elle en essorant un jupon de toutes ses forces.

Il s'approchait. Il y avait une curieuse expression sur son visage, comme s'il détestait ce qu'il allait devoir faire, mais ne pouvait l'éviter. Gracie recula, le jupon mouillé à la main.

— Gracie, voyons...

— C'est pas l'endroit... murmura-t-elle en continuant de reculer.

— Je veux seulement vous parler. Sérieusement.

Elle fit le tour des baquets en bois en direction de la porte du fond. Finn la suivit.

Gracie s'empara de la grande perche qui servait à tourner les draps dans les lessiveuses.

— Gracie !

Il paraissait blessé, comme si elle l'avait frappé.

Elle se sentit ridicule. Elle aurait dû faire semblant de n'avoir rien vu, tout à l'heure, dans la chambre. Qu'allait-elle s'imaginer ? Qu'il allait l'étrangler dans la buanderie ?

Et pourquoi pas ? Mr. Greville avait bien été noyé dans son bain !

Elle lui jeta la perche à la figure et s'enfuit à toutes jambes ; ses talons résonnaient sur le sol dallé. Finn la suivit en criant son nom. Que lui arriverait-il s'il la rattrapait ?

Elle n'aurait jamais cru pouvoir courir si vite, malgré sa longue jupe qui entravait ses mouvements. Elle dérapa sur le linoléum du couloir, faillit tomber, se cogna contre un mur et se remit à courir, les bras écartés, tenant toujours son jupon.

Soudain, elle heurta quelqu'un et poussa un hurlement de terreur.

— Hé, que se passe-t-il ? fit une voix masculine à l'accent irlandais. On dirait que vous avez le diable à vos trousses !

Elle leva les yeux et reconnut Mr. Doyle. Celui-ci lui prit le poignet et lui sourit. Gracie, affolée, lui jeta le jupon à la figure et lui donna un coup de pied dans les tibias.

Doyle poussa un gémissement de douleur et lâcha son poignet. Gracie fonça sur la grande porte matelassée qu'elle ouvrit à toute volée. Un valet de pied la regarda passer, ahuri.

— Ça va, Miss?

Gracie avait perdu son bonnet. Ses joues la brûlaient.

— Tout va très bien. Merci, Albert, dit-elle d'un ton digne.

Après avoir retrouvé sa respiration, elle décida d'aller se réfugier dans la chambre de Charlotte, le seul endroit du manoir où elle serait à l'abri.

CHAPITRE XI

Au milieu du déjeuner, Charlotte quitta la table, comme prévu, prétextant une indisposition passagère. Sitôt sortie de la salle à manger, elle se précipita vers les escaliers ; un valet, interloqué, la suivit des yeux sans mot dire. Un domestique n'avait pas à faire de commentaires sur le comportement des invités.

Charlotte décida de commencer par fouiller la chambre d'Eudora, que, Dieu merci, Emily, en excellente diplomate, avait convaincue de rejoindre les convives.

Elle frappa à la porte, par précaution, au cas où Doll se serait trouvée dans la pièce et, n'obtenant pas de réponse, se rendit directement dans le dressing, où flottait un parfum assez lourd de lis et d'épices, celui d'Eudora. Elle ouvrit l'armoire qui contenait des robes en taffetas de soie, en dentelle, en lainage, en gabardine, et une cape de voyage avec un col de fourrure. Charlotte caressa les tissus magnifiques avec une pointe d'envie, puis se pencha pour examiner bottines et chaussures rangées sur une étagère, sous les robes ; toutes étaient dans des coloris assez chauds. Aucun soulier à talon bleu, aucun escarpin brodé dans cette teinte.

Charlotte sortit de la pièce sur la pointe des pieds, jeta un coup d'œil dans le couloir : personne ne s'y trouvait. Elle referma la porte sans bruit. Quelques secondes plus tard, Doll apparut au bout du couloir, plus jolie que jamais, marchant d'un pas léger, la tête haute. C'était la première fois que Charlotte la voyait sourire.

— Bonjour, Mrs. Pitt, fit-elle gaiement. Vous cherchez quelque chose ? Je peux vous aider ?

Charlotte était loin de sa propre chambre et ne pouvait prétendre s'être perdue. Elle chercha un mensonge crédible, mais n'en trouva point.

— Non, merci, Doll, fit-elle simplement en continuant son chemin.

Elle voulait fouiller la chambre de Justine, mais n'osait pas tant que Doll était dans les parages. Les convives n'allaient pas tarder à finir de déjeuner et Emily ne pouvait les retenir indéfiniment à table. Charlotte décida donc d'aller explorer la chambre de Iona, située un peu plus loin.

Après un regard circulaire pour vérifier qu'il n'y avait pas de domestique en vue, elle pénétra dans la chambre. Les rideaux étaient ouverts et un flot de lumière entrait dans la pièce. On avait retiré les accessoires de toilette de Lorcan McGinley, mais ses vêtements et ses chaussures étaient toujours rangés dans la penderie. La veille encore, il était vivant, songea Charlotte en frissonnant. Un homme courageux, finalement, moins égoïste qu'elle ne l'avait imaginé. Que pouvait ressentir Iona ? La mort de son époux allait-elle sonner le glas de sa liaison avec Fergal ? La conversation qu'elle avait surprise dans le jardin d'hiver laissait supposer que de nombreux obstacles barraient le chemin du bonheur aux deux amants.

Elle ouvrit l'armoire contenant les toilettes de Iona et découvrit des châles, des chemisiers, des robes, dont la plupart étaient bleus et vert foncé ; l'une des robes, d'un violet profond, lui fit très envie. Dans le bas de l'armoire, Charlotte vit trois paires de bottines, noires, marron et fauve et une paire d'escarpins verts.

En quittant la pièce, elle aperçut une jolie corbeille à papier en osier, dans laquelle se trouvaient des feuillets déchirés. Elle ne put s'empêcher d'y jeter un coup d'œil : il s'agissait d'une lettre d'amour de Fergal. Rouge de honte, elle les remit très vite dans la corbeille.

Restait à fouiller les penderies de Justine et de Kezia. Elle partit en courant dans le couloir, s'arrêta devant la porte de Justine et, après avoir toqué très légèrement, se glissa dans la chambre. La pièce, réservée aux invités de dernière minute, était nettement plus petite que les autres. Le dressing était meublé de deux armoires, d'une coiffeuse, d'un guéridon couvert d'une nappe en dentelle, et flanqué d'une causeuse. Un petit feu brûlait dans la cheminée.

Charlotte ouvrit l'une des deux armoires : elle y vit plusieurs robes, d'excellente qualité, présentant un vaste éventail de couleurs. Justine avait perdu ses parents, mais ne manquait apparemment pas d'argent.

Charlotte examina l'étagère à chaussures ; il y avait là des souliers de cuir fin, très élégants, mais aucun n'était bleu. Elle décida de ne pas s'attarder, le déjeuner devant toucher à sa fin.

En arrivant sur le palier, elle aperçut Justine qui montait l'escalier.

— J'espère que vous vous sentez mieux ? fit cette dernière avec sollicitude.

Charlotte eut l'impression de rougir jusqu'à la racine des cheveux.

— Oui... oui... beaucoup mieux, bredouilla-t-elle. Il faisait si chaud dans la salle à manger... J'avais besoin de boire un verre d'eau.

Remarque stupide ! Il y avait des carafes d'eau sur la table de la salle à manger. Sa gêne devait être aussi visible qu'une tache de vin sur une nappe blanche !

Justine sourit.

— Avec tout ce qui est arrivé, il est normal que nous soyons tous un peu perturbés. Bien, je vais me reposer dans ma chambre. À tout à l'heure, Mrs. Pitt.

Charlotte la suivit des yeux : Justine s'éloignait de sa

démarche gracieuse, la tête haute, faisant danser les plis soyeux de sa robe. L'ourlet effleura le pied de l'une des chaises du palier, révélant, le temps d'un éclair, le talon bleu d'un escarpin.

Charlotte se souvint brusquement que, le soir de la mort de Greville, Justine portait une robe bleue.

Horrifiée, elle dut s'appuyer à la rambarde du palier pour ne pas perdre l'équilibre. Puis elle se dit que Gracie s'était peut-être trompée; avait-elle pris du vert ou du gris pour du bleu, à la lumière jaunâtre des veilleuses du couloir?

Charlotte n'avait pas bougé d'un pouce quand Emily arriva en haut de l'escalier.

— Que se passe-t-il? Tu as vu ta tête? On dirait que tu es vraiment malade.

— Non. Mais j'ai vu les escarpins...

— Ah? fit Emily, à la fois soulagée et inquiète. Alors? À qui appartiennent-ils?

— À Justine. Je viens de la croiser. Elle les a aux pieds.

Emily écarquilla les yeux.

— Vraiment? Tu en es sûre?

— Non... pas tout à fait... Enfin, si, puisque personne d'autre qu'elle ne possède d'escarpins bleus.

Emily ne dit rien. Elle parut soudain triste, blessée, tout comme Charlotte.

— Je dois prévenir Thomas, murmura celle-ci. J'aimerais tant que ce ne soit pas elle.

— Pour quelle raison?

— Parce que je l'aime bien, tout simplement.

— Non, je voulais dire: pourquoi aurait-elle tué Greville? expliqua Emily. Cela n'a aucun sens...

— Oui, je sais. Mais elle porte des escarpins bleus. Je dois prévenir Thomas.

Lorsqu'il la vit entrer dans le salon où les invités s'étaient retirés après le déjeuner, Pitt se leva et vint à sa rencontre.

— Charlotte? chuchota-t-il. Vous êtes livide! Que se passe-t-il? Vous ne vous sentez pas bien? Avez-vous trouvé les chaussures?

— Oui.

Pitt pâlit très légèrement.

— Ce sont celles... d'Eudora?

— Non, fit Charlotte avec un faible sourire. Ce sont celles de Justine Baring. Elle les porte en ce moment.

Il répéta exactement les mots d'Emily.

— Que dites-vous? Justine? En êtes-vous sûre? Cela n'a aucun sens! Pourquoi diable Justine aurait-elle voulu assassiner Ainsley Greville? Elle ne l'a...

Il s'interrompit; Padraig Doyle, ayant quitté son fauteuil près de la cheminée, s'avançait vers eux.

— Tout va bien, Mrs. Pitt? s'enquit-il d'un ton soucieux.

Pitt passa un bras autour de la taille de Charlotte.

— Je vais accompagner mon épouse à sa chambre; elle doit prendre un peu de repos. Son voyage à Londres hier l'a fatiguée. Si vous voulez bien nous excuser...

Et, le sourire aux lèvres, il guida Charlotte jusqu'à la porte.

— À vous entendre, on dirait que je suis en sucre! s'exclama-t-elle avec vivacité dès qu'ils furent hors de portée de voix. Un petit voyage en train et je dois m'aliter! Ils vont vraiment me prendre pour une petite nature!

— Je me moque de ce qu'ils peuvent penser, fit Pitt, impatient. Venez, montons à l'étage. Nous avons besoin de réfléchir.

Charlotte n'avait nulle envie de passer l'après-midi dans le salon, craignant surtout de montrer son trouble si Justine revenait. Emily lui disait souvent qu'elle n'excellait pas dans l'art de masquer ses sentiments et au fond, elle n'avait peut-être pas tort.

Arrivé sur le palier, Pitt ne se dirigea pas vers leur chambre, mais dans la direction opposée, vers la salle de bains des Greville.

— Pourquoi m'amenez-vous ici ? demanda-t-elle avec un frisson d'appréhension. Nous serions mieux dans notre chambre.

— Je veux reconstituer la scène, expliqua Pitt en verrouillant la porte de l'intérieur.

— Dans quel but ?

— Je l'ignore encore. Avez-vous une meilleure idée ?

— Si Justine est la meurtrière de Greville, elle devait avoir une raison personnelle, sans rapport avec l'Irlande. Peut-être nous trompions-nous en pensant qu'ils ne se connaissaient pas.

— Greville n'a pas paru la reconnaître, le jour de son arrivée, observa-t-il en s'asseyant sur le rebord de la baignoire.

— Ils préféraient peut-être que personne ne sache qu'ils se connaissaient.

Pitt fronça les sourcils.

— Greville abusait de ses domestiques et entretenait des relations avec des femmes mariées aux mœurs légères. À première vue, Justine ne correspond pas à ce genre de personne.

— Si elle avait eu une liaison avec lui, elle souhaitait peut-être le voir disparaître avant que celui-ci ne dévoile la vérité à son fils ; Piers aurait certainement rompu ses fiançailles. Je crois qu'elle l'aime vraiment et je suis certaine que Piers est fou d'elle. Mais... que faites-vous ? s'exclama-t-elle en voyant Pitt défaire ses bottes.

— Je vous l'ai dit : je veux reconstituer la scène. Et je ne veux pas abîmer la baignoire. Je joue le rôle de Greville et vous celui de Justine.

— Bon, dans ce cas, je pars de la porte. Vous n'avez qu'à imaginer que je porte une pile de serviettes.

Pitt monta dans la baignoire et s'y installa gauchement, étant donné sa grande taille, essayant de prendre la posture dans laquelle il avait découvert le défunt.

— Je suis prêt, dit-il au bout d'un moment. Allons-y.

Charlotte fit semblant de porter des serviettes et s'avança vers la baignoire.

— Non, il faut vraiment que vous entriez avec une pile de serviettes pour que la reconstitution soit exacte, remarqua Pitt.

— Voulez-vous que j'aille chercher Tellman ? Il doit se souvenir de la position du corps. Il pourrait prendre votre place dans la baignoire, ce qui vous permettrait d'observer la scène.

— Tellman n'est pas assez grand ; mais c'est une bonne idée, allez le chercher, et n'oubliez pas les serviettes ! À propos, si Greville connaissait Justine, comme vous le supposez, il aurait dû se méfier en la voyant entrer dans la salle de bains, non ?

— Je ne crois pas, dit Charlotte avec un léger sourire. À mon avis, il a dû penser qu'elle venait implorer sa pitié, ou sa discrétion.

Elle partit chercher Tellman et revint avec lui quelques minutes plus tard, les bras chargés d'une pile de serviettes.

— Je ne vois pas à quoi cette mise en scène va servir, observa Tellman en haussant les épaules.

Sans répondre, Pitt se laissa glisser dans la baignoire et fit signe à Charlotte d'avancer. Celle-ci, les serviettes en équilibre sur un bras, referma la porte derrière elle.

— Vous n'êtes pas dans la bonne position, monsieur, dit Tellman. La tête était plus penchée sur le côté.

— Quelle importance ? demanda Charlotte. Si les serviettes cachaient le visage de Justine, comme ceci, ajouta-t-elle, joignant le geste à la parole, Greville ne pouvait la reconnaître.

— Vous n'êtes toujours pas dans la bonne position, insista Tellman en regardant Pitt. Vous êtes trop droit.

Pitt s'enfonça un peu plus dans la baignoire.

— C'est mieux, mais vous avez bougé les épaules. Il avait vraiment la tête de côté...

— Cela ne change rien, l'interrompit Charlotte. Greville avait toujours le même angle de vision. Voyons, réfléchissons : si Justine s'était déguisée en femme de chambre, c'est qu'elle avait prémédité son crime. Elle avait choisi un gros bonnet de dentelle pour dissimuler ses cheveux...

— Je m'excuse, mais vous n'êtes toujours pas dans la bonne position, répéta une fois encore Tellman.

Il s'avança vers la baignoire, prit la tête de Pitt entre ses mains et lui imprima une légère torsion.

— Ouille ! Vous me faites mal ! s'écria Pitt. Un peu plus fort et vous me brisiez le cou !

Tellman s'immobilisa, puis se redressa lentement, sourcils froncés.

Pitt soupira et se redressa dans la baignoire en se massant la nuque.

— Mr. Tellman, êtes-vous absolument sûr qu'il était dans cette position ? demanda Charlotte. C'est impossible !

— J'en suis certain.

Pitt s'extirpa de la baignoire.

— Je ne vois qu'une solution : retourner examiner le corps, dit-il en se dirigeant vers la porte.

— Vos bottes, dit Charlotte en souriant.

— Pardon ?

— Vous oubliez vos bottes.

Pitt se rechaussa distraitement, puis fit signe à Tellman de le suivre.

À peine étaient-ils sortis de la salle de bains qu'ils virent arriver Gracie, sans son bonnet, le tablier tout de travers.

— Monsieur, il faut que je vous parle, le supplia-t-elle. À vous tout seul. C'est urgent.

Elle ignora Tellman et même Charlotte, qui se tenait sur le seuil. Devant l'affolement manifeste de la jeune fille, Pitt n'hésita pas.

— Bien sûr, Gracie. Suivez-moi dans la salle de bains.

Il jeta un coup d'œil à Charlotte et referma la porte derrière lui.

— Eh bien, que se passe-t-il ?

— Monsieur, à quoi ça ressemble, un bâton de dynamite ? balbutia-t-elle, les mains crispées sur son tablier.

— Cela ressemble à une grosse bougie, mais c'est un peu différent au toucher, expliqua-t-il, dominant sa surprise.

— Un peu collante sous les doigts ?

— Oui, et parfois enveloppée de papier rouge.

— Alors, c'est bien ça que j'ai vu dans la chambre de Finn Hennessey ! Je faisais rien de mal, Monsieur, ajouta-t-elle en rougissant. Je voulais juste m'excuser de lui avoir dit que l'histoire qu'il m'avait racontée sur cette pauvre fille qui s'était fait violer était pas vraie. Je lui ai montré les articles de journaux...

— Quels articles de journaux ?

— Ben, ceux que Mrs. Pitt a rapportés de Londres, qui prouvaient que Mr. Chinnery était mort deux jours avant que Neassa Doyle soit tuée.

— Gracie, l'affaire remonte à trente ans. On n'en parlait certainement pas dans les journaux d'hier, voyons.

— Mais c'était des articles découpés dans des vieux journaux, que Mrs. Pitt a rapportés, fit Gracie, innocente.

— Tiens, tiens... J'en toucherai deux mots à Mrs. Pitt tout à l'heure. Vous disiez que vous avez découvert de la dynamite dans la chambre de Finn Hennessey ? Sait-il que vous l'avez vue ?

Gracie baissa les paupières.

— Je crois, Monsieur. Il... il m'a couru après, pour m'expliquer, mais je l'ai pas écouté. Je me suis enfuie.

— Quand cela s'est-il passé ?

— Il y a à peu près deux heures, Monsieur, répondit-elle sans oser le regarder.

Pitt n'eut pas besoin de lui dire qu'elle aurait dû le prévenir tout de suite. Elle le savait.

— Je vois... Bon, je vais aller parler à ce garçon. Vous, vous restez ici avec Mrs. Pitt. C'est un ordre, Gracie.

— Bien, Monsieur.

Elle n'osait toujours pas lever les yeux vers lui.

— Gracie, Finn a peut-être caché la dynamite parce qu'il a compris que vous l'aviez vue, mais il n'a pas pu l'emporter loin du manoir, rassurez-vous.

Elle leva la tête et vit qu'il lui souriait. Elle se mit à pleurer.

Pitt lui caressa doucement l'épaule.

— Cela doit être très difficile pour vous, Gracie. Mais vous avez bien fait de me prévenir.

Elle hocha la tête en reniflant.

Pitt sortit de la salle de bains. Charlotte et Tellman l'attendaient.

— Je crois que nous allons devoir procéder à l'arrestation de Finn Hennessey, dit-il entre ses dents. Je le regrette, croyez-moi.

En entendant cela, Charlotte se précipita dans la salle de bains, pour réconforter Gracie.

Pitt s'engagea dans le couloir, Tellman sur les talons. En haut de l'escalier, ils croisèrent Wheeler, le valet de chambre d'Ainsley Greville. Pour un homme qui venait de perdre son employeur, et donc son travail, il paraissait étrangement content.

— Savez-vous où nous pouvons trouver Hennessey? lui demanda Pitt.

— Oui, monsieur. Je viens de le voir dans la cour de l'écurie. Il parle avec les palefreniers. Depuis le décès de son maître, le pauvre garçon n'a pas grand-chose à faire...

— Vous non plus, remarqua Pitt.

— Oui, c'est vrai, fit Wheeler, un peu surpris, avant de continuer son chemin.

— C'est curieux, grommela Tellman lorsqu'il se fut éloigné, il n'a pas l'air de trop s'inquiéter pour quelqu'un qui n'a plus de travail.

— J'imagine que Doll Evans y est pour quelque chose, répondit Pitt. Enfin, je l'espère.

Dans la cour, les deux policiers aperçurent Hennessey en train de bavarder avec un palefrenier qui s'appuyait contre la porte de l'écurie. Pitt ralentit le pas; il ne tenait pas à l'affoler. Hennessey aurait pu s'enfuir. Tellman s'éloigna et alla prendre position à l'autre bout de la cour.

En voyant Pitt, Hennessey se redressa et jeta le brin de paille qu'il était en train de mâcher. Puis il dut remarquer quelque chose dans l'expression du policier qui l'inquiéta, car il chercha des yeux un endroit où se réfugier. Réalisant qu'il n'avait aucune issue, il se raidit, comme pour parer un coup. Son regard se voila.

Pitt avait déjà vu ce regard chez les gens décidés à se taire. Il ne s'attendait pas à ce que Finn passât aux aveux, mais il comprit que celui-ci ne lui dirait jamais rien.

— Finn Hennessey, je voudrais vous poser quelques questions au sujet de la charge de dynamite placée dans le bureau de Mr. Radley. Connaissez-vous sa provenance ?

— Non, répondit Finn avec un léger sourire.

— J'ai des raisons de croire que de la dynamite se trouve dans votre chambre. Je vais aller y faire un tour. Si vous l'avez changée de place, vous avez tout intérêt à me dire où vous l'avez cachée, avant qu'elle ne cause d'autres dégâts, tuer des innocents par exemple...

— Je n'ai rien à vous dire, répondit Finn en relevant fièrement la tête.

Tellman arriva derrière lui et lui glissa les menottes aux poignets. Le palefrenier observait la scène avec ahurissement. Il ouvrit la bouche pour parler, mais aucun son n'en sortit.

Pitt partit chercher le majordome pour lui servir de témoin et monta avec lui jusqu'à la chambre de Hennessey, sous les combles. Dilkes resta sur le seuil, l'air malheureux, tandis que Pitt procédait à la fouille méthodique du placard et de la commode. Très vite, il trouva un bâton de dynamite, à l'intérieur d'une botte, au fond du placard. Elle était à peine cachée ; Pitt en conclut que Hennessey avait fait confiance à Gracie ou bien qu'il assumait son geste et n'avait pas l'intention de dissimuler la dynamite ailleurs que dans sa chambre, de façon à ne pas faire endosser la responsabilité de son acte à quelqu'un d'autre.

C'était un farouche partisan de la cause nationaliste, non un sicaire ou un sadique.

Pitt remarqua les cendres d'une feuille de papier dans la cuvette. C'était peut-être une lettre que Gracie avait vue sur la table. Hennessey avait pris soin de détruire tout indice compromettant.

Il montra le bâton de dynamite au majordome et lui demanda de verrouiller la porte et de lui remettre la clé, ainsi que les doubles éventuels.

Pitt partit ensuite voir le prisonnier que Tellman avait enfermé dans une réserve possédant une fenêtre protégée par des barreaux, en attendant l'arrivée de la police locale. Il lui annonça qu'il avait trouvé la dynamite.

— Je n'ai rien à vous dire, répéta Hennessey en le fixant droit dans les yeux. Je me bats pour une cause juste. Ma vie est un combat pour la liberté de l'Irlande, et je mourrai pour elle s'il le faut. J'aime mon pays et ses habitants. Je ne serai qu'un martyr de plus.

— Non, vous serez pendu pour le meurtre de votre employeur, répliqua sèchement Pitt. Vous avez trahi un homme qui vous faisait confiance, et qui se battait pour la même cause que vous. Un geste lâche et inutile. À quoi cela servira-t-il d'avoir assassiné McGinley?

— Je ne l'ai pas tué, affirma Hennessey. Ce n'est pas moi qui ai placé la dynamite.

— Et vous espérez que nous allons vous croire?

— Je me moque bien de ce que vous croyez! cracha Finn. Vous êtes comme tous les Anglais, oppresseurs d'un peuple sans défense!

— C'est vous qui avez tué McGinley, pas moi, riposta Pitt.

— Je n'ai pas posé la dynamite dans le bureau! Et, de toute manière, l'attentat n'était pas dirigé contre McGinley, mais contre Radley, lâcha Finn avec mépris. Je pensais que vous l'auriez compris!

— Si ce n'est pas vous qui avez placé la charge de dynamite, comment savez-vous à qui elle était destinée?

— Je ne dirai rien, s'entêta Finn d'un ton coléreux. Moi, je ne trahis pas mes amis. Je préfère mourir.

Pitt comprit qu'il n'en obtiendrait pas davantage. Il ne pouvait, malgré tout, s'empêcher d'admirer le courage du jeune valet.

— On vous manipule, Mr. Hennessey. Vous en rendez-vous compte ?

Finn sourit. Il était pâle et quelques gouttes de sueur perlaient à sa lèvre.

— Oui, je le sais. Mais personnellement, j'estime que la fin justifie les moyens. Pas vous ?

— Absolument pas ! s'emporta Pitt. Si la cause pour laquelle vous vous battez a pour effet de détruire ce qu'il y a de bon en vous, c'est que cette cause est mauvaise. Chacun de vos actes émane de vous ; vous ne pouvez vous en séparer, comme de vieux vêtements.

Sur ces paroles, il quitta la réserve, empli d'une sourde colère à la pensée que Finn Hennessey n'avait pas craint de prendre tous les risques, alors que les hommes cyniques qui l'avaient poussé à agir demeuraient dans l'ombre. Pitt aurait donné cher pour connaître l'auteur de la lettre que Finn avait brûlée. C'était probablement quelqu'un se trouvant dans le manoir. Il craignait que ce ne fût Padraig Doyle.

Il se rendit directement à la bibliothèque, frappa à la porte et entra. Moynihan et O'Day étaient assis à une extrémité de la table, Jack et Doyle à l'autre bout. Ils levèrent la tête en le voyant.

— Excusez-moi, messieurs, je dois parler à Mr. Radley en privé. C'est urgent.

— Bien sûr, répondit Doyle. J'espère qu'il n'est rien arrivé de grave, commissaire ? Personne n'est blessé ?

— Pourquoi ? Vous vous attendiez à ce qu'il se passe quelque chose de nouveau ? Un autre mort, peut-être ? ironisa O'Day.

Dès qu'ils furent dans le vestibule, Pitt expliqua à Jack qu'il avait trouvé de la dynamite et arrêté Hennessey.

— Qu'est-ce que cela prouve? demanda Jack en fronçant les sourcils. Qui est derrière lui?

— Je l'ignore, avoua Pitt.

— Je ne comprends pas. O'Day affirme avoir entendu McGinley et Hennessey parler ensemble à l'heure de la mort de Greville!

— L'assassin serait Justine Baring.

Jack resta bouche bée.

— Quoi? Allons, Thomas, vous devez vous tromper. Justine ne peut être derrière tout cela. Est-elle irlandaise?

— Non, son geste n'a sans doute rien de politique, soupira Pitt. Je ne connais pas encore le mobile du meurtre, mais j'ai la preuve de sa culpabilité : Justine a été vue par Gracie devant la salle de bains à l'heure du crime, déguisée en femme de chambre... Ou plutôt, Gracie a vu ses chaussures, des escarpins brodés à talons bleus. Pourriez-vous retenir ces messieurs dans la bibliothèque, pendant que je vais annoncer à Iona McGinley l'arrestation de Finn Hennessey?

— Pensez-vous que Doyle soit derrière tout cela? demanda Jack.

Pitt hocha la tête. Il n'eut pas besoin d'ajouter qu'il le regrettait; à voir l'expression de Jack, celui-ci éprouvait la même tristesse que lui à l'idée que l'homme le plus sympathique de la conférence pût être l'instigateur de cette tragédie.

Il trouva Iona dans la galerie, immobile devant une fenêtre, le regard perdu dans le lointain. Elle ne l'entendit pas approcher. Pitt l'observa un long moment : de loin elle paraissait paisible et détendue.

— Mrs. McGinley...

Elle se retourna lentement, vaguement surprise par sa présence.

— Oui, Mr. Pitt?

Il lut la tristesse et le trouble dans son regard.

— Je suis au regret de vous annoncer que je viens de

procéder à l'arrestation du valet de votre époux. Nous avons retrouvé de la dynamite dans sa chambre.

Iona écarquilla les yeux.

— De la dynamite ? Dans la chambre de Finn ?

— Hélas, oui. Il ne nie pas les faits, mais refuse de donner la moindre explication, et de dire où et comment il se l'est procurée. En revanche, il affirme ne pas avoir placé la charge dans le bureau de Mr. Radley.

— Mais alors, qui a fait cela ?

— Je l'ignore encore, mais ce n'est qu'une question d'heures, soyez-en sûre.

C'était un pieux mensonge, mais Pitt tenait à ce qu'elle le crût. Iona n'avait pas placé elle-même la dynamite dans le bureau, puisque Doyle l'avait vue dans le jardin d'hiver en compagnie de Moynihan, mais elle avait fort bien pu pousser Finn à se débarrasser de son époux.

Iona se détourna et regarda par la fenêtre la pluie qui commençait à tomber.

— Je ne devrais pas être surprise, murmura-t-elle. Finn a toujours été un fervent partisan de l'indépendance de l'Irlande, mais je n'aurais jamais pensé qu'il puisse faire du mal à Lorcan.

Elle resta un moment silencieuse, puis reprit d'une voix chargée d'émotion :

— Lorcan aimait son pays plus que tout, plus que moi, en tout cas. L'indépendance de l'Irlande était son credo. Nul sacrifice de temps ou d'argent n'était assez grand pour lui. J'ai cru comprendre que l'attentat visait Mr. Radley. Lorcan et Finn se sont peut-être disputés, l'un empêchant l'autre de désamorcer la charge.

Elle cligna des yeux.

— J'ignore ce qui s'est passé... J'avais tant de certitudes, il y a quelques jours encore ; aujourd'hui, je suis emplie de doutes.

Elle leva les yeux vers Pitt, avec un petit sourire.

— Je pensais que vous veniez me présenter les condoléances d'usage. Merci de ne pas l'avoir fait.

Pitt la regarda longuement, puis tourna les talons et quitta la pièce.

Après le dîner, il décida d'aller examiner le corps d'Ainsley Greville. Si Tellman ne se trompait pas, la position du défunt dans la baignoire, avec la tête quasiment à angle droit, prouvait qu'il avait eu la nuque brisée. Il était possible que ce fût consécutif au coup porté par le bocal de sels de bain, mais cela lui paraissait de moins en moins probable. À voir la plaie, le choc n'avait pas été assez violent pour entraîner la mort. Et si Greville avait eu la nuque brisée, il n'était donc pas mort noyé.

Pitt avait besoin de l'aide de Piers Greville. Et, s'il fallait recourir à une autopsie, il devait demander à Eudora l'autorisation de la pratiquer.

Il croisa Charlotte au moment où il s'apprêtait à monter l'escalier.

— Où allez-vous ? s'enquit-elle, incapable de cacher son inquiétude.

— Demander à Piers Greville de venir avec moi examiner le corps de son père. On m'a dit qu'il se trouvait à l'étage, avec sa mère. Il me faut l'autorisation de Mrs. Greville. Obtenir un document légal prendrait trop de temps.

— Vous voulez dire que vous allez procéder à une autopsie ? fit Charlotte en pâlissant. Thomas, vous ne pouvez demander à Piers d'autopsier le corps de son propre père ! Et puis... comment allez-vous lui annoncer que Justine est une meurtrière... Mon Dieu, qu'allons-nous faire d'elle ?

— Rien, pour l'instant.

— Voulez-vous que je vous accompagne, au cas où Eudora se sentirait mal ?

— Non, merci. Je préfère y aller seul. Comment va Gracie ? demanda-t-il, préférant changer de sujet. Elle paraît complètement bouleversée.

— Oui, murmura-t-elle. Elle va vivre des moments difficiles. Il serait préférable de lui en parler le moins possible. Attendons que le temps arrange les choses.

— À propos, Charlotte, dit-il en plongeant son regard dans le sien, comment vous êtes-vous procuré les articles de journaux que Gracie a montrés à Finn Hennessey ?

Elle rougit.

— Oh... je crois que... tout bien considéré... mieux vaut que vous ne le sachiez pas.

Elle lui adressa son plus beau sourire, et, avant qu'il n'ait eu le temps de réagir, descendit très vite au rez-de-chaussée. Arrivée à la dernière marche, elle leva la tête et vit Pitt sur le palier du premier étage, qui prenait la direction de la chambre d'Eudora. Allait-il se retourner pour la regarder ? Elle attendit, le cœur battant.

Il ne se retourna pas.

— Mais pourquoi examiner à nouveau le corps ? demanda Piers en frissonnant.

— Je préfère être sûr que mes soupçons sont justifiés avant de vous le dire, expliqua Pitt, en lançant à Eudora un regard d'excuse.

Elle s'était levée à son entrée et se tenait devant la cheminée du boudoir. Dieu merci, Justine n'était pas dans la pièce.

— Si vous jugez que cela est nécessaire, faites-le, dit-elle avec lenteur, sans quitter Pitt des yeux.

— Je ne vous le demanderais pas, madame, si je pensais que cela n'est pas indispensable, l'assura-t-il. Vous m'en voyez sincèrement navré.

Elle lui sourit avec une chaleur qui n'était pas feinte. Si son frère Padraig était le commanditaire de l'attentat, cette femme ne s'en remettrait jamais, songea Pitt, en se tournant vers Piers.

— Nous devrions y aller tout de suite, Mr. Greville. Le plus tôt sera le mieux.

Piers prit une profonde inspiration, regarda sa mère,

faillit dire quelque chose, puis se ravisa et se dirigea vers la porte qu'il tint ouverte pour laisser passer Pitt.

En silence, les deux hommes descendirent au rez-de-chaussée, traversèrent le vestibule et passèrent par le quartier des domestiques où Pitt trouva deux lanternes. Arrivé devant la porte de la chambre froide, il posa sa lanterne et introduisit la clé dans la serrure. Piers se tenait à ses côtés, très tendu. Pitt hésita un instant, la main sur la poignée, puis tourna la clé, reprit la lanterne et entra. Le froid humide le saisit. Une odeur douceâtre flottait dans la pièce.

Piers ferma la porte et leva haut sa lanterne, éclairant les blocs de glace empilés et les quartiers de bœuf, de mouton et de porc suspendus à des crochets. Les abats étaient disposés sur des plateaux ; des chapelets de saucisses pendaient du plafond. Le sol dallé de pierre, légèrement incliné, était creusé de rigoles permettant l'écoulement de l'eau.

Au milieu de la pièce, on avait installé une grande table à tréteaux sur laquelle se dessinaient les contours de deux corps recouverts d'un rideau de velours usé. Pitt rabattit le tissu, découvrant le visage cireux d'Ainsley Greville.

— Que dois-je examiner ? demanda Piers d'une voix rauque.

— Son cou. Plus exactement l'angle de la nuque.

— Nous savons que mon père a été frappé par-derrière. Le corps ayant été transporté de la salle de bains jusqu'ici, l'angle de la tête a pu varier. Que nous cachez-vous, Mr. Pitt ? reprit Piers en fronçant les sourcils.

— Je vous en prie, Mr Greville, examinez la nuque, insista Pitt.

Piers obéit et, très doucement, de ses doigts habiles, commença à tâter l'arrière du crâne. Pitt attendit. L'humidité glaciale de la pièce lui transperçait les os. La flamme des bougies des lanternes ne vacillait pas. Il n'y avait pas un souffle d'air.

Soudain, Piers releva la tête.

— Vous... vous avez raison ! balbutia-t-il. La nuque est brisée. Je ne comprends pas. Il est impossible que ce soit le coup porté par le bocal. La fracture des vertèbres n'est pas à l'endroit de l'impact.

— Ce coup aurait-il pu le tuer ? demanda Pitt.

— Sans trop vouloir m'avancer, je ne le crois pas. Il faudrait que je sache s'il y a de l'eau dans les poumons. S'il n'y en a pas, cela prouverait qu'on lui a brisé les vertèbres et qu'il était mort avant d'avoir été transporté dans la baignoire. L'examen de la contusion à la nuque me permettra de déduire si le coup a été porté alors qu'il était encore en vie, ou déjà mort. Bien sûr, l'eau du bain a lavé la plaie. Il n'y a plus de sang séché.

Piers parut se recroqueviller sur lui-même.

— Cela veut dire... que je dois procéder à une autopsie. Je ne sais pas si je suis... assez qualifié pour donner une opinion. Devant une cour, mes conclusions seraient irrecevables. De plus, je ne peux la pratiquer ici. Il fait trop froid. Mes mains tremblent...

— Je vais chercher Tellman et nous transporterons le corps dans la buanderie, décida Pitt. Il y a de l'eau courante et une grande table en bois. Je suppose que vous n'avez pas apporté vos instruments de chirurgie avec vous ?

— Je ne suis encore qu'étudiant, fit Piers d'une voix étranglée.

— Pensez-vous être capable de le faire ? interrogea Pitt. Je ne veux pas le demander au médecin du village. D'ailleurs, il ne sera pas plus qualifié que vous. Et faire venir un médecin légiste de Londres prendrait trop de temps.

Piers leva les yeux vers lui.

— Vous croyez que le meurtrier est mon oncle Padraig, n'est-ce pas ? Et vous voulez le prouver avant qu'il ne quitte Ashworth Hall.

Pitt éluda la question.

— Pensez-vous pouvoir travailler avec des couteaux de cuisine bien aiguisés ?

Piers tressaillit.

— Oui, je crois.

Transporter le corps de la chambre froide à la buanderie s'avéra une manœuvre compliquée. Il devait être manipulé avec d'extrêmes précautions pour ne pas risquer de détruire la preuve qu'ils cherchaient. Greville était grand et assez corpulent. Le placer sur une porte pour le transporter aurait nécessité, outre Tellman, l'aide d'un ou deux valets.

— Il faut trouver une autre solution, remarqua Tellman. Si nous faisons appel à un valet, nous serions, avant demain matin, accusés d'être des vampires ! Tous les domestiques fuiront Ashworth Hall comme la peste.

— Vous avez raison, acquiesça Piers. Essayons des planches. Il y en a un tas dehors. Certaines ont servi à fermer les fenêtres du bureau de Mr. Radley.

— Pensez-vous qu'à trois, nous parviendrons à maintenir le corps en équilibre sur deux planches dans des couloirs étroits et dans l'obscurité ? intervint Pitt. Cela me paraît impossible. La seule solution, c'est la porte.

— Si nous prenons soin de protéger la nuque, nous pourrions le mettre dans un grand panier à linge, suggéra Piers.

Pitt et Tellman le regardèrent, puis hochèrent la tête, en guise d'approbation.

Pendant que Tellman faisait le guet devant la porte de la buanderie, Piers Greville, armé d'un couteau de cuisine bien aiguisé, pratiquait l'autopsie du corps de son père. En plus des veilleuses de la pièce, Pitt avait allumé trois lanternes, afin que le jeune homme puisse y voir à peu près clair.

L'opération parut durer des heures. Piers travaillait lentement, avec soin, incisant les tissus d'une main sûre, hésitant, incisant encore. Bien qu'il fût manifestement très éprouvé par ce qu'il était en train de faire, son professionnalisme lui permettait de dominer son émotion. Pas une seule fois il ne se plaignit ni ne reprocha à Pitt de l'avoir obligé à accomplir cette sinistre besogne.

Il faisait chaud et humide dans la buanderie, où, toute la journée, on faisait bouillir les draps et les serviettes dans d'énormes lessiveuses de cuivre. L'atmosphère était imprégnée de l'odeur acide du savon à base de crésyl.

Il était à présent onze heures et demie du soir.

Dix minutes s'écoulèrent ; dans le silence absolu, seul le chuintement du gaz dans les veilleuses se faisait entendre.

— Il n'y a pas d'eau dans les poumons, conclut Piers en relevant la tête. Mon père n'a pas été noyé.

— Le coup sur la nuque a-t-il été fatal ? demanda Pitt.

Piers ne répondit pas immédiatement, occupé à recoudre la cage thoracique comme il le pouvait.

— Aidez-moi à retourner le corps, dit-il enfin, en essuyant ses mains maculées de sang.

Il examina avec un soin infini la plaie à la base du cou. Vingt longues minutes s'écoulèrent.

— Il n'y a pas eu d'hémorragie, l'os a été écrasé là... et là...

Il fronça les sourcils, interloqué.

— On dirait que mon père a été tué... deux fois, si vous voyez ce que je veux dire. La première fois, on lui a brisé la nuque. Un seul coup, très violent, asséné d'une main experte...

Tellman était entré sans faire de bruit et écoutait Piers avec attention.

— Puis quelqu'un l'a frappé avec un bocal et l'a enfoncé dans l'eau, poursuivit Piers. Je ne comprends pas. C'est invraisemblable.

— En êtes-vous certain ? s'enquit Pitt, qui ressentit un étrange soulagement l'envahir. Absolument certain ?

Piers cligna des yeux.

— Oui. Vous pouvez appelez un médecin légiste, mais je suis sûr qu'il confirmera mes conclusions. Mr. Pitt, répondez-moi : savez-vous qui a tué mon père ?

— Non, fit Pitt d'une voix émue. Mais je crois savoir qui ne l'a pas tué.

Devait-il arrêter Justine pour avoir frappé un homme mort ? Comment qualifiait-on cette infraction ? Profanation de cadavre ? Qu'en penserait un jury ?

— Monsieur... chuchota Tellman, il est tard...

Pitt sursauta.

— Pardon. Nettoyez la pièce avec soin, s'il vous plaît. Il faut que je monte à l'étage, c'est urgent.

Il se tourna vers Piers.

— Merci, Mr. Greville. J'apprécie votre courage et votre savoir-faire. Pouvez-vous ramener le corps avec Tellman dans la chambre froide ? Surtout, ne laissez aucune trace de notre passage. Bonne nuit, messieurs.

CHAPITRE XII

Charlotte dormait quand Pitt entra dans la chambre, mais il était incapable d'attendre le lendemain matin pour lui faire part de ce qu'il venait d'apprendre. Il se dirigea droit vers le lit et alluma la grosse veilleuse.

— Charlotte ?

Elle grogna dans son sommeil et se retourna en cachant son visage sous les draps.

Pitt s'assit au bord du lit.

— Charlotte, réveillez-vous. J'ai quelque chose d'important à vous dire.

Elle se redressa en clignant des paupières et mit sa main devant ses yeux. Ses cheveux tressés pour la nuit s'étaient défaits et retombaient en cascade sur ses épaules.

— Que se passe-t-il ? Qu'est-il arrivé ? Savez-vous qui est l'assassin ?

— Non. Mais je sais que ce n'est pas Justine.

Charlotte était bien réveillée à présent.

— Mais si, c'est Justine ! Qu'aurait-elle fait dans le couloir à l'heure du crime, déguisée en femme de chambre ?

— Elle est entrée dans la salle de bains, a frappé Greville avec le bocal, a enfoncé sa tête sous l'eau, mais elle ne l'a pas tué. Il était déjà mort.

— Pardon? Je ne comprends pas. Déjà mort? Mais comment le savez-vous?

— Ce sont les conclusions de Piers.

Charlotte s'appuya contre ses oreillers.

— Piers? Mais s'il le savait, pourquoi ne l'a-t-il pas dit plus tôt? Ne croyez-vous pas qu'il cherche à protéger Justine?

— Non, il n'est pas au courant de nos soupçons. Il a seulement la preuve...

— Quelle preuve?

— Nous avons monté le corps de Greville dans la buanderie et Piers l'a autopsié. Justine avait bel et bien l'intention de tuer son futur beau-père, mais quelqu'un l'a précédée. On lui a brisé la nuque, d'un coup très violent. Un travail de professionnel.

Charlotte frissonna violemment.

— L'assassin est donc bien l'un de nos invités.

— Je ne vois pas d'autre réponse.

— Padraig Doyle?

— Je ne sais pas. C'est possible.

— Eudora ne s'en remettra jamais, murmura-t-elle. Thomas... il se peut qu'elle le sache déjà.

Pitt ne pouvait se résoudre à admettre qu'Eudora pût être une complice, même passive, du meurtre de son époux.

— Elle est très proche de son frère, poursuivit Charlotte. Et elle est irlandaise, bien qu'elle ne soit pratiquement pas retournée dans son pays depuis vingt ans.

Elle posa sa main sur la sienne et la caressa.

— Vous avez entendu tous ces gens se disputer, chaque fois qu'ils parlent de l'Irlande. Les protestants n'accepteront jamais une Irlande indépendante et catholique, soumise à l'autorité du pape.

Elle s'enveloppa dans les couvertures et poursuivit :

— Dans une Irlande catholique, certains livres seraient interdits. J'étais révoltée quand mon père décidait de mes lectures. Je me rebellerais si le pape agissait de la sorte. Je veux avoir le choix de ce que je lis ou non ! Et ce ne sont pas les cardinaux de Rome qui dicteront mes actes, même si, hélas, en tant que femme, je ne peux voter...

— Charlotte, vous exagérez...

— Non ! Dans un État catholique, l'Église a toujours le dernier mot.

— Mais comment le savez-vous ?

— J'ai eu d'intéressantes conversations avec Kezia Moynihan. Bien sûr, les protestants ont un point de vue très partial, mais ils ne se trompent pas quand ils disent que le pouvoir de Rome est absolu. On ne peut imposer une religion de force à tout un peuple, Thomas. Il faut que les pouvoirs de l'Église et de l'État soient séparés. L'Irlande a tant souffert... Savez-vous combien d'Irlandais ont émigré depuis la Grande Famine de 1847 ? Trois millions ! Oui, trois millions ! Un tiers de la population, en majorité des jeunes. La plupart sont partis en Amérique, où ils ont pu trouver du travail et de quoi se nourrir.

— Je ne vois pas le rapport avec Eudora, remarqua Pitt.

— Si, justement. Quand un pays se trouve dans une situation désespérée, certaines personnes pensent que, la fin justifiant les moyens, l'élimination physique de ceux qui se dressent sur le chemin de leur liberté est un moyen d'action comme un autre.

Pitt ne répondit pas. Charlotte sortit de son lit et enfila sa robe de chambre.

— Où allez-vous ? s'étonna-t-il.

— Voir Justine. Il faut qu'elle sache qu'elle n'a pas tué Greville.

Pitt se leva.

— Charlotte, je ne suis pas sûr de vouloir qu'elle le sache...

— Il le faut, affirma-t-elle. Si vous arrêtez Padraig Doyle demain, nous devons savoir la vérité cette nuit. Non, ne venez pas avec moi. Je préfère lui parler seule à seule.

Elle s'avança sans bruit dans le couloir faiblement

éclairé, vers l'autre aile du manoir, où se trouvait la chambre de Justine. La grande maison était silencieuse. Tout le monde dormait, hormis Pitt et Tellman, et sans doute Piers.

Charlotte frappa à la porte de Justine, puis, sans attendre de réponse, entra. La chambre était plongée dans l'obscurité.

— Justine, chuchota-t-elle distinctement.

Il y eut un léger mouvement sous les couvertures.

— Qui est-ce ? fit la jeune femme d'une voix apeurée.

— C'est moi, Charlotte. Allumez la lumière, s'il vous plaît. Je ne vois rien.

— Charlotte ?

Justine alluma sa veilleuse. Elle était appuyée contre son oreiller, les yeux grands ouverts, inquiète. Ses cheveux noir de jais couvraient ses épaules.

— Que se passe-t-il ? Est-il arrivé quelque chose ?

Charlotte vint s'asseoir sur le bord du lit.

— Non, pas exactement. Mais nous avons du nouveau...

— Vous savez qui a tué Mr. McGinley ?

— Non, fit Charlotte avec un petit sourire triste. Mais nous savons qui n'a pas tué Mr. Greville...

— Vous êtes venue me dire que ce n'est pas Mrs. Greville ? fit Justine en repoussant ses couvertures pour se lever.

Charlotte l'arrêta d'un geste.

— J'ignore si c'est elle, mais il se peut qu'elle connaisse l'assassin. Tout ce que je peux vous dire, c'est qu'il a été tué d'un coup très violent sur la nuque, par quelqu'un qui savait y faire.

Elle s'interrompit pour observer la réaction de Justine. Celle-ci demeura complètement immobile, mais une ombre de peur passa dans ses yeux.

— C'est horrible, murmura-t-elle en frissonnant.

— Oui, un meurtre commis de sang-froid. Le plus étrange, c'est qu'ensuite une personne est entrée dans la salle de bains, déguisée en femme de chambre, a frappé Mr. Greville avec un bocal de sels de bain et a enfoncé sa tête sous l'eau...

Justine blêmit. Elle agrippa le drap, comme si ce geste allait l'empêcher de se noyer.

— Comment... comment le savez-vous ? dit-elle en avalant sa salive.

— Quelqu'un l'a vue. Ou du moins a vu ses chaussures. Des escarpins bleus brodés, à talons bleus. Ceux que vous portiez à midi.

Justine renonça à lutter. Elle ne perdrait pas sa dignité en menant un combat perdu d'avance.

— Pourquoi avez-vous fait cela ? s'enquit Charlotte avec douceur. Vous deviez avoir de sérieuses raisons...

La jeune femme baissa les yeux et, le regard fixé sur le revers brodé de son drap, commença son récit.

— Ma mère était servante. Elle avait épousé un marin espagnol qui est mort en mer quand j'étais encore enfant. Elle s'est retrouvée seule, sans argent, avec une petite fille à élever. Sa famille, qui n'avait pas voulu de ce mariage, s'est détournée d'elle. Elle s'est mise à faire des lessives et de la couture, ce qui suffisait à peine à nous faire vivre. Elle ne s'est jamais remariée.

Elle eut un curieux sourire, un peu amusé.

— Enfant, je n'étais pas belle. J'avais la peau trop foncée. On me traitait de bohémienne, de moricaude et d'autres noms bien moins aimables. Et on se moquait de mon nez. Mais en grandissant, je me suis rendu compte que mon originalité intéressait certaines personnes... en particulier les hommes. J'ai appris à éveiller leur désir, à les flatter, à leur faire plaisir...

— C'est ainsi que vous avez rencontré Ainsley Greville...

Justine releva la tête, les yeux étincelants de colère.

— Quand il n'y a pas d'autre moyen de survivre, vous n'avez pas le choix ! Vous essayez de trouver un homme qui a de l'argent et, autant que possible, qui ne soit ni violent ni malade. Croyez-vous que j'aie fait cela par plaisir ? ajouta-t-elle avec défi.

Charlotte regarda la chemise de nuit en dentelle que portait la jeune femme. Elle était ravissante et avait dû coûter très cher.

— J'aime votre chemise de nuit, remarqua-t-elle.

Justine rougit.

— Au début, j'ai agi ainsi pour survivre. Et puis je me suis habituée au luxe. Quand vous avez vraiment souffert du froid et de la faim, vous ne vous sentez jamais assez en sécurité. Vous savez que la misère peut vous rattraper, un jour ou l'autre. Je pensais sans cesse à arrêter cette façon de vivre, et trouver un travail respectable... mais ce n'était jamais le moment.

— Mais pourquoi avoir voulu tuer Ainsley Greville ? Vous le haïssiez donc à ce point ?

— Je le haïssais, oui, fit Justine d'une voix lourde de colère, car il me méprisait, comme il méprisait toutes les femmes. Mais surtout parce qu'il aurait dit à Piers qui je suis... qui j'étais...

Elle ferma les yeux.

— J'aime Piers plus que tout au monde. Je voulais l'épouser, et pas seulement pour ne plus être une putain !

Elle s'était obligée à prononcer ce mot, comme si elle s'enfonçait un poignard dans le cœur.

— J'aime Piers pour sa bonté, son humour, sa générosité. Je comprends ses espoirs et ses craintes, je partage ses rêves. Et je l'aime aussi parce que lui, il m'aime. Imaginez-vous sa réaction en entendant son père lui annoncer en riant que sa chère fiancée était sa maîtresse ? Greville aurait pris plaisir à le lui dire. C'était un homme cruel.

Elle s'agrippait toujours au drap.

— Il n'aimait pas voir les autres heureux, car ceux-ci possédaient quelque chose qu'il n'avait pas. Il ne pouvait trouver le bonheur auprès d'une femme car il ne savait pas aimer. Il ne s'autorisait aucune douceur. Il ne voyait chez les autres que son propre reflet, celui d'un être insatisfait, cherchant à exploiter leur faiblesse et à les blesser avant qu'ils ne le blessent.

— Vous le haïssiez vraiment, n'est-ce pas ?

— Non seulement pour ce qu'il m'a fait, mais aussi pour ce qu'il a fait aux autres. J'ai longtemps cru que tous les hommes lui ressemblaient, jusqu'à ce que je rencontre Piers. À présent que je vous ai tout dit, qu'allez-vous faire de moi ?

Charlotte réfléchit.

— J'ignore comment la justice qualifie l'agression d'un homme déjà mort. J'imagine que c'est un délit aux yeux de la loi.

— Si Mr. Pitt doit m'arrêter, fit Justine en prenant une profonde inspiration, puis-je d'abord aller parler à Piers et tout lui expliquer ?

Dans la chambre silencieuse, on n'entendait que le chuintement du gaz de la veilleuse.

— Mon Dieu, je ne suis pas certaine d'en être capable ! s'écria-t-elle, désespérée.

— Mais si, l'assura Charlotte. Bien sûr, ce sera très difficile ; cependant, si vous ne le faites pas, vous le regretterez toute votre vie. Soyez courageuse.

Justine partit d'un rire bref.

— C'est facile à dire, pour vous ! Allez donc annoncer au seul homme que vous ayez jamais aimé que vous n'êtes qu'une putain et que si vous n'avez pas tué son père, c'est parce qu'un de ces Irlandais fanatiques l'a fait avant vous !

— Préférez-vous que j'aille le lui dire moi-même ? proposa Charlotte. Je le ferai, si vous le souhaitez, mais seulement si vous parvenez à me convaincre que vous n'en êtes pas capable.

Justine la dévisagea sans répondre.

— Avez-vous besoin de temps pour réfléchir ? reprit Charlotte. Cela ne changera pas grand-chose, mais je peux attendre ici, si vous voulez.

— Cela ne changera rien, en effet, répondit Justine

avec amertume. Je ne vais pas me réveiller et m'apercevoir que ce n'était qu'un cauchemar...

Charlotte sourit.

— Peut-être le Roi Rouge va-t-il se réveiller et nous allons tous disparaître...

— Pardon ?

— *De l'autre côté du miroir*, cita Charlotte. Tous les personnages sont supposés faire partie du rêve du Roi Rouge.

— Donc on ne peut pas le réveiller ?

— Non.

— Alors je ferais mieux d'aller voir Piers tout de suite, décida Justine en sortant de son lit.

Elle enfila une robe de chambre, puis se dirigea vers sa coiffeuse et prit une brosse ; elle resta là, à s'observer dans la glace qui lui renvoya le reflet d'une jeune femme pâle et tendue, aux cheveux défaits.

— À votre place, je ne ferai pas cela, lui conseilla Charlotte.

Justine posa la brosse et la regarda.

— Vous avez raison. L'heure n'est pas à la coquetterie, dit-elle en se mordant la lèvre. Mrs. Pitt, acceptez-vous de m'accompagner ?

— Je ne sais pas... Je ne veux pas m'immiscer dans votre intimité.

— Votre présence m'aiderait à garder l'esprit clair et m'épargnerait de dire certaines choses que je risque de regretter par la suite.

— En êtes-vous sûre ?

— Oui. S'il vous plaît, allons-y avant que je perde courage.

Charlotte la suivit jusqu'à la chambre de Piers. Arrivée devant la porte, la jeune femme prit une grande inspiration et frappa.

Piers apparut dans l'entrebâillement ; la fatigue cernait ses yeux et des mèches de cheveux retombaient sur son front.

— Justine? Êtes-vous malade?

— Non, Piers. Mais il faut que je vous parle, c'est urgent.

— Mr. Greville, laissez-nous entrer, le pria Charlotte. Nous allons finir par réveiller toute la maisonnée.

— Mrs. Pitt, que se passe-t-il? demanda Piers, tentant de dissimuler son inquiétude. Il n'y a pas... d'autre mort, n'est-ce pas?

— Non, rassurez-vous.

Il n'y avait que deux fauteuils dans la chambre. Justine et Piers s'assirent face à face et Charlotte resta debout, contre un mur, dans la pénombre. Justine lui lança un dernier regard avant de se tourner vers son fiancé.

— Piers, nous ignorons qui a porté un coup fatal à votre père, commença-t-elle en s'efforçant de contrôler le tremblement de sa voix. Mais il faut que vous sachiez que c'est moi qui l'ai frappé à la tête et qui l'ai poussé dans la baignoire.

Elle s'interrompit brusquement et attendit.

Par deux fois, Piers ouvrit la bouche pour parler, mais aucun son n'en sortit.

— Oui, je voulais le tuer, reprit Justine, et si je ne l'ai pas fait, c'est qu'il était déjà mort. J'étais sa maîtresse... Il m'entretenait... Et il allait vous le dire.

Elle eut un sourire amer.

— Je ne pouvais pas le supporter. Je vous aime et votre amour pour moi est ce que j'ai de plus précieux. Je suis désolée d'avoir à vous annoncer cela. Vous ne comprendrez jamais à quel point je suis désolée...

Il la regarda comme s'il la voyait pour la première fois. Elle soutint son regard sans ciller.

Les deux jeunes gens avaient oublié la présence de Charlotte, qui, dans l'ombre, retenait sa respiration.

— Mais... pourquoi? bredouilla Piers, pourquoi étiez-vous obligée de mener cette existence?

— Au début, pour survivre, répondit Justine à voix basse. À la mort de mon père, ma mère a été abandonnée par sa famille, qui ne lui a jamais pardonné d'avoir épousé un étranger. Me vendre m'a permis d'avoir un toit, de manger à ma faim, d'être libre et de pouvoir m'offrir ce dont j'avais toujours manqué... Je savais que cela ne durerait pas. Une courtisane qui vieillit ne trouve plus de clients. Je voulais économiser de l'argent pour m'acheter un petit commerce. Et puis un soir, je vous ai rencontré à la sortie de ce théâtre. Je vous ai tout de suite aimé ; et j'ai compris le prix que j'avais payé pour assurer ma survie. À partir de ce jour, j'ai interrompu toutes relations avec votre père...

Piers, silencieux, était parcouru de frissons.

Les minutes s'écoulèrent, interminables, sans que personne ne bougeât. Charlotte commençait à trembler de froid.

Piers secoua la tête.

— Je ne sais que dire, confessa-t-il. Vous m'en voyez navré. J'ai besoin d'un peu de temps... pour réfléchir.

— Je comprends, fit Justine d'une voix atone. Bonne nuit.

Elle se leva et se dirigea droit vers la porte. Charlotte la suivit dans le couloir, jusqu'à sa chambre, hésitant à la laisser seule, sachant l'état de désespoir dans lequel elle se trouvait. Comme une somnambule, Justine entra et se laissa tomber sur son lit.

Que dire qui pût la réconforter ? Parler d'espoir, d'avenir semblait ridicule. Charlotte, d'instinct, s'assit à côté d'elle et la prit dans ses bras. Elles demeurèrent ainsi plusieurs minutes, Justine droite et raide, murée dans sa douleur ; peu à peu, elle se détendit et posa sa tête sur l'épaule de Charlotte. Quand celle-ci commença à avoir des fourmis dans le bras, elle chuchota :

— Vous devriez essayer de dormir. Souhaitez-vous que je m'en aille ?

Justine se tourna lentement vers elle.

— Pardonnez mon égoïsme. Vous devez être épuisée.

— Pas du tout, mentit Charlotte. Voulez-vous que je reste dormir ici ?

— Oh, oui, je veux bien. Et puis, non, je suis stupide, se reprit Justine. Vous ne pourrez toujours être à mes côtés. Tout ce qui m'arrive est ma faute, de toute façon.

— Mais cela n'empêche pas de souffrir. Allongez-vous et réchauffez-vous. Vous parviendrez peut-être à vous endormir.

— Voulez-vous rester avec moi ? Mais sous les couvertures, sinon, vous allez mourir de froid.

Justine éteignit la lumière et Charlotte se glissa dans le lit. Elle n'aurait su dire pendant combien de temps elle resta les yeux ouverts avant de sombrer dans le sommeil.

Elle fut réveillée en sursaut en entendant frapper. Elle sortit du lit et se dirigea à tâtons vers la porte ; Piers se tenait sur le seuil, hagard dans la lueur jaunâtre des veilleuses du couloir. Le jour n'était pas encore levé.

— Entrez, chuchota Charlotte.

Justine se redressa lentement et alluma une bougie. Piers s'avança vers le lit et s'assit tout au bord.

— Vous savez, au début, j'ai cru que c'était maman qui avait tué mon père, dit-il d'une voix douloureuse. Et puis j'ai pensé à la camériste, Doll Evans. Elle aurait eu de bonnes raisons, la pauvre.

Justine scruta son visage. Une lueur d'espoir passa dans ses yeux.

— Avez-vous remarqué que Wheeler est amoureux d'elle ? Doll s'est peut-être imaginé qu'après ce qui s'était passé, il ne voudrait plus d'elle.

— Et pourquoi ? Ce n'était pas sa faute. Wheeler n'a rien à lui pardonner. Et si l'on aime vraiment quelqu'un, on trouve la force de pardonner...

— Vous parlez pour les autres, murmura Justine. Mais nous, Piers ?

— Tout dépend de vous : pensez-vous que notre amour vaut la peine d'être défendu, ou préférez-vous vous déclarer vaincue ?

Elle baissa les yeux.

— J'ai beaucoup de défauts, mais je ne suis pas lâche. Sachez que je ne désire qu'une chose au monde : vivre avec vous.

Il se pencha en avant et lui prit les mains. Elle les retira aussitôt.

— Je suis coupable d'un crime, Piers. On m'arrêtera demain matin, je suppose.

— Peut-être pas, intervint Charlotte. Sauf si Piers, en tant que fils du défunt, décide de vous poursuivre en justice pour profanation de cadavre.

Piers se tourna vers Charlotte.

— Que risque Justine ? Quelques mois de prison, tout au plus ? Nous pouvons attendre...

— Voyons, réfléchissez ! s'exclama Justine. Vous n'aurez jamais un seul client dans votre cabinet si l'on apprend que votre épouse a passé plusieurs mois en prison pour avoir profané un cadavre !

Piers ne répondit pas.

— Justine a raison, observa Charlotte. Il vous faudrait partir à l'étranger, en Amérique, peut-être... Vous ne risqueriez pas d'y rencontrer des personnes de connaissance.

— J'admire votre tact, Mrs Pitt, fit Justine avec un sourire ironique. Mais imaginez-vous un médecin épousant une putain ?

Elle éclata d'un rire dur.

— Pourtant je connais des dames de haut rang aux mœurs fort légères, mais elles agissent par désœuvrement, non pour de l'argent. Cela fait toute la différence, n'est-ce pas ? Le commerce est considéré comme une chose vulgaire.

— L'Amérique, répéta Piers d'un ton pensif. Pourquoi pas, après tout ?

— Votre mère aura-t-elle besoin de vous, ici ? demanda Charlotte.

— De moi ? dit Piers, étonné. Elle n'a jamais eu besoin de moi.

— Même si votre oncle Padraig a tué votre père et Lorcan McGinley ?

Le visage de Piers s'assombrit.

— Il y a de grandes chances que ce soit lui, n'est-ce pas ?

— Oui. Lui, ou Fergal Moynihan, mais franchement, je ne crois pas que Fergal aurait eu assez de cran.

— Je suis d'accord avec vous. Padraig ne manque pas de courage, et il est capable de tout pour protéger sa sœur. Si ma mère ne souhaite pas retourner en Irlande, où sa famille l'accueillerait à bras ouverts, elle pourra toujours nous suivre en Amérique. Je ne l'imagine guère vivre dans les montagnes Rocheuses, mais nous devrons bien nous contenter de ce que nous trouverons. Là-bas, les gens ont certainement besoin de médecins, et ils se moquent que nous soyons anglais ou irlandais, catholiques ou protestants. Et comme vous l'avez dit, nous ne risquerons pas d'y rencontrer des connaissances.

Il baissa la voix.

— Mais nous serons pauvres. Mon petit capital ne durera pas bien longtemps. Il est possible que les médecins soient mal payés, là-bas. De plus, il me faudra du temps pour être reconnu et accepté. Ce sera dur. Nous devrons oublier le luxe auquel nous sommes habitués : pas de domestiques, ni de belles toilettes, d'attelages, de bals ou de sorties au théâtre. Pensez aussi à la dureté du climat et peut-être à la présence d'Indiens hostiles ! Voulez-vous partager cette vie avec moi, Justine ?

Elle eut un lent hochement de tête, exprimant une certitude absolue.

— Nous devons en parler à votre mère.

— C'est vrai. Mais pas tout de suite. Attendons de savoir ce que va décider Mr. Pitt au sujet d'oncle Padraig... et de vous.

— Il va bientôt faire jour, remarqua Charlotte. Les domestiques doivent déjà être levés. Nous devrions regagner nos chambres et essayer de dormir un peu. Nous aurons besoin de toutes nos forces pour affronter cette journée.

Piers se leva, ouvrit la porte et se retourna pour regarder Justine.

— Merci, dit-elle. Je sais que même si je ne suis pas poursuivie en justice, j'aurai à vous prouver que je suis bien celle que j'essaie d'être. Il ne sert à rien de m'excuser. Je vous le démontrerai en restant à vos côtés tous les jours de mon existence.

En entrant dans sa chambre, Charlotte vit la veilleuse du dressing allumée. La porte de la chambre à coucher était entrouverte, mais la pièce restait plongée dans l'obscurité. Elle s'apprêtait à ôter sa robe de chambre et à se mettre au lit, quand un bruit la fit sursauter. Elle se retourna et vit Pitt, debout dans l'ombre.

— Où diable étiez-vous passée ? demanda-t-il d'un ton rogue.

Elle fit un pas vers lui.

— Je... suis désolée, balbutia-t-elle, je n'ai pas pensé à vous prévenir. Je suis restée avec Justine. Elle était si bouleversée... Elle a tout avoué à Piers. Il a longuement réfléchi, mais je crois que les choses vont s'arranger pour eux.

— N'oubliez pas qu'elle a essayé de tuer Greville. Vous ne pouvez pas la protéger.

— Qu'allez-vous faire d'elle ? L'arrêter pour tentative d'homicide sur un cadavre ?

Il ne répondit pas.

— Thomas... Elle pourrait émigrer en Amérique, avec Piers ; là, personne ne connaîtra son passé. Piers persiste à vouloir l'épouser, bien qu'elle lui ait tout avoué.

— Qu'en savez-vous ?

— J'étais avec elle. Je ne l'ai pas quittée de toute la nuit. Ne pouvez-vous pas fermer les yeux, pour une fois ? Leur vie ne sera pas facile. Ils devront tout laisser derrière eux. Je vous en prie, Thomas, épargnez-la...

Sans rien dire, Pitt se pencha vers elle et déposa sur ses lèvres un très long baiser.

À son réveil, Gracie se souvint de la journée de la veille, de l'étrange bougie poisseuse qu'elle avait touchée dans la chambre de Finn, de la colère de celui-ci, de sa fuite précipitée dans les couloirs... Mais comment oublier aussi vite la douceur de leur baiser échangé dans la serre ?

Elle se leva, fit un brin de toilette et s'habilla. La veille encore, elle faisait attention à son apparence ; désormais elle s'en moquait. Il lui suffisait d'être propre et bien nette pour commencer une nouvelle journée de travail.

En descendant l'escalier, elle croisa Doll Evans qui arborait un sourire tranquille. À l'office, elle retrouva Gwen ; celle-ci prenait une tasse de thé avant de monter de l'eau chaude à Emily.

— Je suis désolée pour toi, dit Gwen en secouant la tête. Il avait pourtant l'air gentil. Mais je suis sûre qu'un jour tu rencontreras un garçon bien, et tu oublieras Finn.

Gracie savait que Gwen croyait bien faire en disant cela, mais ses paroles ne la réconfortaient pas, au contraire. Parfois, la gentillesse des autres peut vous donner envie de pleurer.

— Oui, t'as sans doute raison, dit-elle en se versant une tasse de thé.

— Tu verras, tout va s'arranger, la rassura Gwen. Tu as une bonne place, et la tête sur les épaules.

Avoir la tête sur les épaules a jamais empêché de souffrir, songea Gracie en son for intérieur.

— Merci, c'est gentil de me dire ça, répondit-elle, pour que Gwen ne s'imagine pas qu'elle boudait.

Celle-ci posa sa tasse, lui tapota affectueusement l'épaule et partit vaquer à ses occupations. Gracie se dit qu'elle devait elle aussi monter de l'eau chaude à Charlotte. Et à Pitt ; ce n'était pas Tellman qui penserait à s'en charger !

Au moment où elle quittait la cuisine, Tellman entra. Il

avait une mine épouvantable, comme s'il n'avait pas fermé l'œil de la nuit.

— Vous voulez du thé? proposa-t-elle en indiquant la théière. Il est encore chaud. Si vous voyiez votre tête!

— Je me suis couché à pas d'heure, répondit Tellman.

Il faillit ajouter quelque chose, puis se ravisa et se servit une tasse de thé.

— Et pourquoi? demanda Gracie en lui tendant le pot de lait. Vous étiez malade?

— Non, dit-il en détournant les yeux.

Gracie comprit qu'un événement s'était produit pendant la nuit. Et si cela avait un rapport avec Finn? Elle devait en apprendre davantage.

— Alors pourquoi vous avez pas dormi? Il s'est passé quelque chose?

Il l'observa attentivement, puis se décida à parler.

— Je poursuivais l'enquête, avec Mr. Pitt. Lui non plus ne s'est pas couché.

— Et qu'est-ce vous avez découvert?

— Rien, pour le moment.

Au fond, elle ne tenait pas à en savoir plus au sujet de Finn, tant elle avait peur pour lui, mais, par-dessus tout, elle souhaitait voir Pitt résoudre ces mystères. Sa loyauté envers lui l'emportait sur toute autre considération; c'était pour cela qu'elle lui avait parlé de la présence du bâton de dynamite dans la chambre de Finn.

— Bon, c'est pas tout ça, mais faut que j'aille chercher de l'eau, dit-elle en vidant sa tasse. Mrs. Pitt va pas tarder à se lever.

— Ça m'étonnerait, répondit Tellman. Elle n'a pas dû dormir beaucoup cette nuit. À mon avis, elle dort à poings fermés.

— Peut-être, mais vaut mieux que j'aille voir, s'entêta Gracie, qui n'avait aucune envie de rester en tête à tête avec lui.

Elle s'approchait de la porte quand il la rappela.

— Gracie..

— Oui ? fit-elle sans se retourner.

— Le meurtrier de Mr. Greville est un professionnel. Il n'a pas agi par passion, sous le coup de la colère, ou pour se venger. Je veux dire... si c'était Mrs. Greville ou Doll, on aurait pu comprendre...

Gracie se retourna.

— C'était pas Doll, j'en suis sûre. La dame que j'ai vue était pas aussi grande que Doll. Pour moi, c'était Mrs. Greville ou Mrs. McGinley.

— La femme que vous avez vue a bien essayé de tuer Greville, mais ce qu'elle ignorait, c'est qu'il était déjà mort, la nuque brisée. C'est ce que nous avons découvert cette nuit.

— Ah ? Et comment vous avez trouvé ça ?

— Il est inutile que vous le sachiez. Vous ne direz rien à personne, n'est-ce pas ? C'est confidentiel. D'ailleurs, je n'aurais pas dû vous le dire.

— Alors pourquoi vous me l'avez dit ?

Tellman rougit, embarrassé.

— Gracie, je... je n'aime pas vous voir malheureuse comme ça. Je pensais que cela vous ferait plaisir de savoir que celui qui a tué Greville est un vrai professionnel. Il est très difficile de porter un coup mortel à quelqu'un, si l'on n'est pas entraîné à cela. Vous savez, ces Irlandais croient avoir le droit pour eux, mais personne n'a le droit d'assassiner son prochain, simplement parce qu'il n'est pas d'accord avec vous.

Tellman avait raison. Gracie l'avait compris à la minute où elle avait vu le bâton de dynamite dans la chambre de Finn.

— Oui, je sais, concéda-t-elle sans le regarder. Bon, faut que je monte l'eau chaude.

— Gracie...

— Oui ?

— J'aimerais pouvoir vous aider.

Debout près de la table, gauche, les yeux cernés par la fatigue, il la contemplait avec une tendresse qui la stupéfia. Était-il possible que ce grand nigaud fût amoureux d'elle ?

— C'est gentil à vous, murmura-t-elle. Mais il faut vraiment que je monte de l'eau à Mrs. Pitt.

— Je peux vous aider, si vous voulez. Les brocs sont lourds à porter.

— Merci.

C'était son travail, après tout, de porter l'eau à Pitt, mais pour une fois Gracie se retint de lui faire une de ses remarques acides dont elle avait le secret.

Tellman ouvrit la porte et s'effaça pour la laisser passer, puis remplit deux brocs d'eau qu'il monta à l'étage. Il ne savait plus quoi dire mais, pour Gracie, cela n'avait pas d'importance.

En arrivant dans la chambre, elle trouva Charlotte dormant à poings fermés, comme l'avait supposé Tellman ; Gracie n'eut pas le cœur de la réveiller. Elle laissa l'eau près de la table de toilette et partit sur la pointe des pieds.

Elle redescendit au rez-de-chaussée et, en passant devant le jardin d'hiver, aperçut Mr. Moynihan et Mrs. McGinley en grande discussion. Ce fut plus fort qu'elle, elle s'arrêta et tendit l'oreille.

— ... mais Iona, nous ne pouvons nous quitter ainsi ! disait Fergal d'un ton à la fois peiné et coléreux. Ne m'aimez-vous donc pas ? Notre amour ne représente donc rien à vos yeux ?

– Que voulez-vous exactement, Fergal ? Le savez-vous ? Est-ce moi, Iona, ou un grand amour qui vous permettrait de renoncer à vous battre pour une Irlande protestante à laquelle vous ne croyez plus vraiment ?

— Oh, détrompez-vous ! N'imaginez pas que j'ignore pourquoi je me bats ! Et je ne changerai jamais d'opinion. Je ne m'agenouillerai pas devant Rome, je ne vendrai pas mon âme pour une religion de superstitieux qui dévident des chapelets en psalmodiant des incantations.

— C'est bien ce que je pensais, fit-elle d'un ton las. Vous savez aussi que jamais je n'abandonnerai ma foi pour une religion prêchée par des pasteurs sinistres ne parlant que des flammes de l'enfer. J'estime qu'il faut nous séparer avant de nous détruire, Fergal, parce que je vous aime. Ainsi nous garderons de beaux souvenirs de notre amour.

Fergal demeura immobile. Iona le regarda, puis tourna les talons et partit en direction du vestibule.

Cette scène demeura gravée dans l'esprit de Gracie, qui ne cessa d'y penser tout en vaquant à son travail. Il lui fallait oublier Finn Hennessey et ne se souvenir que du parfum des chrysanthèmes dans la serre, de l'odeur de sa peau et de la douceur de ses baisers.

Charlotte se réveilla en sursaut, la bouche sèche, les tempes bourdonnantes. Elle avait dormi trop profondément et trop longtemps. Pitt n'était plus dans le lit ; aucun bruit ne parvenait du couloir. Où diable était passée Gracie ? Pourquoi ne l'avait-elle pas réveillée ?

Elle se leva, la tête lourde, et se dirigea vers la table de toilette. Dans les brocs, l'eau était presque froide. Elle jugea inutile de sonner Gracie ; l'eau froide la réveillerait.

Elle finissait de se laver les cheveux quand Pitt entra dans la pièce.

— Ah, vous êtes réveillée. Comment vous sentez-vous ? Vous avez une tête à faire peur.

— Merci bien, dit-elle cherchant une serviette à tâtons.

Il la lui tendit.

— Vous avez vraiment mauvaise mine, dit-il en repoussant doucement une mèche de cheveux mouillés.

À ce moment, on frappa à la porte. Pitt alla ouvrir : Jack se tenait sur le seuil.

— Thomas, Cornwallis vous demande au téléphone.

Pitt soupira.

— Dans la bibliothèque, ajouta Jack en adressant un petit sourire à Charlotte.

En descendant l'escalier, Pitt sentit l'appréhension le gagner. Qu'allait-il pouvoir annoncer à son supérieur ?

Il entra dans la bibliothèque et prit le récepteur.

— Bonjour, monsieur.

— Bonjour, Pitt. Comment allez-vous ? Alors, du nouveau ?

— Nous avons examiné le corps de Greville, monsieur. Il ne s'est pas noyé dans sa baignoire. En fait, il a été tué d'un coup violent porté à la nuque. L'œuvre d'un professionnel.

Sans même s'en rendre compte, il avait omis de parler de Justine.

— Au fond, je ne suis guère étonné, répondit Cornwallis d'un ton déçu. Cela ne fait que confirmer nos suppositions. Nous ne pouvons garder ces gens plus longtemps à Ashworth Hall. Demain, après-demain au plus tard, ils devront quitter le manoir. Le compte rendu de la conférence doit être rédigé demain.

— Oui, je le sais, monsieur. Pour l'instant, je ne peux encore prouver qui est derrière tout cela.

Il lui parla de la découverte de la dynamite et de l'arrestation de Hennessey.

— Pensez-vous pouvoir obtenir davantage d'informations de sa part ?

— Non, je ne crois pas.

— Qu'allez-vous faire ? insista Cornwallis. D'après ce que vous me dites, il ne peut s'agir que de Doyle ou de Moynihan. Or j'imagine mal votre Hennessey collaborant avec les protestants ! Leurs idéaux sont radicalement opposés ; s'ils ne l'étaient pas, il n'y aurait pas de problème irlandais.

— Nous allons essayer de retracer les allées et venues de Lorcan McGinley au cours des heures précédant l'explosion dans le bureau de Jack Radley.

— Tenez-moi au courant, Pitt. J'attends un rapport au téléphone ce soir.

— Bien, monsieur. L'enquête sur la mort de Denbigh a-t-elle progressé ?

— J'ai mis tous les hommes disponibles sur l'affaire.

Nous en savons davantage sur les activistes irlandais catholiques agissant à Londres. Mais l'assassin de Denbigh ne se trouve pas parmi eux.

— Il serait reparti en Irlande ?

— Non, pas du tout. Figurez-vous que cet homme avait infiltré les Fenians, ce qui lui a permis de recueillir de nombreuses informations sur les membres de l'organisation et leurs projets. Ensuite il a disparu. Je crois qu'ils le recherchent autant que nous.

— Mais alors, qui est-il et pourquoi a-t-il assassiné Denbigh ?

— Il est possible que ce dernier ait découvert sa véritable identité ; l'homme l'aurait tué pour protéger son anonymat. De toute façon, il ne se trouve pas à Ashworth Hall. Son apparence est si caractéristique que vous l'auriez repéré.

Après avoir raccroché le récepteur, Pitt partit chercher Tellman. Il le trouva à l'office, buvant une tasse de thé d'un air morose.

— Y a-t-il du thé de prêt ? demanda Pitt.

— Non, monsieur. Je vais en préparer à la cuisine.

Tellman revint quelques minutes plus tard, chargé d'un plateau contenant une théière, un pot de lait, deux tasses et des biscottes beurrées.

Pitt se servit et tint la tasse brûlante entre ses doigts.

— Revenons sur les faits et gestes de McGinley le matin de l'explosion, dit-il d'un ton pensif. Comment a-t-il appris qu'une charge de dynamite avait été placée dans le bureau ? Hennessey ne le lui avait pas dit... ce qui implique qu'ils ne faisaient pas partie du même parti politique, je suppose.

— Hennessey devait travailler pour Doyle, conclut Tellman.

— Cornwallis vient de m'apprendre que Denbigh n'a pas été abattu par les Fenians, précisa Pitt.

La figure de Tellman s'éclaira.

— Ont-ils arrêté l'assassin ?

— Non, hélas. Ils savent seulement que l'homme avait lui aussi infiltré les Fenians. Ils sont à sa recherche, tout comme nous.

— Mais pourquoi l'a-t-il tué?

— Sans doute parce que Denbigh avait découvert son identité.

— En quoi cela nous aide-t-il? Cet homme n'est pas venu ici. Personne n'est entré dans le manoir par effraction. À mon avis, le meurtrier de Greville ne peut être que Doyle ou Moynihan. C'est l'un d'eux aussi qui a placé la dynamite. Ou alors Hennessey nous a menti sur toute la ligne.

Pitt ne dit rien. Une petite idée commençait à faire son chemin dans son esprit.

Tellman souffla sur son thé brûlant et but une gorgée. Pitt grignota une biscotte beurrée, puis vida sa tasse.

— Je veux interroger à nouveau Hennessey, dit-il. Allez le chercher, puis prenez deux valets avec vous et retrouvez-moi dans la bibliothèque. Il se peut qu'il y ait du grabuge. Jack Radley, Doyle, Moynihan et O'Day seront présents.

En entrant dans la bibliothèque, Tellman ôta les menottes du prisonnier et le tint fermement par le bras. Finn, la tête haute, défia Pitt du regard, ignorant ostensiblement les quatre autres hommes présents, assis en demi-cercle autour de la table.

— Nous savons que c'est vous qui avez introduit de la dynamite à Ashworth Hall, commença Pitt. Je dois dire à votre décharge que vous ne l'avez pas nié. Mais vous affirmez ne pas l'avoir placée dans le bureau de Mr. Radley et je vous crois, car plusieurs témoignages prouvent que vous n'en avez pas eu matériellement la possibilité. La question que je vous pose est la suivante : qui a placé la dynamite?

Finn sourit.

— Je ne vous le dirai jamais.

— Dans ce cas, nous allons procéder par déduction, fit Pitt en regardant les hommes assis autour de la table, en demi-cercle.

Fergal, jambes croisées, tambourinait d'un air agacé sur l'accoudoir de cuir de son fauteuil. À ses côtés, Carson O'Day, impatient, regardait à tour de rôle Pitt, Doyle et Hennessey. Il paraissait exaspéré par la façon de procéder du policier, qui, à ses yeux, n'aboutirait manifestement à rien. Padraig Doyle se tenait bien calé contre le dossier de son fauteuil, sur la défensive. Jack paraissait fort soucieux.

— Nous perdons du temps! s'écria O'Day. J'imagine que vous avez demandé à toutes les personnes présentes dans ce manoir où elles se trouvaient et ce qu'elles faisaient avant-hier matin!

— Bien entendu. Mais d'après les informations que nous avons recueillies, aucune d'entre elles n'a pu placer la dynamite dans le bureau. J'en conclus que quelqu'un a menti.

— Il y a une réponse qui paraît vous avoir échappé, commissaire, fit O'Day d'un ton légèrement condescendant. C'est tout simplement McGinley le coupable. Il n'était pas le héros venu désamorcer la charge, comme essaie de nous le faire croire Hennessey; il avait bel et bien l'intention de tuer Mr. Radley. Mais dans sa maladresse, il n'est parvenu qu'à se faire sauter lui-même. Ce serait l'explication à toutes vos questions, me semble-t-il...

— En ce qui concerne l'explosion, oui, répondit Pitt, mais pas en ce qui concerne la mort de Mr. Greville. Son meurtrier ne peut être McGinley puisque vous l'avez entendu vous-même bavarder avec son valet à l'heure du crime.

O'Day ouvrit de grands yeux.

— C'est bien ce que vous avez déclaré, n'est-ce pas? reprit Pitt.

— Pas exactement, répondit O'Day. J'ai entendu Hennessey parler à McGinley.

Il se tourna vers le prisonnier.

— Je vous ai entendu, vous, mais je n'ai pas entendu les réponses de McGinley. Je ne pourrais donc jurer qu'il était dans sa chambre. Vous auriez pu mentir pour le couvrir, comme vous l'avez fait pour la dynamite...

Il n'eut pas besoin d'aller plus loin. La vive rougeur qui avait envahi les joues d'Hennessey venait de le trahir.

O'Day s'adressa alors à Pitt :

— Voilà votre assassin, commissaire, servi sur un plateau : Lorcan McGinley, agissant pour le compte des Fenians, les saboteurs de l'honneur de l'Irlande, qui préfèrent utiliser la voix du sang plutôt que les bulletins de vote...

— Menteur ! explosa Hennessey. Espèce de sale menteur ! Quel honneur y a-t-il à laisser des femmes et des enfants mourir de faim, à chasser des familles entières pour prendre possession de leurs terres ? Vous autres protestants, vous haïssez le peuple irlandais. Vous êtes des gens cupides et hypocrites qui niez l'existence de la véritable Église de Dieu. Les Fenians, eux, combattent pour la liberté de l'Irlande !

— Là n'est pas la question, Hennessey, intervint Pitt avec calme. Vos amis nationalistes catholiques n'ont rien à voir avec les meurtres d'Ashworth Hall.

O'Day se figea.

Doyle sursauta et se tourna vers Pitt.

Finn dévisagea le policier sans comprendre.

— On a voulu saboter cette conférence, présidée par un catholique irlandais modéré, poursuivit Pitt, parce que l'on craignait qu'elle n'aboutisse à un accord de paix. Il n'y avait pas que les Fenians qui en redoutaient l'issue. Demandez à vos amis de Londres : ils vous confirmeront avoir été infiltrés par un homme au regard fixe et transparent. Cet individu avait déjà attenté à la vie de Greville, et c'est lui qui a assassiné notre homme...

— Votre homme ? l'interrompit Doyle, sur le qui-vive.

— Un policier nommé Denbigh, abattu juste avant le début de la conférence. J'y ai déjà fait allusion devant vous. Nous avons cru que les Fenians l'avaient éliminé parce qu'il avait découvert qu'un complot se tramait contre Greville; mais je viens d'apprendre que son assassin n'était pas un catholique extrémiste.

Pitt regarda Hennessey.

— Vous avez été manipulé, Finn... mais pas par vos amis. Les protestants se sont servis de vous. Dans l'ombre, ils vous ont poussé à l'action, afin que la responsabilité de ces meurtres retombe sur les catholiques. Ils voulaient l'échec de cette conférence, parce que le moindre compromis leur aurait ôté le soutien de leurs factions les plus extrémistes.

— Balivernes! s'exclama Moynihan. Votre raisonnement est absurde, commissaire. Ces crimes sont l'œuvre des Fenians. Nous étions près d'aboutir à un accord et ils ne pouvaient l'accepter. C'est Doyle qui est derrière tout ça!

— C'est vrai, nous étions sur le point d'aboutir à un accord, fit Jack avec tristesse. Chaque partie avait fait des concessions, apparemment... Mais peut-être que l'une des parties faisait semblant d'être raisonnable, sachant que l'accord de paix ne serait jamais mis en pratique et que rien de positif ne sortirait des murs d'Ashworth Hall.

— Cet homme aux yeux clairs... murmura Finn en s'adressant à Pitt. Ce n'était pas un catholique nationaliste ?

— Non.

Finn interrogea Doyle du regard. Celui-ci secoua la tête.

— Non. Nous le recherchons, nous aussi. Mais, si vous le répétez en dehors de ces murs, commissaire, dit-il avec un petit sourire en direction de Pitt, je vous traiterai de menteur. Oui, Finn, vous avez été manipulé, conclut-il. Mais pas par nous.

Fergal lança à O'Day un regard horrifié.

Finn s'arracha à l'étreinte de Tellman et se jeta sur O'Day ; le fauteuil de celui-ci bascula en arrière et les deux hommes tombèrent sur le sol.

Tellman fit un pas en avant, mais Doyle le retint.

— Laissez-le faire, dit-il. Si un homme mérite une bonne correction, c'est bien Carson O'Day. Quand je pense, commissaire, que vous ne pouvez même pas l'arrêter pour avoir commandité le meurtre de Greville ! Et s'il n'avait pas poussé McGinley à essayer de se débarrasser de Jack Radley, l'assassin de Greville serait encore en vie. Dieu, cela me rend malade...

— Avec l'aide de Hennessey, répondit Pitt, nous parviendrons à démontrer qu'il est à l'origine du meurtre de Denbigh.

Il regarda O'Day qui se débattait sous les coups furieux de Finn, un homme manipulé, trahi et désormais condamné.

— Je suis sûr que Mr. Hennessey n'hésitera pas à nous aider à le faire pendre.

— Certainement, murmura Doyle. Que Dieu sauve l'Irlande !

Cet ouvrage a été imprimé par

BUSSIÈRE

GROUPE CPI

*à Saint-Amand-Montrond (Cher)
pour le compte des Éditions 10/18
en décembre 2006*

Nº d'édition : 3674 – Nº d'impression : 064154/1
Dépôt légal : janvier 2005
Nouvelle édition : janvier 2007
Imprimé en France